アカデミック・ダイバーシティの創造

岐阜聖徳学園大学
外国語学部 編

彩流社

まえがき

岐阜聖徳学園大学外国語学部は、学部の研究の多様性とそのレベルを世に問う活動の一つとして、外国語学部の教員が集まり論文集を出版している。二〇〇七年に『異文化のクロスロード――文学・文化・言語』を、二〇一〇年に『ポスト／コロニアルの諸相』を、二〇一四年に『ことばのプリズム――文学・言語・教育』を、二〇一八年に『リベラル・アーツの挑戦』を出版した。本書はその五作目にあたる。

一作目の出版を通して、多岐にわたる専門分野をもつ教員から構成される本学部の独自性と存在意義を確認することができた。二作目以降、このような研究書を定期的に刊行し、学部の研究レベルと成果を世に問うていくことを伝統として位置づけ、発展させていこうという意識が、学部の教員間にいっそう強くなっていった。

この五作目は、これまでの四作同様、本学部の研究レベルを世に問う営みであると同時に、現代における人文系のさまざまな学問分野からの問題提起の試みである。グローバル化の進展や絶え間ない技術革新等により、現代は予測困難な時代であると言われる。先の見通せない状況だからこそ、多角的に物事を捉え、検討し、判断することが重要であり、その一環として、学問の多様性を重視したいとの趣旨から、書名を『アカデミック・ダイバーシティの創造』とした。
前四作同様、本学部専任教員全員から執筆者を募ったところ、これまでで最多の十二編の論考が集まった。論文の分野は、文学、言語学、外国語教育学に加えて、経済学、メディア論、教育工学とこれまで以上に多様性が高まった。これらの論文が見通しのつきにくい現代のさまざまな問題を考えるきっかけになれば幸いである。

伊佐地 恒久

目次　アカデミック・ダイバーシティの創造

ジェンダーからみる太平洋戦争の記憶
――環太平洋文学の描く日本植民統治

河原﨑やす子

1　太平洋戦争の記憶と文学――問題の所在

二〇二〇年は太平洋戦争が終結してから七十五年という節目であり、コロナ禍(か)の混乱の渦中だったとはいえマスコミを中心にさまざまな回顧がされたことは記憶に新しい。新聞や雑誌、テレビなどによる回顧からは、この七十五年という年月の経過で戦争に直接関わった存命中の人々がきわめて少なくなっていることが見て取れた。戦争の目撃証言を語れるのは七十五年前に子どもや若年兵士だった人で、戦争の指導的立場の人々はもはや皆無に近くその証言はますます記録に頼る状況になっている。このように直接の記憶が遠ざかる中で、記録や記憶をもとにした歴史書そして文学書の価値は相対的に高くなっているといえる。だがそれは、歴史愛好家を除いては太平洋戦争への知識や関心が薄れていく可能性にもつながりかねない。現にアメリカと日本が戦ったことすら知らない若者たちも出現しているという（半藤ほか、二〇一三）。日本人にとって太平洋戦争は遠い記憶になりつつあるという現実がこのようなことから見えてくる。

一方、日本が占領した被害国側では、戦争の記録や記憶の掘り起こしとそれに関する謝罪や賠償請求などがむしろ盛んになる傾向がみられる。ことに中国や韓国では戦争を記念する盛大な行事が行なわれたり博物館などが建造されたりしているが、それはこの国々にとって戦争の決着はいまだついていないことを意味しているのだ。現在までに中国は南京事件を記念する博物館を世界遺産に登録し[1]、韓国は慰安婦問題の象徴として世界各国に次々と慰安婦像を設置している[2]。また韓国の最高裁は、徴用工問題と慰安婦問題に関して日本政府にきわめて厳しい判決を下した。そのほかの国々には目立った動きはみられないものの、フィリピンやインドネシアをはじめとする東南アジア諸国では経済が優先されているため、今のところ問題を浮上させないだけだという見方もある。ここで少なくとも注目すべきなのは、中国や韓国の厳しい視線が国際世論に訴えかけてきたという事実である。それは両国の国内からの訴えばかりでなく、アメリカなどに渡った移民の政治力がこの動向に大きく寄与して外交問題を動かしているからだ。問題はもはや二国間にとどまらず、グローバルな課題としてさまざまな力が国連や各国の政府自治体を動かしていることは明らかである。

こうした状況で加害国である日本が戦争を忘却し、あるいはこの動向に対峙（たいじ）しないでいるのは問題ではないだろうか。筆者がこう感じ始めたのは、アジア系アメリカ文学の研究過程においてである。この研究はアジアからの移民体験を描いたアメリカ文学の分析と評価から始めたのだが、文学に強く表明されるポストコロニアル批判が日本の植民地統治も包括して展開されていることにまず注目した。研究を進めると、その流れはアジアの国々の文学に広がり、また戦争体験のない世代が書き手に加わっていることも判明した。そこからは、このジャンルの文学が戦後以降の世代の読み手を引き付けていることが推察できる。また文学としては、単なる植民地主義の告発に終わるのではなく、さまざまな技法を用いて入り組んだ問題意識を表現している点で高く評価できる作品も多い。このような文学状況には政治的な部分も大きいと認識を深めた結果、太平洋戦争における日本の植民統治に関連した文学の研究は日本人である自分には不可避のものであり、しかも独自の読みと分析を可能とするものだという結論に達した。さらに文学に示される日本の植民統治状況には女性に対する多様な抑圧が頻繁に示されることから、本研究の立脚点にジェンダー視点を据えることは必須であると考えたのである。

本論が研究対象として取り上げるのは、太平洋戦争時における日本植民統治に関する文学、それも被害国側から描いた作品群である。日本植民統治の地域は環太平洋全体に広がっており、できるだけその全範囲を包括したいが、英語か日本語での表現に限定すると、アジア系アメリカ人の文学および英語を公用語とする国の文学が主な対象となる。アジア系アメリカ文学では、中国、韓国など移民の故国となる東アジア地域、その他の文学では主にシンガポール、マレーシア、フィリピン、グアムなどの東南アジアおよび太平洋地域などの文学となる。さらに、インドネシアは英語が公用語ではないが日本語翻訳を通して取り上げることができる。その他の占領地域に関しては今後の課題とし、上記の範囲の文学を本論が取り上げる環太平洋文学と位置付ける。日本植民統治の時期としては狭義では一九四一年の真珠湾攻撃から一九四五年の終戦までとするが、満洲事変（一九三一）や日韓併合（一九一四）などそれ以前を考慮すべき占領地もある。

2　戦争とジェンダー

なぜジェンダーの視点をこの文学分析の基盤とするかについて、ここで明らかにしたい。戦争とはたしかに男たちが戦った事態ではあるが、女の存在もまた大きな意味をもつ。つまり戦争に関連した文学にジェンダー問題が関与する場合が多いのは、戦争が男だけのものではないからだといえる。シンシア・エンロー（Cynthia Enloe）はジェンダーからの軍事分析をし、戦争とは男性化、軍事化および家父長制という三つのカギとなる概念に依るとする（『フェミニズムで探る軍事化と国際政治』）。すなわち社会的政治的プロセスを男性化することで女を周縁化し、そこから軍事的価値を男女ともに推進する軍事化が可能となるが、それを下支えするのが家父長制の社会構造となる。つまり家父長制を固定的規範とすることで、男性権力者と女性化された依存者という関係が出来上がり、それこそが戦争を支え推進するわけだ。女は周縁化され、男らしさを形成するのに寄与して軍国主義を推進する。つまり戦争における女の役割は男と相互補完性をもつともいえるわけである（若桑みどり『戦争がつくる女性像』）。もうひとつ、チャンドラ・モハンティ（Chandra Talpade Mohanty）はフェミニズム観点より重要な指摘をしている（*Feminism and War: Confronting U.S. Imperialism*）。それは、女が戦争で大きなインパクトを持ち、とくにその身体は戦時の男性性の動機を左右し、戦争の正当化の手段とも敵を辱（はずかし）めるための手段ともなりうるという主張だ。結局、国民国家のシステムの中で女性は戦争に周縁的な存在として関与をしており、ことに身体という側面は重大な意味を持ち戦争を左右する大きな力になり得るということなのである。

文学は戦争とジェンダーのこうしたつながりに焦点を当てテーマやモチーフとするため、戦争に関する文学をジェンダー視点から分析をすることには大きな意味がある。本論は基本的には女性に焦点を当て、作品に描かれた女性の抑圧を取り上げて分析し、そこから作品におけるジェンダー問題を見出す。太平洋戦争における女性への抑圧はきわめて大きかったが、日本統治下の地域で女性抑圧はどのような形で展開され、どのような位置づけだったのか。女はそれにどう対処したとされるか。戦争を取り上げる作家のテーマや技法にどのようなジェンダー観が示され、どう表現されているかなどを掘り下げて、作品に新たな光を当ててみる。多くの作品で女は男に抑圧されそれを受容する受け身の存在として描かれるが、抵抗しサバイバルを模索する例もあり、抑圧との向き合いはさまざまだ。筆者のこれまでの戦争文学分析では、大きな枠組みとして女性、国家、暴力の相互作用を並べ論じたが[3]、本論では女性に焦点を当てて日本軍事占領下で女性が国家や暴力とのせめぎあいで強いられた、あるいはあえて取った行為を（1）抑圧され搾取（さくしゅ）される、（2）抵抗する、（3）そのいずれでもない、という三項目に大別する。これは戦時の女性が取り得る行為とみなされるものだ。そしてこの項目に振り分けられる代表的な作品を取り上げ、ジェンダー観点から分析してより詳細な系譜を作成してみる。その系譜は、日本植民統治を批判する文学群の全体像を明らかにすると同時に、日本人がそれをいかに捉えるべきかを考えることにつながるであろう。なお本論はこのジャンルを代表すると思われる作品を十三に絞って取り上げるが【論末資料参照】、それは全体を包括するというよりは大きな流れを示すという位置づけになる。

3　女の抑圧と搾取——レイプと殺戮から浮上する二つの系譜

多くの作品で戦争被害者の女性の多数が性の抑圧／搾取の被害者とされているのは、モハンティの指摘のように女性の身体が戦争の中で大きな意味を持つからである。性を搾取された女性すなわちレイプ被害者は、きわめて大きな喪失を被る。それは家族の喪失、コミュニティの喪失、将来への希望の喪失、さらには生命の喪失などだ。そのすべてを凝縮して描き出しているのが慰安婦を取り上げた文学である。慰安婦問題は究極の性の搾取として訴える力が大きいため、多くの作家がテーマやモチーフに取り上げている。それは日本軍が実際に慰安婦制度を設置したことによるが、記録や証拠の不足により長年隠蔽(いんぺい)されてきたため、今なお論議され続けている史実でもある。これまで作家たちは乏しい証言や記録をたどり想像力を補いつつ、慰安婦文学を構築してきた。筆者はすでに慰安婦に関する文学（慰安婦文学）を論考したが（河原﨑、二〇二〇）、完成度の高さという点で筆頭に挙げた二作品、すなわち韓国系アメリカ人作家、ノラ・オッジャ・ケラー（Nora Okja Keller, 1966–）の『慰安婦』（*Comfort Woman*, 1997）と同じく韓国系アメリカ人作家、チャンネ・リー（Chang-rae Lee, 1965–）の『最後の場所で』（*A Gesture Life*, 1999）をジェンダー視点で再考し、女性の抑圧と搾取という大きなテーマを一つの系列として論じうるかどうかを検討する。

ケラー作品に登場する慰安婦は、アキコという韓国人女性だ。彼女は日本軍の募集に騙されて慰安婦にされ苦役に堪えたのちに慰安所からの逃亡に成功し、戦後アメリカで結婚して娘を設けながらもトラウマに苦しんで自死する。この女性を自殺に追い込んだものは何か。まず挙げられるのは性の搾取であり、最も深刻で重大な事態である。これは毎日不特定多数の男との性関係を強いられるという想像を超えた搾取であり、肉体的精神的な喪失は計り知れない。しかもこれに加えて彼女はさまざまな搾取をされており、なかでも深刻なのが名前の搾取である。「アキコ」とは彼女が戦後も使用していた日本人名であり、スンヒョという韓国名を奪われてつけられたものだ。これはアイデンティティ喪失という彼女の悲惨な人生を象徴してもいる。アキコとは彼女が慰安所で見習いをしていた十四歳の時に目前で惨殺(ざんさつ)された慰安婦の名であり、彼女はその名を継がされると同時に慰安婦にされたのだった。アキコという名には、自らの本名の搾取に加えてアキコという名の同胞女性の命の搾取という二重の喪失が刻印されているわけである。彼女が本名はスンヒョだと自らの娘に初めて明かすのは自殺後で、娘に遺した自らの体験を語ったテープの最終部であり、この仕掛けにも彼女の喪失の重さが表わされている。スンヒョはそのテープの中で、自分は慰安婦とされた十四歳で死んだ、つまり人生へのあらゆる希望を喪失したと述べる。彼女のこの生への絶望感は、日本軍からの逃亡に手を貸し救出したアメリカ人牧師に対する感情につながる。この牧師は後に夫となり娘の父ともなるが、スンヒョにとっては助けてくれた人ではなく「助けることに喜びを感ずる人」でしかない。二人の関係性には彼女の複雑な喪失感が深く関与している。夫は自分を支配し従属させる存在であり、彼との関係はいわば日本と朝鮮の支配従属の疑似関係ともいえるが、彼女は抗議も抵抗もしない。絶望感がそれをさせないのだ。結局、スンヒョは娘を含めてだれとも繋がれず、慰安婦の記憶に苦しみ自死に追い込まれる。こうして全編はアキコ／スンヒョに対する性の搾取がどれほど大きな喪失となって彼女を破滅に至らせたかを明らかにし、慰安婦状況の厳しさを読者に訴えかける。作者ケラーの眼差しはこの女性に寄り添い、癒すことが不可能な苦しみとはどのようなものかをじっくりと明らかにする。実の娘も近寄れないほどの苦しみが示すのは、安易な妥協を許さないという強力な女性からの告発にほかならない。作者は、この女性の搾取は日本による朝鮮の搾取の結果だと戦争を強く糾弾し、それがもたらす深刻なジェンダー問題がいかに悲惨な結果を生じるかを訴える。問題は戦争であり、それを担った男たちだと読者に認識させるのである。

リーの『最後の場所で』では、日本軍人の主人公ハタの人生に大きな影を落とすのが慰安婦Kとの遭遇体験、という慰安婦問題の位置づけである。ここでも慰安婦の状況は、究極の搾取として女性を苦しめ、残酷な破滅をもたらす。クッテ／Kはアキコと同じく軍慰安所に送り込まれた朝鮮人の一般女性で、ハタと遭遇したのは慰安所に到着し性の搾取を目前にしてすべての感情を喪失したような状態の時である。この絶望的状況の中、彼女は同じ運命の姉が目前で兵士に逆らって殺されるのを見ても、悲嘆するのでなく羨む。肉親の悲劇へのこの反応からは、彼女がすでに精神的には死んでいるのも同然だとわかる。ところが全身喪失感のようなこの女性に対しハタは恋愛感情を抱き、在日朝鮮人ゆえに話せる朝鮮語で近寄る。Kにとって彼は地獄に仏のような存在で希望を抱くが、その唯一の希望とは自分を殺してほしいということなのだ。だが生の世界に希望を持つハタは彼女の美貌に魅せられ、殺すどころか彼女の性への欲望を高めて機会を得て思いを遂げる。これは

Kにとって絶望感を深める搾取でしかない。その喪失感によって、彼女は自ら日本人将校を殺し、その報復として部下たちから集団強姦され惨殺されてしまう。これはKが選んだ自殺的行為なのだが、ハタには痛恨の事件、大きなトラウマとなって一生彼を悩ませ苦しめる。ここで問題となるのは、彼の苦しみがKを喪失したことであって、K自身の絶望や苦悩への理解、哀悼ではないことだ。ここには相互理解の非在が示され、それはまさに慰安婦Kの孤独や喪失感、絶望感につながるのである。作者は日本軍の男たちによるKへの抑圧／搾取の残酷さをジェンダー問題として衝撃的に描く。だがその一方で、日本軍人である男ハタの苦悩があくまでも自己中心的で女の抱える苦悩に至らないことは、もうひとつのジェンダー問題、つまり男女のディスコミュニケーションを浮上させる。言い換えると、作家が描くのはあくまでも男性の側から見た慰安婦問題であり、問題の核心は男性の苦悩に置かれているのだ。慰安婦Kの話は作品の衝撃的なモチーフであってテーマではない。作品のテーマは女性抑圧というジェンダー問題にあるように見えるがその核心には至らず、最も大きな関心は男性のアイデンティティ問題にあるといえよう。

以上のようにケラーとリーの慰安婦問題へのジェンダーアプローチは明らかに異なっており、二つの系譜と分けて捉えるべきである。すなわち慰安婦の受けたジェンダーの搾取と喪失を前面に出して戦争を告発する第一の系譜と、慰安婦の悲惨さをモチーフに個人の問題を取り上げて戦争を告発する第二の系譜となる。この分類に従うと、その他の慰安婦を取り上げた作品もまた二つに分かれる。

第一の系譜に連なるのは、韓国生まれでアメリカに移民した作家、テレーゼ・パーク（Therese Park,

1941–）『天皇の賜物』（*A Gift of the Emperor*, 1997）やグアム生まれのアメリカ人作家、ペレス・ハワード（Chris Perez Howard, 1940–）の『マリキータ』（*Mariquita: A Tragedy of Guam*, 1986）などで、いずれも慰安婦自身の苦悩や生きざまが中心テーマとして語られる。また慰安婦ではないが、この系列に連なる女性を描いたのがインドネシア人作家・建築家、Y・B・マングンウィジャヤ（Yusuf Bilyarta Mangunwijaya, 1929–99）の『嵐の中のマニャール』（*Burung-Burung Manyar*, 1981／原作はインドネシア語、日本語訳を使用）である。これは、日本駐留軍の憲兵隊長に夫の命と引き換えに妾になることを強要されて最後には精神を病む女性のことを息子が語る話だ。息子自身もつらい体験をするが、母の状況は慰安婦と同等の性の搾取だとして強く告発をする。

　第二の系譜にはフィリピン系アメリカ人作家、ザモラ・リンマーク（Zamora Linmark, 1968–）の『レチェ』（*Leche*, 2011）がある。この作品はフィリピン系アメリカ人の男性主人公の自分探しに慰安婦映画が影を投げかけ、自分は何者かという問題の中に過去の慰安婦問題がつきまとうという設定で、間接的に慰安婦問題を告発する。以上の二つの系譜は日本統治における深刻なジェンダー問題の記憶を呼び戻し、慰安婦問題を告発するという点ではいずれも同じ方向性をもつ。

　日本統治期においては、慰安婦問題のほかに性の搾取に大量の殺戮が結びつく事件も多く、その中ではやはり政治的決着のついていない南京事件[4]がしばしば登場する。この事件も詳細がいまだ不明で多くの議論が続く歴史事項であるが、この事件を素材とする作品に目を向けたい。先に分類したジェンダーの二系譜に従って南京事件関連の作品を分類すると、第一系譜の女性の搾取と喪失をストレートに描く作品の代表として、中国生まれでアメリカに移民した作家ハ・ジン（Ha Jin, 1956–）の

『南京レクイエム』（*Nanjing Requiem*, 2011）、第二系譜の事件を多面的にとらえた告発として、中国系アメリカ人作家ウィン・テク・ラム（Wing Tek Lum, 1946–）の『南京大虐殺』（*The Nanjing Massacre: Poems*, 2012）が挙げられる（河原﨑、二〇一九参照）。二作品ともに賞を獲得した評価の高いものだが、なぜこう分類できるのか、内容を以下に分析してみる。

ジンの作品はアメリカ人と中国人の女性二人の南京事件体験を描くもので、その設定自体からジェンダー視点は女性側にあることが明らかだ。二人のうちアメリカ人女性ミニーは南京に赴任している宣教師で、日本軍の南京攻略時に当地に踏みとどまった実在の人物をモデルにしており、当時は金陵（ジンリン）大学の学長代理である。もう一方の中国人女性アンリンは、全編の語り手となっている架空の人物でミニーの秘書だが、家族は戦争に巻き込まれて息子は日本軍、娘婿は国民軍と分断されて戦闘に加わり、夫も日本通の学者として身を隠さなければならない。このように二人の女性の立場は違うが、いずれも日本軍からみれば敵として攻撃対象の女性である。彼女らが事件で直面するのは、暴力によって国家を、住民を、そして女性を抑圧し搾取しようとする権力である。南京を攻略した日本軍がミニーに求めるのは女性の（性の）供出であり、ミニーが保護している女子大構内に安全を求めて集まった数千の中国人女性から選択せよと命じる。ミニーは最大限抵抗するが強大な権力に屈して二十一名の女性連行に同意するしかなく、これが彼女に大きなトラウマを残し、後年アメリカに帰国後の自殺につながる。一方、アンリンは自らの家族崩壊を含めて事件の目撃者として詳細を語り日本軍の行為を非難するが、そこには自分やミニーの体験にほかの女性の目撃情報なども加わる。示されるのは女性の無力さであり、それがもたらす抑圧と喪失の連続である。こうして、間接的だとはいえ性の搾取はミニーやアンリンに甚大な苦痛をもたらす。日常的な日本軍の残虐行為は、目撃や情報だけでも実体験と変わらないほどの苦痛を与えるからだ。アンリンは、戦う力を持たないジェンダーの苦悩を語ることで、日本軍による不当な搾取と深刻な喪失を浮上させ、読者に追体験をさせる。それゆえこの作品は第一のジェンダー系譜に連なるのである。

ラムの作品は、五部一〇〇編の詩から成る詩集である。南京事件の時系列に沿って、それぞれの詩は事件のさまざまな残酷な光景を切り取り、鋭い言葉で告発していく。特筆すべきは（中国人）女性、中国人男性、侵略日本軍、第三者という四つの語りの視点が設定され、それがめまぐるしく入れ替わるという技巧だ。この形で南京事件のさまざまな角度からの事実が次々に示される。女性視点において、中国人女性たちは徹底的に受け身であり、日本軍の攻撃に逃げ惑い性暴力を受けるなどが細かく描かれる。ことに性暴力については多様のレイプ描写が延々と続く。売春宿に入れられ連日レイプされ続け絶望的な状況の娘、自殺できずに敵の兵士のロボットになったと無力感を持つ女性などを描く長篇詩の「レイプ」（'Rapes'）は、同じ状況の女性たちをベルリン、コンゴ、ボスニア、ルワンダと併置し、どの戦争や地域でも女性の性を搾取する状況が起きると厳しく告発する。これに対し男性視点では、同じように逃げ惑うが、自らのサバイバルで手いっぱいで女性を助ける余裕のない男、やむを得ず日本への内通者となる者、飢えをしのぐために野犬の肉を売る者などを示すことで、悲惨なサバイバルの模索が容赦なく描かれる。これに加えて侵略者視点の詩は、徹底的に残酷で容赦ない抑圧者の姿を露わにする。桃太郎となれ、を合言葉に、日本軍兵士は中国人を銃で撃ち銃剣で刺し、死体の首をはねてガソリンで焼き、死体から金目のものを奪い、女をレイプする。こうして女性視点と男性視点を分けることで、南京事件の全体像がより克明に描かれ告発はより強力になる。性暴力の悲惨さは強調されているが、悲惨な事態はそれだけではないと次々に描写を広げ、それを複層的視点で描く効果は大きい。性の搾取も含め日本軍の暴力を包括的に告発するこの作品は、ジェンダーの第二系譜に連なるわけである。

4　女たちの抵抗――闘う女が示す第三の系譜

上記の作品群は女性の搾取と喪失を中心とするが、それでは日本軍に抵抗する女性はいたのか。いたとすればどう抵抗したとされているのか。全体から見ると数は非常に少ないが、そのいくつかの例を取り上げて分析を試みる。フェミニストとして比米両国で活動するフィリピン人作家のニノチカ・ロスカ（Ninotchka Rosca, 1946–）の『戦争状態』（*State of War*, 1988）には抵抗する女が描かれる。この作品はポストコロニアル文学と位置づけられ、フィリピンの四五〇年の植民史を背景に現代の若者アナ、エイドリアン、エリザという男女三人の三日間にわたる行動が中心事項だ。作品は三部に分かれ、日本占領は第二部の 'Book of Numbers'（数の書）に詳細に描かれており、アナの祖母マヤンが勇敢な中年女性として登場する。マヤンは大富豪と結婚して豊かな生活を享受していたが、日本軍のマニラ占領時に邸宅を兵士用に明け渡すよう命じられ、憤（いきどお）った息子ルイスと共に森に入って抗日ゲリラに加わる。戦いは四年にわたる長期戦となり、日本軍は攻撃ごとに村人の殺戮や強姦をし、家や穀物を焼き尽くし、街でも住民を追い出して占領する。マヤンはルイスに従ってジャングルで後方支援の食事作りなどを受け持つ。決して戦闘員ではないのに、彼女は敵軍の間では伝説の闘士ナナ（Nana）あるいは老婦人将軍（General Old Lady）と名付けられ、その首には賞金が掛けられる。息子愛用のサキソフォンを抱えた女マヤンは、戦争に翻弄される人民の中でひときわ光るゲリラとして、日本軍には目障りな存在、排除すべきシンボルとなる。そもそもマヤンは婚外恋愛で息子ルイスを産んだほど奔放で型破りな女性だが、日本軍に対しても決して要求に応じず妥協はしないという普通でない行動を取ったため、女のくせにけしからん存在だとして敵のシンボルとなったわけだ。だがゲリラの生活は厳しく、森林地帯を移動する中で敵軍の集中的な攻撃目標となるマヤンの存在は仲間にも重荷となり、遂にはこの女を犠牲にしようと決断するゲリラリーダーに撃たれて死ぬ。このマヤンのエピソードは、ジェンダーという点で重要なポイントを二つ提示する。一つは、マヤンが自分の意思で敵の要求を拒むことであり、納得のいく生を選択する女の生き方を示している。もう一つは「ゲリラの女」という記号が戦いのシンボルとなることで、攻防のどちら側にとっても実態以上の重みをもつことだ。「戦う女」は戦場で敵軍の大きな的になり、見方には戦いへの激励の力となる。ただし都合が悪くなると始末されるということまで付け加えられている。男が主力の戦争において例外的な女であるマヤンの生きざまは、作中で二世代後の孫世代の女たちに受け継がれる。マヤンの孫のアナは自分を裏切った夫を刺殺し、許されぬ愛を主体的に選び、宿った胎児に平和への望みを託す。その主体的で思い切った行動はマヤンからの直伝だといえる。一方、彼女の友人エリザは独裁者を倒そうと単身で暗殺を試みて失敗し最後に殺されるが、こちらもまた戦う女の系譜である。この作品は全編で、世代を超えて女は自己主張し、抵抗し、そして戦うのだと示しつつ、日本統治を含めて植民統治全体を告発している。

実際に日本軍と戦う女としては、フィリピン人作家のステヴァン・ハヴェリヤーナ（Stevan Javellana, 1918–77）の『暁を見ずに』（*Without Seeing the Dawn*, 1947）に描かれるローシンが挙げられる。この作品はフィリピンの田舎の平和な村に起きた日本軍侵略をテーマとするが、徹底的に受け身で搾取される女ばかりの中で、戦いとは最も縁遠いように見えるのに、ゲリラ的に突発的で過激な行動を取るローシンが抵抗する女として登場する。作品の主軸はカルディンという男視点での日本統治の告発にあるが、ローシンはカルディンのかつての浮気相手で男相手の商売女だ。日本軍はカルディンの村を襲い、男を殺し女は強姦して惨殺し、その挙げ句に村中に火を放つ。カルディンの妻も日本兵に強姦されその結果妊娠するが、カルディンはその復讐のために街の日本軍基地に向かう。女性の身体への凌辱（りょうじょく）は男性の戦う原動力になるという、戦争におけるジェンダー理論どおりだ。カルディンは実行前に街でローシンに出会った時、日本軍の弾薬集積所に火をつける計画を漏らしてしまい、直後にローシンにそれを決行されてしまう。彼女は弾薬庫に火を放った後に彼のためにやったと告白する。結局二人とも日本軍に捕まり、ローシンは実行犯として公開斬首（ざんしゅ）刑となる。カルディンは酷（ひど）い拷問（ごうもん）の後釈放されてこの惨劇を知り、抗日ゲリラとなって戦いに出る。おそらく彼もまたそこで最期を迎えるだろうという結末だ。全編、男が戦い女は被害者という通例パターンの中で、一人ローシンという存在は際立つ。彼女は文字どおり戦う女で、しかも通常は男に媚（こ）びる仕事をしている。つまり一人の女の中に享楽的要素と最も過激な抵抗意識が共存しているのだ。ローシンは金のためには同胞ゲリラを日本兵に売ると言って憚（はばか）らない低い愛国意識の持ち主に見える。

ところが大きな代償を伴うとわかっていながら日本軍へ反撃したのは、じつは愛国者だったからだ。それは彼女が斬首刑の直前に平静で勇敢だったという証言からも明らかにされる。この作品に登場する女たちは皆搾取と喪失に苦しむ。彼女の英雄的な抵抗の行為と処刑の残酷さの対比はそれを強調し、日本統治に対する告発をより強めているといえよう。

こうした女による武力的な直接抵抗はそれほど多く登場しない。女はあくまでも非力な非戦闘員で奪われる存在という状況の反映だからである。その点からは、ここに取り上げた抵抗する女という存在は貴重で時代を先取りしているともいえるし、今後こうした行為に光を当てた作品が続く可能性は十分ある。ゆえにたとえ少数だとしても、この抵抗する女を描く文学系譜を第三の系譜とすることは、ジェンダー観点からは当然といえる。

5　女たちのサバイバル——抵抗のもうひとつのかたちを示す第四の系譜

日本の軍事統治下では、被征服者は男も女も生きるための選択肢はそう多くはない。搾取されず抵抗せずにサバイバルする道は、男ならスパイや通訳などがあり、たとえばフィリピンのマカピリ（Makapili 日本軍の現地人スパイ）はよく知られている。従来マカピリは国家の裏切者と考えられたが、現在では愛国者と見直されている。というのも日本軍に加担しているように見せかけつつ、祖国に有益な情報などをもたらしたケースも多くあったことが判明したからだ。それでは女にはどのようなサバイバルがあり得るのか。マカピリのように敵と仲良くする、つまり敵軍の中に入って人間関係を築くという方法は女であることが壁となるためなかなかできない。政治や軍事の重要な懸案は知らされないという女性の周縁化に加えて、女の性への欲望がつきまとうからだ。ならば性を介して敵軍の人間と関係を持ってサバイバルをしよう、と生き延びた女は少なくない。つまり日本人の愛人あるいは現地妻という、正式な結婚ではないが慰安婦でもない形が一種のサバイバルとして女の選択肢となった史実がある。国や個人の複雑な事情を背景に女性が選ばされたこのサバイバルの形は、文学にどのように描かれ、どのような意味を持つのだろうか。

シンガポール人作家のサンディ・タン（Sandi Tan, 1972–）の『ブラック島』（*The Black Isle*, 2012）の主人公カサンドラは、まさにそのような状況におかれた女性である（河原﨑、二〇一八参照）。作品はシンガポールにおける一九二〇年代から八〇年代までの六十年におよぶ植民時代を背景とする二部構成からなる歴史物語で、第二部に日本の侵略統治から終戦とシンガポールの独立（一九六三）までが描かれる。カサンドラは中国人で、幼時に中国からシンガポール（作中ではブラック島）に経済移民した貧困家庭出身だ。彼女は大富豪の御曹司ダニエルと婚約し上流の暮らしを手にしようとした時、日本軍の侵略で大きな波乱に巻き込まれる。一九四二年三月、英国植民地だったシンガポールを日本軍が制圧し、占領直後から現在でも詳細不明な華僑大虐殺などの大規模殺戮行為が現地住民に対して行なわれた。同時に他の植民地同様にきわめて厳しい統治が展開され、レイプを含む暴力が日常的に蔓延（まんえん）した。カサンドラは街から離れた知人の屋敷に身を寄せるが、そこに侵入するのが帝国日本軍中佐の太郎[5]とその部下で、屋敷の主などを銃殺して彼女を寝室に追い込みレイプする。カサンドラは恐怖と絶望で抵抗することもできず、太郎の意のままその屋敷に幽閉され、三年以上性関係を強いられ続ける。彼女がこの抑圧に堪えるには、あきらめと忘却へ逃げ込むという選択しかない。それはシンガポールという国の状況そのもののアナロジーでもある。そしてこの状況が劇的に変わるのが一九四五年八月、日本に原爆が投下されて敗戦目前の時である。追い詰められた日本兵士はブラック島で乱暴狼藉(ろうぜき)の限りを尽くし、カサンドラの屋敷では十名ほどの将校が別れの宴会を催す。カサンドラは危険を察知して何とか逃げ出すが、直後に屋敷は爆発し全員自爆死したと思われる。だがカサンドラの抑圧はここで終結せず、独立運動の志士ケネスによってまたも囚われの愛人生活を強いられる。最終的に彼女が自由を手に入れるのは、ケネスに見切りをつけて東京に脱出した一九八〇年のことだ。日本に安住したカサンドラだが、京都の寺で年老いた太郎と思わぬ遭遇をする。彼女は屍(しかばね)のような老人の太郎を見て、それまで抱いていたうらみや復讐といった感情がもはやなくなったと悟るのだ。過去にはとらわれないと前を向くのが彼女の結論であり、それは作者が示唆する国家の行くべき道とも捉え得る。カサンドラは二人の男に抑圧されそれを耐え抜き、最後は自らの意思で東京に脱出することで、負の感情に別れを告げることができた。つまりこの作品はジェンダー抑圧に正面から抵抗せずに耐えて、新たな境地を切り開くというサバイバルを描いているのだ。これは新たな形のサバイバルではあるが、作者は、忍耐と逃避のサバイバルしか戦時には女に可能な選択肢はなかったと告発する。

インドネシア人作家のスタン・タクディル・アリシャバナ（Sutan Takdir Alisjahbana, 1908–94）も『戦争と愛』（*Kalah dan Menang*, 1978／原作はインドネシア語、日本語訳を使用）に女性のサバイバルを描きだす。この作品もインドネシアという国の植民地主義の歴史を背景として、日本植民統治を厳しく告発する。作品全体は真珠湾攻撃から終戦までを描き、二組の男女が登場する。一組目の女性は印蘭（インドネシアとオランダ）の混血女性リーンで夫を日本軍に殺され、生活に困っており、日本軍属の阿南（あなん）に見初められて金のために愛人となる。もう一組の女性は戦死したオランダ人の妻のスイス人女性エリザベスで、生活のため日本人の大倉少佐に自宅の部屋を間貸ししているうちに夫婦同然の仲になる。いずれも女性は夫を日本軍に殺されているにもかかわらず、生活に困り敵国の日本人と関係するという設定だ。エリザベスは同棲する大倉少佐に日本女性と違う女性の自立や自主性を語るが、軍国主義に生きる大倉とはジェンダー観がまったく異なり相互理解は困難だ。もう一方のリーンは仕事を探すが慰安婦職しか見つからないため、阿南との暮らしを選ぶ。ここには女性たちが自活能力を持てない、持たせないという日本統治の状況が示され、性の介在する慰安婦か愛人という二択しかサバイバルの道はないことが示される。こうして二人の女性は敵軍の男の愛人として戦争を何とか生き延びるが、大倉は終戦前に重傷を負い日本へ帰国、阿南は終戦直後に現地住民に刺殺され、二人の女性はともに愛人を喪（うしな）う。二組のカップルに接点はないが、戦争に翻弄される厳しい人生の中で男たちは敵も味方も死に、女たちは敵軍の男を利用してサバイバルを遂げる。この作品は、戦争における女性というジェンダーの直面する厳しい状況を切り取って示している。

さらにもう一作、インドネシアのイスマエル・マラヒミン（Ismail Marahimin, 1934–2004）の『そして戦争は終わった』（*And the War Is Over*, 1987）も女性のサバイバルを描く。これはインドネシアにおける日本軍とオランダ人捕虜人、それに現地住民という三者の終戦前後における状況を描いた作品である。サバイバーとして登場するのはインドネシア人女性サティヤで、この戦争をたくましく生き延びる。彼女は日本軍スパイの同胞の男にレイプされ幸せな家庭を破壊された上に、汚名を着せられ故郷の村から追い出される。そして職を求めてスマトラへ渡航する船上で日本軍人にレイプされ、絶望して自殺を図る。だが、それを知った同乗のインドネシア人労務者たちが大騒動を起こして、レイプ犯は思惑どおりに彼女を愛人にはできず、別の穏健な日本軍人の女中に斡旋（あっせん）する。こうしてサティヤは男の性的抑圧に命懸けで抵抗し、サバイバルに成功する。この後、サティヤは女中の立場から日本軍人の残虐行為とオランダ人捕虜の内部分裂などすべてを目撃し、戦争の語り部となる。作者は彼女にジェンダー抑圧を自力で切り抜けたサバイバーというきわめて稀な例を与えている。

以上は異性愛における女の抑圧とサバイバルだが、同性愛でのサバイバルを描く作品もある。それがマレーシア人作家のタン・トワンエン（Tan Twan Eng, 1972–）の『雨の恵み』（*The Gift of Rain*, 2007）である（英語によるこの作品は二〇〇七年ブッカー賞最終候補となった）。主人公は語り手の中国系マレー人の男性フィリップで、作品後半に日本軍の侵略から敗戦までが描かれる。フィリップが十六歳の一九三九年に日本人軍属、遠藤[6]と出会うところがその始まりだ。フィリップは大富豪の父が所有する家の賃借人遠藤に出会い、合気道を通じて日本文化を教えられる。彼は三十三歳も年上の遠藤を師と崇め、その関係は疑似親子関係から同性愛関係へと変化する。だがじつは、遠藤は日本軍が武術家としてマレーシアへ送り込んだ人間で、フィリップから現地の地理情報を得て日本軍のマレーシア侵略を成功させたのである。フィリップはこれを知り憤るが、日本占領体制下では自分や家族の安全すら危うく、その保全と引き換えに心ならずも日本軍で通訳として働くことになる。フィリップと遠藤の関係は終戦まで続くが、そこには愛情と不信感という相反する感情が交錯する。最終的にフィリップは祖国愛から抗日ゲリラとなり、日本軍基地破壊に加わって反逆罪で捕まるが、副領事となっている遠藤に助けられる。しかし戦争の終結により二人の関係は逆転し、英国軍に終身刑を宣告された遠藤は死を選び、フィリップは生き残って戦争の語り部となる。彼のサバイバルは遠藤なしにはあり得ない。ただ女のサバイバルには性の抑圧が介在するのに対し、フィリップの場合は性が抑圧としてではなく絆として介在する。フィリップのサバイバルがこうした同性愛関係によって可能となったという点において、今日的ジェンダー観が示されているといえる。

上記の分析からは、日本の軍事統治がどの地域においてもきわめて厳しく、生き延びるためには普通でない行動が必要だったことが明らかとなった。中でも女の多くが愛人または現地妻といった性の供給者となることでサバイバルが可能となるのは、慰安婦と同様な女性の周縁化だともいえるが、注目すべきなのはこれが抵抗の一つのかたちであることだ。こうして同性愛も含めて性を通じたサバイバルが可能だと示され、これが第四の系譜と位置付けられる。

結語——ジェンダーと日本統治の記憶

ここまでジェンダー視点で日本植民統治を受けた国関連の文学作品の分析を行ない、次の四つの文学系譜に分類できると考えた。

第一の系譜　女の抑圧と喪失をストレートに訴える戦争告発
第二の系譜　女の抑圧を個人や国家の問題と絡める告発
第三の系譜　抑圧される女による抵抗
第四の系譜　抑圧を逆手に取った女のサバイバル

当初に分類として想定したのは、（1）抑圧と搾取をされる、（2）抵抗する、（3）そのどちらでもない、という三つのかたちであったが、分析の中で多数派の（1）が二つに分かれることが明らかになり、系譜としては以上のようになった。いずれも女に対する抑圧を強く告発するための手法である。それではこの系譜から、日本人として何を考えるべきか。また何を考えることが可能なのか。

まずすべての系譜を合わせて、日本の植民統治をテーマあるいはモチーフとする作品の多さを認識しなければならない。ここに取り上げた作品の多くは近年の発表である。つまり古い作品をたどっているのではなく、近年の作品にこれだけの日本統治への告発がされているのである。その文学が発表され、あるいは背景とする国と地域は八か国以上に及び、いずれも日本による植民統治体験を記憶しているのである。すでに述べたとおり、取り上げた作品は発表されたものの一部にすぎず、取り上げていない作品も多い。そしてこれらの文学に展開される日本へのまなざしは、いずれもきわめて厳しいものだ。これをどうとらえるか。七十五年も前のことなのだ、私たちには関係ないと済ませてよいのだろうか。文学は歴史ではなく、想像力や創造を加えて誇張しているのだからと見過ごしてよいのか。少なくともこの文学を読んだ人々は、書かれた歴史を深く心に刻み込み、そこに展開された物語に共感し悲嘆し、あるいは憤るであろう。ゆえに冒頭に述べたように、このような展開が文学界に起きていることを日本人は見逃してはならないと思われる。

同時に考えをめぐらすべきは、太平洋戦争とジェンダーについてである。まず本論における「戦争」の共通点を指摘する必要があろう。つまり日本の占領統治の特徴として地域による相違はほぼなく、どの地域でも同じような状況が出現していたということである。労働力の徴集や憲兵隊の暴力行為、慰安所設置に殺戮などの残虐行為もどの占領地区でもほぼ同じであり、女性の性の搾取に関しても同様にどこでも無法で恣意的な状況が展開された。文学は国境を越えて、こうした厳しいジェンダー搾取を見逃さずに取り上げたのであり、それは四つの系譜のいずれもが女性の性抜きに考えられないことからも明らかにされている。こうして日本統治がもたらしたジェンダー搾取は、さまざまな問題を今になるまで投げかける。慰安婦問題や南京事件は政治的シンボルとなってしまったが、これが象徴する暴力とジェンダーという根本的な問題は、いまなお論議する必要がある継続的な課題なのだと文学は明らかにする。さらにもうひとつ、戦争とジェンダー問題から浮上するのが戦争の歴史を語り継ぐ役目である。これはインサイダーとして戦争に翻弄され、アウトサイダーとして戦争を傍観できる立場をもつジェンダーに可能となる。作家はときにそういう者を記憶の継承者として造形する。本論文で取り上げた登場人物では、アンリン（『南京レクイエム』）、サティヤ（『そして戦争は終わった』）、カサンドラ（『ブラック島』）、フィリップ（『雨の恵み』）などの抑圧されたジェンダーが語り部となっている。作者は被抑圧者に語らせることで、平和や協調への想いを強調することができる。そこにつらい体験から発した痛切な思いが込められているために、より説得力を持つのである。

以上の作品群とその分析を前にして、自らが日本人であること、すなわち加害者であることを再度考えずにはいられない。自分には何ができるのか――その答えは容易には見つからないが、この系譜の文学と絶え間ない対峙を続けることこそができることのひとつであるのはまちがいないだろう。いま一度歴史事実の理解を深め、そのうえで若い世代の作家が示している方向性を見出し共感することは必要である。彼らは未来を見据えつつ過去は死なない[7]と考えていると思われるからだ。そして踏み込むべきなのは、こうした文学の役割を考えること、すなわち傷ついた人間あるいは民族の回復に文学が果たす役割とは何かを考えることではないだろうか。ここまで論じて見えてきたのは、文学が歴史や政治とは異なる役割をもつこと、つまり歴史的な出来事をフィクションにすることで歴史を現在に繋ぎ、より生産的な可能性を持つ未来をめざすということにほかならない。

◉本研究はＪＳＰＳ科研費［基盤研究（Ｃ）16K02513］の助成を受けたものである。

◉注

（1）ユネスコは旧日本軍による南京大虐殺に関する資料を二〇一五年に世界記憶遺産に登録した。

（2）ソウルの日本大使館前をはじめ大韓民国外ではアメリカ合衆国、カナダ、オーストラリア、中華人民共和国、中華民国、ドイツなどの各地に設置している。

（3）河原﨑（二〇一九）参照。

（4）南京事件とは一九三七年十二月から六週間にわたる中国南京市の軍事占領を指す。

（5）太郎の名字は原作ではTaro Rukumotoだが、名字は日本的ではない。

（6）遠藤は原作では'Endo-San'と表記されており論文（河原﨑、二〇二〇）ではエンドウサンと訳したが、スペースの都合上、本論文では漢字を使用した。

（7）ウィリアム・フォークナー「過去は死なない、過ぎ去りさえしない」［『尼僧への鎮魂歌』（一九五一）］を基調とするテッサ・モーリスースズキの評論『過去は死なない』（二〇〇四）における戦争と歴史記憶に関する論を参照。

◉引用文献

Alisjahbana, S. Takdir. *Kalah dan Menang*. Dian Rakyat, 1978.（S・タクディル・アリシャバナ『戦争と愛』後藤乾一編訳、勁草書房、一九八三年）

Howard, Chris Perez. *Mariquita: A Tragedy of Guam*. University of the South Pacific P., 1986.

Javellana, Stevan. *Without Seeing the Dawn*. Little Brown and Co., 1947.（ステヴァン・ハヴェリャーナ『暁を見ずに』阪谷芳直訳、勁草書房、一九七六年）

Jin, Ha. *Nanjing Requiem*. Random House, 2011.

Keller, Nora Okja. *Comfort Woman*. Penguin Putnam Inc., 1997.

Lee, Chang-Rae. *A Gesture Life*, Riverhead Books, 1999.

Linmark, Zamora. *Leche*. Coffee House Press, 2011.

Lum, Wing Tek. *The Nanjing Massacre: Poems*. Bamboo Ridge Press, 2012.

Mangunwijaya, Y. B. *Burung-Burung Manyar*. Djambatan, 1981.（Y・B・マングンウィジャヤ『嵐の中のマニャール』舟知恵訳、勁草書房、一九八七年）

Marahimin, Ismail. *And the War Is Over*. H. McGlynn, translator, Louisiana State University P., 1987. Reprinted by Grove Press, 2002.（イスマイル・マラヒミン『そして戦争は終わった』高殿良博訳、勁草書房、一九九一年）

Mohanty, Chandra Talpade, Robin L Riley, and Minnie Bruce Pratt. eds. *Feminism and War: Confronting U.S. Imperialism*. Zed Books, 2008.

Park, Therese. *A Gift of the Emperor*. iUniverse, Inc., 1997/2005.

Rosca, Ninotchka. *State of War*. Norton, 1988.

Tan, Sandi. *The Black Isle*. Grand Central Publishing, 2012.

エンロー、シンシア『フェミニズムで探る軍事化と国際政治』秋林こずえ訳、御茶の水書房、二〇〇四年。

河原崎やす子「「慰安婦」問題とアジア系アメリカ文学——環太平洋から見る戦争記憶の表象」岐阜聖徳学園大学外国語学部編『リベラル・アーツの挑戦』彩流社、二〇一八年、四〇—七九頁。

——「中国系アメリカ文学にみる南京事件——歴史をめぐる記憶の表象を読み解く」岐阜聖徳学園大学紀要第五八集、二〇一九年、二一—三三頁。

——「記憶される日本の東南アジア侵略——『ブラック島』にみる抑圧の歴史」多民族研究学会『多民族研究』第九号、二〇一六年、五四—七六頁。

――「マラヤにおける日本占領の記憶――Tan Twan Eng が描く戦争と人間の絆」岐阜聖徳学園大学紀要、第五九集、二〇二〇年、一九―三〇頁。

――「グアムにおける植民地主義の告発――喪失と回復をめぐるチャモロの声」アジア系アメリカ文学研究会、*AALA Journal* No.18, 二〇一二年、五五―六三頁。

半藤一利ほか『体験から歴史へ』講談社、二〇一三年。

モーリス-スズキ、テッサ『過去は死なない――メディア・記憶・歴史』田代泰子訳、岩波書店、二〇〇四年。

若桑みどり『戦争がつくる女性像』筑摩書房、一九九五年。

【資料】本論で取り上げた13作品の詳細

作品名（本論言及順）	作家名	所属※
1. *Comfort Woman* (1997)	Nora Okja Keller (1966–)	韓国系アメリカ人
2. *A Gesture Life* (1999)	Chang-rae Lee (1965–)	韓国系アメリカ人
3. *A Gift of the Emperor* (1997)	Therese Park (1941–)	韓国／アメリカ
4. *Burung-Burung Manyar* (1981) ［『嵐の中のマニャール』(1987)］	Y. B. Mangunwijaya (1929–99)	インドネシア
5. *Leche* (2011)	Zamora Linmark (1968–)	フィリピン系アメリカ人
6. *Nanjing Requiem* (2011)	Ha Jin (1956–)	中国／アメリカ
7. *The Nanjing Massacre: Poems* (2012)	Wing Tek Lum (1946–)	中国系アメリカ人
8. *State of War* (1988)	Ninotchka Rosca (1946–)	フィリピン
9. *Without Seeing the Dawn* (1947)	Stevan Javellana (1918–77)	フィリピン
10. *The Black Isle* (2012)	Sandi Tan (1972–)	シンガポール
11. *Kalah dan Menang* (1978) ［『戦争と愛』(1983)］	Sutan Takdir Alisjahbana (1908–94)	インドネシア
12. *And the War Is Over* (1987)	Ismail Marahimin (1934–2004)	インドネシア
13. *The Gift of Rain* (2007)	Tan Twan Eng (1972–)	マレーシア

※アメリカで生まれた移民1.5世以降は〜系アメリカ人とし、そのほかは所属国を示す

ペーター・ハントケの『雀蜂』について
——「盲目性」の意味

熊沢 秀哉

はじめに

ペーター・ハントケ（一九四二―）は二〇一九年のノーベル文学賞受賞により日本でも巷（ちまた）で多少その名前が知られるようになったが、ドイツ語圏のみならずヨーロッパでは一九六〇年代の文壇登場以来常に第一線で活動しているオーストリアの作家である。ハントケは多作な作家であり、その五十年を超える作家活動の中で小説、戯曲、詩、評論等の分野において膨大な数の作品を発表してきている。しかしながら、ノーベル文学賞受賞をきっかけとして日本で彼の作品の新たな翻訳が企画・出版されたり、過去の翻訳が再び広く読まれたりするようになったわけではなさそうだ。その第一の理由として、ハントケがたとえば村上春樹のような物語作家ではないということが挙げられるだろう。むしろ逆にハントケは「物語性」の破壊を信条としており、いわゆるストーリー性によって読者を引きつける文学を極端に嫌う。その結果、彼の作品は読みづらく、翻訳も困難になる。とりわけ初期の作品は実験的、前衛的な要素が強く一般の読者のみならず、批評家、研究者にとっても難解なものとなっている。

本稿では、ハントケの実質的なデビュー作である『雀蜂』(一九六六)を取り上げ論じていく。多くの作家において、そのデビュー作は、たとえ未完成な部分を含んでいたとしてもその後の作家の基本的方向性を示している場合が多々見られる。ハントケの『雀蜂』も例外ではない。それと同時に、ハントケの初期作品の例に漏れず、この作品もきわめて実験的であり、難解なものとなっている。前衛的な作品の一つの宿命として、一般的に作品発表から時間が過ぎるとともにその方法が速やかに古くなってしまうということが言えるかもしれない。ハントケの場合はどうであろうか。彼の作品はすでに「古い」のだろうか。換言するなら、ハントケの文学は今の時代に読み直す価値のあるものなのか、ということだ。本稿の終わりにはこの問に対する回答も示すことになるだろう。

1 『雀蜂』について

『雀蜂』は一九六六年にドイツ、フランクフルトにある大手出版社のズーアカンプ社から出版された長編小説である。前述したように、この小説はハントケの実質的なデビュー作なのだが、出版後約五十年を経てもある研究で以下のように言われている。「ペーター・ハントケは〈雀蜂〉のような書き方をすることはその後なかった、〔……〕、扱い難く、歪で、難解[1]」な作品であると。当然のことながら、発表当時の受容環境は、数多の二次文献が出された現在よりも良かったはずはない。それでもズーアカンプ社の編集者は無名の若者であったハントケの持ち込んだ難解なテクストに出版の価値があると判断し、彼のテクストがさらに社内の編集者会議も通った上で出版されたのは確かなことだ。しかしこの作品は出版後しばらくは批評からもほとんど無視されている。おそらく大方の批評家たちにとって、『雀蜂』はどう扱ってよいか分からない作品だったのであろう。ハントケが幸運だったのは、出版の同年にアメリカのプリンストン大学で開かれたグルッペ47の大会に参加することができたということだ。ハントケはその大会で発言の機会を与えられ、ギュンター・グラス、ハンス・ヴェルナー・リヒターら居並ぶ当時のドイツ文壇の大御所たちを徹底的に批判し、挑発したのだ。ハントケは当時のドイツ文壇で支配的だった新写実主義の方法を猛烈に批判する。若干二十四歳の、まだ作品を一つしか出していない無名の若者が、戦後のドイツ語圏文壇を仕切っていたグルッペ47の大会でこのような発言をしたことはたちまちセンセーションを巻き起こした。この若い作家が出版したばかりの作品が『雀蜂』であり、なるほどそのテクストはグルッペ47の作品群とは異なる実験性を感じさせるものだったのである。

　ハントケには自らの発言に際して宣伝行為を主眼とする意図はなかったであろうが、結果として『雀蜂』はグルッペ47の大会後注目を浴びることになる。ハントケの発言が挑発行為と見なされうる結果を生じさせてしまうのはこの時だけではなく、その後もたとえば一九九〇年代におけるユーゴスラビア解体とコソボ紛争に関して西側ジャーナリストたちとの全面対決に至るスキャンダルを起こしている。デビュー時と一九九〇年代の騒動、この二つともハントケ自身の文学と言語に対する根本的な姿勢から生じたものであり、彼のテクストと切り離しては論じられない性質のものなのだが、一般には結果として生じたスキャンダルのみが取り上げられ話題となってしまう。彼を文壇における革命児やポップスターのように扱うか、独裁者やマイノリティ虐殺に荷担する理解不能な文学者として断罪するか、一般的な読者やジャーナリストたちのハントケ観の振れ幅は大きい。だが、ハントケは常に作家であり、自分の文学と言語に誠実であろうとしているに過ぎないのだ。したがってハントケを論じるならば第一に彼の作品に向き合わなければならない。たとえその作品がどれほど難解であったとしてもそうするべきなのだ。

話を『雀蜂』に戻そう。前述したようにこの作品はハントケの初期作品の中でもとりわけ実験的な要素が強いものだ。ハントケについての豊富な二次文献の中でもその難解さゆえ、扱われる頻度は低い。同じ初期作品である『行商人』（一九六七）や『ペナルティキックを受けるゴールキーパーの不安』（一九七〇）を扱っても『雀蜂』は避けたい、というところであろうか。

本稿では、このような作品である『雀蜂』を論じていく。さまざまな論点を含む作品ではあるが、本稿における中心テーマは、「盲目性」である。『雀蜂』のテクストにおける主人公は、多くの場合「私」という一人称の語り手で登場するグレーゴア・ベネディクトである。彼は、弟の溺死事故と同時期に盲目となる。主人公が盲目であることはこのテクストでは最も目を引く特徴の一つとなっている。この「盲目性」が『雀蜂』のテクスト理解とどのように関わっているかを示すことが本稿の目的である。

2　盲目性と方法

ハントケは文学テクストを生み出す方法についてきわめて意識的な作家である。このことは、彼が創作活動を本格的に開始した当初から現在に至るまで一貫した彼の姿勢となっている。ハントケは良くも悪くも「方法」から離れられない作家なのである。

『雀蜂』が出版された翌年、ハントケは「私は象牙の塔の住人[2]」という短い論文を発表している。ハントケ研究において非常にしばしば言及されるこの論文の中で、ハントケは自分にとって文学テクストの方法がいかに重要であるかを繰り返し強調している。その中で以下のように述べている箇所がある。「私は文学作品に自分にとって新しいものを期待する。たとえわずかであったとしても私を変えるような何かを、まだ考えたことのなかったような、まだ意識したことのなかったような現実の可能性を意識させてくれるような何かを。見るため、話すため、考えるため、存在するための新しい可能性を意識させてくれるような何かを」(IB24)。

対現実と文学テクストという枠組みで見れば、文学テクストの機能は大きく二つに分類されるだろう。それはすなわち固定化と異化である。構築と脱構築と言い換えてもよい。現実を認識可能なものとする際には、生の現実をありのままにしておくことはできない。人間の認識能力にとって生の現実は未分明なものであり、形を持たないものだ。それを認識するためには形を与え、コード化しなくてはならない。これが固定化である。そしてこのコードは当然のことながら一定の数の人間で共有可能なものでなければならない。他人と共有できないコードは論理的に矛盾(むじゅん)するものである。現実認識のためには必要な機能である固定化は、しかし時間の経過とともに、あるいは共有範囲の拡大とともにいわゆるバイアスとなって一人歩きを始める。そして人間の物の見方、考え方を縛り、硬直化させ、生の現実を覆い隠してしまうのである。そのような場合、文学テクストはこの硬直化したコードを離れ、生の現実を発見する新たな機能を持たなくてはならない、とハントケは言う。これがいわゆる異化の機能なのである。文学を含む芸術表現には常にこの二つの機能が作用しているのだ。

学校の成績も常に優秀で、理知的かつ聡明なタイプであったハントケは、現実認識におけるバイアス化の仕組みに非常に敏感な作家であり、結果として文学テクストにバイアスを破壊する異化効果を求めることになる。すなわち、「私は文学に、決定的だと思われるようなすべての世界像の破壊を期待する」(IB24)のである。また、文学テクストの受容に際して異化効果を期待するだけでなく、作家としてのハントケは「自分の文学で他人を変えることができると確信している」(IB24)。このようなハントケの新しさへの希求は、文学テクストの内容の新しさではなく、方法の新しさへと向かうことになる。これは対現実における認識の問題が根底にあることを踏まえれば当然の帰結だろう。方法が同種のものであれば内容がいかに変化していようと認識理論的には亜流に過ぎないのだ。例を挙げるなら、自分探しのストーリーが同一であれば、主人公が古代の英雄であろうと未来の宇宙人であろうと何ら変わりはない、ということである。

ハントケの文学テクストにおける新しさへの希求は非常にラディカルなものとなっている。「ある可能性は私にとってその都度一回限りのものだ」（IB24）。事実ハントケはその初期作品、小説としては、『雀蜂』や『行商人』、戯曲としては『観客罵倒』（一九六六）や『カスパー』（一九六七）で用いた方法を二度と繰り返してはいない。自ら掲げた理念をこのように実践していくハントケの攻撃の矛先（ほこさき）は、前述したように当時のドイツ文壇で支配的だった新写実主義に向けられ、同時に文学テクストにおける物語性にも向けられる。

「私は象牙の塔の住人」では、まず新写実主義は次のように述べられる。現在のドイツ語圏文学の新写実主義においては、「現実を示すために見つけられた方法が文字どおり〈時とともに〉その影響力を失うということが軽視されている」（IB25）のであって、リアリズムも方法の一つであり、現実を捉える「自然な方法などない」（IB25）のだ、と。ハントケは現実を新しく捉えることを文学の第一の機能として掲げている。その際、文学テクストにおける現実の「描写」（Beschreibung）[3]を非常に重視している。この、現実に向き合うという方向性においては、写実主義とハントケの方法は実は同一のものである。両者とも、現実を離れたファンタジーの世界を文学の対象とするわけではない。ハントケの写実主義に対する批判は現実に対する向き合い方に向けられたものではなく、言語に対する意識の問題に関するものなのだ。写実主義においては、テクスト内において客観的現実をリアルに描写するために言語はできるだけ道具化され、主観性を排され、透明にならなければならない。つまり、まるで写真のように現実を写すことのできるテクストが良しとされる。ハントケは同様に描写を重視しながら、文学テクストにおいては言語こそが現実であると主張する。テクストにおける描写に際しては、客観的現実も主観的現実も同様に重要であり、それらの作用の下にテクストは成立する。それらは同様にテクストの言語に作用するものではあるが、文学テクストにおいてはあくまでも言語が主体であって、言語が対象とする現実が主なのではない、ということがハントケの立場なのだ。それゆえ客観的現実を示すために言語は透明化すべきものではなく、むしろ障害となって受容者に意識されなければならなくなる。新写実主義の方法も時代の中でそれが新しさを持っていた瞬間には受容者にとっては障害であり意識されるものであっただろう。だが、それが時代の潮流となり多くの作家が用いる方法となることでやがて受容者とも共有され、異化作用を失うのである。文学テクストに異化作用を求めるハントケにとってこれは許しがたいことなのだ。

「私は象牙の塔の住人」の中でハントケが要求する「すべての世界像の破壊」の主なターゲットは、新写実主義の方法だけではない。ハントケの批判はいわゆる文学における「物語」にも向けられる。

「私は文学における物語にもはや耐えることができない、それがどんなに色彩豊かなファンタジーに満ちたものであろうとも。そう、それがファンタジーに満ちたものであればあるほど私にはより耐え難くなるのだ」(IB28)。ハントケの物語批判は、二十世紀後半に流行した脱構築と物語批判の流れの中に位置づけられるものであり、ハントケのみに見られるものではない。ここで物語論に深入りする余裕はなく要点を押さえて言えば、ハントケが物語を批判する最大の理由は物語の同化作用にあるということだ。内容がいかに新しいものであっても、物語、ストーリーの流れはテクストの受容者を巻き込んで進んでいくものだ。ストーリー性が強ければ強いほど読者はそれに引き込まれていく。そして文学テクストを読むという行為は物語性、ストーリー性に支えられて自動化していくのである。その際テクストを構成している言語への意識はほぼゼロになり、受容者は物語の世界に取り込まれることになる。

ハントケは、このように「無反省なまま」(IB28) 受容される物語によって、「私自身の現実的物語から逸らされて」(IB29) しまうことに耐えられない、という。ハントケにとって、「私」の現実、「私」の体験、「私」の想起は他の現実や体験、想起とは異なるものである。そしてそれらは文学によって他とは異なるものとして伝えられなければならない。そのためには新しい方法が必要なのだ。物語の作用は強力であり、どのような現実も体験も物語化されればパターン化を免れない。そして非現実的な「物語」だけではなく他方では、新写実主義やアンガージュマン文学が扱うデータ化され数量化された「客観的現実」も「私の現実」とは異なるものなのである。ハントケが要求する文学テクストは、これらとは異なる形を取らなければならないのである。

以上、「私は象牙の塔の住人」を見ることによって、初期のハントケの文学的主張が、新しさを失ってしまった新写実主義の方法の否定、物語の否定、すなわち文学テクストに同化作用ではなく異化作用を求めるものであることが確認されたであろう。次に、『雀蜂』のテクストにおける「盲人性」がこのハントケの理念といかに関わっているかを見て行こう。

まず『雀蜂』のテクストと物語性の関連についてだが、これは盲人性のテーマに限定する前にテクスト全体の構成と関係づけて考察する必要があるだろう。

『雀蜂』のテクストにおいて物語性、ストーリー性は徹底的に破壊されている。全体は六十七の節から成り、各節には頁の欄外に節の内容を客観的に示すタイトル様のものが添えられている。第一節のタイトルは、「想起の始まり」であり、第六十七節のそれは「想起の終了」となっており、この部分のみを見るとテクスト全体が時系列的な枠を構成しているように見える。しかしこれは始まりと終わりの節のタイトルに関してのみに妥当するものであり、テクストの内容に関しては時系列的な流れはまったく追えない。各節は断片に過ぎず、それらはコラージュ的に配置されているが、全体を俯瞰（ふかん）してもそこに流れは見えてこないのだ。

主人公のグレーゴア・ベネディクトはオーストリアの片田舎に暮らしている。州の名称などは明らかにされないが、おそらくハントケの出身地ケルンテン州がモデルとなっている（ケルンテン州はオーストリア南部に位置し、スロヴェニアやイタリアと接している）。ハントケにとって重要なことは自らの現実を扱うことであり、それは地名や人物名などの客観的現実と一致する必要はないが、自ら体験した主観的現実を基盤にしたものでなければならないのである。

主人公は四人兄弟であり、下に二人の弟、ハンスとマットがいる。もう一人は名前の明かされることのない女きょうだいであるが、主人公から見て姉であるか妹であるかも不明である[4]。大戦中の十一月のある日、弟の一人マットが事故で溺死する。この事故は二人の弟たちが一緒に行動していた際に生じており、生き残った弟のハンスが何らかの形で事故に関わっていたことが推測される。主人公は事故の際弟たちとは同行していない。事故の後行方不明になっていたハンスは事故の翌朝一度は帰宅する。そして窓の外から室内にいる主人公を見つけ、彼らは窓越しに目でコンタクトを取り合う。『雀蜂』のテクストの第一節はこの場面を扱うものである。その後再び弟は逃亡し行方不明となる。この弟を探しに出た主人公はその際何らかの原因で盲目となって家に運びこまれる。

主人公はその後もかなりの期間実家で両親と暮らし、弟の帰還をひたすらに待っている。姉は町に自分の飲食店を持ち独立する。主人公はやがて実家を出て盲人用の施設に移り、自室のベッドに横たわりながら弟のことや自分の半生について想起する。

以上が『雀蜂』のテクストの内容の再構成であるが、この大まかな再構成自体テクストに対する通常の読みから得ることは非常に困難である。前述したようにテクスト全体が六十七の節に分けられているだけでなく、これらの節の前後のつながりが、内容的、時間的、場所的にも断ち切られているからだ。その結果、受容者はテクストの流れを追うことが非常に困難となる。これは『雀蜂』の節において、常に前後のつながりがまったくないということではなく、つながりがある場合もほとんどない場合も双方見られる。共通事項は主人公である「私」の体験や夢想を扱うテクストであるということのみであり、それすらテクスト中では説明されないものとなっている。たとえば、ある節では主人公は自分の周囲の物音をひたすらに聴いており、それを描写するが、それがいつ、どこで行なわれたものなのかについての言及はその節内ではまったくなされない。つまり通常はテクスト内容の再構成の手掛かりとなるストーリー性がテクスト全体を通じて徹底的に破壊されているのである。しかも『雀蜂』のテクスト自体、本稿が底本としているズーアカンプ社の全集版で約二八〇頁の分量があり、決して短いものではない。これだけの分量を持つテクストを、ストーリー性を手掛かりにすることなく読み通す作業は、通常の読者にとってはかなり厳しい物とならざるを得ない。この事情は専門の文芸批評家にとっても同様であり、一読どころか十回読んでもおそらく状況はあまり変わらないであろう。

このように、物語性の破壊という点では徹底している『雀蜂』において、主人公が盲目であるということは物語性の破壊とどのように関わっているのだろうか。『雀蜂』のテクストが扱う対象は、主人公である「私」の体験、想起、印象、思考、夢想の範囲にほぼ収まっている。少年時に盲目となった「私」の行動範囲は狭く、人間関係もほぼ家族内に限定されている。それでも、あるいはそれゆえに実家を中心とした場所と人間関係の体験の密度は高い。過酷な労働で一家を支える不機嫌な父親、「私」が幼少の頃に亡くなった母親、三人の男兄弟と一人の姉、大戦中に一家の暮らす地域に流れ着き、そのまま「私」の実家に居着いた継母からなる人間関係だけでなく、弟の事故死とそれに続くもう一人の弟の出奔（しゅっぽん）と、弟の出奔の際に「私」まで失明してしまうという事件性は決して平板な市民生活の構成要素ではない。弟の帰還を待ち望む「私」は、失明しているがゆえにその直接的な証拠をつかむことができず、視覚以外の感覚を使うことによってさまざまなものに帰還の予兆を感じ取り翻弄されてしまう。その姿は充分に悲劇的なものだ。

　このような「私」の半生に関する内容的な構成要素は、実は容易に物語化してしまう可能性を持っている。厳格な父親、実母の死、継母、そして何よりも弟の事故死と「私」の失明、もう一人の弟の出奔とその帰還を待ち続ける「私」の存在という内容から発生するストーリー性である。その中心に位置するものは、弟の事故死の原因とそれに続く別の弟の出奔、さらに「私」の失明であろう。なぜ弟は事故死したのか。死因は溺死であることが明言されているが、それにもう一人の弟はどう関わっていたのか。弟が家から逃げ出した際に「私」はどのように行動し、失明に至ったのか。そもそもなぜ弟は出奔したのか。そして成人後に施設に入所している「私」が待ち望む弟の帰還は果たされたのか、果たされなかったのか。

『雀蜂』のテクストではこれらの問に対する回答はすべてオープンなままである。弟が溺死した際「私」は彼らに同行していなかった。テクストに客観的な出来事として示されるものは、土地の者ら二名と巡査によって家に運び込まれる弟の溺死体のみである。事故当時弟たち二人が行動を共にしていたことについては客観的証言のあることが示されている。しかし、事故に関する直接的な証言は弟のみがなし得るものであり、テクストにはそれは存在しない。弟の事故死については、第八節、「溺死の物語」の中で「私」の語りとして再現されている。小さな渓谷状になっている川岸で遊ぶ二人の弟たちが、木から垂れ下がるツタを摑んで川のこちら側の岩の上から向こう側の岩の上に飛び移るチャレンジをしている。互いに相手を「弱虫」と挑発しあっているところからかなりリスキーな挑戦であることが分かる。一人の弟がツタを摑んで向こう岸へ飛び移ろうとした瞬間ツタが切れ川へ落下してしまうのだ。描写としてはかなりリアルなこの節は、しかしすべてが現場にはいなかった「私」による語りである。テクスト中にも「これらすべてはただの例に過ぎない」[5](DH48)と明言されており、ストーリー性を支えるような客観性を持たされてはいないのである。

『雀蜂』のテクストにおける二大事件の片方である弟の事故死についてはこのように、「私」による仮定的な語りの形でテクスト化されている。これはおそらく「私」が当事者でもなく、直接的な証言もないことからテクスト化しても出来事の客観性が過度に強調され、物語の流れを作ることが避けられるという作者の判断のもとに行なわれたのだ。しかし、二大事件のもう一方である「私」の盲目化は「私」自身の体験であり、弟の出奔の事情とも関連するものでもある。それはだが『雀蜂』のテクスト内ではまったく語られることはない。「私」が盲目となった当時の状況は、主に姉の話として再現されるだけである。それによれば、溺死した弟の通夜が営まれる最中に、おそらくは森の中で盲目となる事故を起こした「私」が軍の車に乗せられて家に担架（たんか）で運び込まれるのである。再現されるものはこれだけであり、「私」の体験談はいっさいテクスト化されない。事故に遭った瞬間とその後家に運び込まれる過程で仮に「私」が気絶していたがゆえにそうなのだとしても、事故に遭う前の段階の事情もまったく明かされることはないのだ。『雀蜂』のテクストを読む際にこの「私」の盲目化の事情が完全に空白であることは受容者の大きなフラストレーションの原因となる。だがここにこそ「私は象牙の塔の住人」で主張されているように、受容者に、テクストの筋ではなく言語そのもの、文そのものに意識を向けさせようとするハントケの戦略が示されていると解釈されるのである。「私」が盲目となった事情についてはテクスト化しない、という方法によって受容者の物語性への期待は裏切られる。これによって受容者のテクストへの興味自体を失うリスクも生じるが、辛抱強い受容者であればより注意深くテクストの文を追うかもしれない。これはハントケの賭けであったのだとも言えるだろう。『雀蜂』のテクストの盲目性は、このような形で物語性の破壊という方法とリンクしているのである。

「私は象牙の塔の住人」の中でハントケが主張する方法の新しさのもう一つの力点は新写実主義の否定に置かれていた。『雀蜂』の主人公が盲目であることと、物語性の破壊の関係が前述のようにやや複雑なものであったこととは対照的に、新写実主義の方法と盲人性の関係は明示的なものだ。

すなわち、一人称の語り手である「私」が視力を失うことは、見たままのリアルな現実の再現を「私」の眼を通して行なうことの不可能性を意味するのである。

ここで留意しなければならない点は、「私」が盲目となることによって『雀蜂』のテクストが描写を放棄しているわけではないということだ。そしてそれは、盲目の主人公を第三者的な視点から捉え、その客観的現実を再現するものでもないということである。また、主人公が視覚以外の感覚を使うことで周囲の現実を再構成する様子を描くものでもない。もしそうであれば、『雀蜂』のテクストは本質的に写実主義のテクストと変わりはないということを意味する。

『雀蜂』のテクストには「私」の暮らす田舎の日常生活の描写が多数見られる。それらは、「私」がまだ弟たちと行動している子供時代のものもあれば、弟たちが不在となり、「私」が盲人となっている時期のものもある。また必ずしも「私」がその場にいない描写も含まれ、盲人となった「私」が見えているはずのないものの描写も時には含まれる。そしてそれらは眼の見えない「私」の想像として描かれているわけではない。[6] もちろん盲人となった「私」が視覚以外の感覚、たとえば聴覚や嗅覚などを手掛かりとして周囲の状況を把握したり、想像力を駆使してさまざまな像（Bild）をテクスト化するケースも多数見られる。これらは特に弟の不在とその帰還を待つ「私」の心情と結びつき、弟の移動手段としての列車やバス、トラック、駅、そして正体不明の「船員バッグをもつ男」の姿としてテクスト内に形象化されるのだ。

『雀蜂』のテクストに見られる描写のこのような性質は、主人公を取り巻く客観的な現実と盲人となった彼の主観的な現実が同様に作用しながらテクストを成立させていることを示している。主人公が盲目であることは、『雀蜂』のテクスト成立の本質的な前提ではない。それはあくまでテクスト内の描写を構成する言語が、いわゆる客観的現実のみに関係し、それに従属するものであることを否定する機能を持たされているのである。このように、『雀蜂』の主人公が盲目であることはハントケが掲げる文学の方法性と深く繋がっている。またそれゆえにこそ主人公が明らかに盲目であることはハントケの文学においては一回限りのものなのだ。「私は象牙の塔の住人」においてハントケが主張するように、異化効果をもたらす新しい方法は常に一回限りのものであることによってその最大限の力を発揮するものだからである。

以上見てきたように、『雀蜂』の主人公の盲目性に着目することによって、若きハントケが掲げる文学への要求がいかに実際にテクスト化されているかを示すことができたであろう。文学の方法という観点から見た場合、それは物語性の破壊と写実主義の方法の否定に集約されている。『雀蜂』の主人公の盲目性はこの二つの要素に強く関連するものなのである。

ハントケの文学観においては、方法の問題は常に意識される重要なものだ。だが方法は彼の文学の最終目的ではない。単なる手段ではないが、それに尽きてしまうわけではないのである。「私は象牙の塔の住人」の中で言われているように、ハントケが新しい方法によって言語化しようとするものは、彼自身の現実であり、体験であり、驚き、痛みなのである。「〔……〕私にとって問題なのは、私の現実を示すことなのだ（それを克服することではないにせよ）」（**IB31**）、「私はそれ（私の現実）を、私が用いる方法によって認識可能なものにしたいのである」(IB31)。

アンガージュマン文学が対象とするような社会的現実ではなく「私の現実」に対する拘り(こだわ)りもまた方法と並んでハントケの作品に形を変えつつも残り続けていくことになる。「私の現実」についての思考や反省は、他人とは異なる存在としての自分という原体験に基づくものである。初期のハントケ作品においては、後期のものほど存在論的な要素が強調されているわけではないが、きわめて実験的な方法の背後に存在論的なテクスチャーは明確に感じられる。次節では『雀蜂』のテクストにおける盲目性と存在の問題について考察していこう。

3 盲目性と存在

ハントケにとって「私の現実」が問題であるとするならば、彼のテクストには彼自身の経験や体験が直接的に作用しているものが多く見られることは当然の帰結とも言えるだろう。『雀蜂』の出版当時はハントケの伝記的事実も明らかではなく、テクストにどの程度ハントケの個人的な体験が作用しているのかは彼の周囲の人間以外には分からなかったと推測される。その後ハントケ研究も進み、詳しい伝記[7]も出版され、彼の伝記的な背景もかなりの部分明らかになっている。

ハントケはオーストリア、ケルンテン州にあるグリッフェンという町の近郊で一九四二年に生まれた。ハントケの実父は当時オーストリアに駐留していたドイツ人兵士であるが、ハントケの母と知り合った当時すでに既婚者であり、ハントケが生まれる前にハントケの母は彼と別れている。その後母はハントケが生まれる直前に、やはりドイツ軍の駐留兵士だったブルーノ・ハントケと結婚した。ハントケが自分の父が実の父親ではないことを知ったのは十八歳の時だった。ハントケ一家は、幼いハントケを連れて一時は継父の実家があるベルリンに移住したが、終戦の混乱期にベルリンでの暮らしは困難を極め、一家はすぐに母方の故郷グリッフェンに戻っている。ハントケは物心のつく前にベルリンを離れており、彼の幼少期から少年期の体験は、一家が身を寄せた母方の実家が基盤となることになる。

ハントケの母の父、すなわちハントケの母方の祖父グレーゴア・ズイウツはスロベニアからの移民の家系に生まれている。ケルンテン州を含む当時のオーストリア南部にはまだ貴族や教会による大規模土地所有のシステムが残存しており、スロベニアからの移民系住民の生活手段は大方の場合小作や賃仕事に限定され、自分の土地はおろか家すらも所有できない状況が一般的であった。その中でハントケの母方の祖父は土地と家を所有するに至る。貧しいことには変わりはないが、根無し草ではなくなり一家を構成できるまでになることは、ハントケの祖父にとっては成功者の証だったのである。

ハントケの祖父は五人の子供をもうける。三男二女の構成でハントケの母マリアは次女だった。宿願とも言える自宅の獲得を果たした祖父にとって、その家を継ぐはずの息子たちの存在は何より重要なものであったはずだ。しかし大戦中に相次いでドイツ軍に徴兵された息子たちの内、長男グレーゴアと三男ハンスは戦死してしまう。遺体は戦死した場所の墓地に埋葬されてしまい、祖父のもとに帰ってくることはなかった。グレーゴアとハンスが戦死したのは共に一九四三年のことであり、戦局も混迷度を増していた。戦死も珍しいことではなくなり、前線からの情報も正確ではなくなれば、戦死した兵士の遺族が考えることは似たものになるだろう。すなわち戦死は誤報であり、彼らはただ捕虜になっているに過ぎず、いつかは家に帰還するだろうということだ。あるいはもし彼らが生きて帰還していれば今頃は一家を支える存在になっているに違いない、というような。ハントケは幼少時に祖父の家に同居していたのであり、ハントケから見て伯父と叔父にあたるグレーゴアとハンスについて、生き残った家族が語る思い出話に囲まれながら成長したのであろうことは想像に難くない。

ここまで来れば、『雀蜂』のテクストとハントケの実体験の一致点は明白になる。まず、主人公の名前「グレーゴア」は、ハントケの母方の祖父の名前であり、同時にそれを継いだ、戦死した彼の長男の名前でもある。このグレーゴアという名前はハントケの作品では特別な位置づけをされており、彼のテクストの多くの主人公の名前となっている。[8] また「私」の兄弟の一人、行方不明となった弟の名はハンスであり、戦死したグレーゴアの弟でやはり戦死したハンスと同一名である。そして、『雀蜂』のテクストの父の姿は、酒乱で母に暴力を振るったとされるハントケの継父の姿も一部重なりながら、その大部分においてハントケの祖父の姿が投影されていると見なし得る。もちろんハントケが客観的な自伝的作品を意図してはいない以上、テクストと伝記的事実の相違点も当然ながら見られる。テクストの「私」、グレーゴアは逃亡した弟ハンスの兄であるが、ハントケから見れば戦死し、不在となったのは彼の母の兄弟である。また、『雀蜂』の「私」の姉は一部ハントケの母がモデルであろう。ハントケの母は夫の暴力から逃れ、家を出て自立した女性となることを願いながらそれを果たせず後に自殺することになる。ハントケはそうした母の願いを叶える形で『雀蜂』のテクストにおける姉に自分のカフェを持たせ、結婚という手段に頼らず実家から独立し自活する女性として描いていると考えられる。

テクストに再現されたものとは多少の相違は見られるものの、幼少期のハントケに刻みこまれた現実には、戦死した二人の息子たちを巡る一家のサーガの占める割合が大きかったと推測される。それはとりわけこの二人が、いつかは帰還するに違いないという残された者の願望・確信・予言と結びついていたからであろう。ハントケが『雀蜂』で拘った「私の現実」とは、この不在となった者の帰還の物語である。もちろん、前節で見たように文学における物語性、ストーリー性を否定するハントケはいわゆるフィクションとしての帰還の物語を創作するわけにはいかない。事実としては不在の者は帰ってはこない。それは確かなことなのだ。しかしそれでもなお『雀蜂』においては、「物語が、行方不明となった死者を連れ戻す」[9]ことが試みられているのである。すなわち、『雀蜂』のテクストによって、行方不明となった弟の帰還が果たされなければならないのだ。フィクションでもなく、事実の否定でもなく、これはどのようにして果たされ得るのか。「私」の盲人としての存在性はこの点に関わるものなのである。

『雀蜂』のテクストにおいて、「私」の盲人性は弟ハンスの不在性と常にセットのものである。前節で述べたように、弟マットの溺死事故が起きた際にハンスとマットは行動を共にしていた。事故の起きた日の晩に二人の弟は帰宅せず、家で「私」は徹夜で弟たちの帰りを待っている。翌朝ハンスは家に戻りはするがすぐに屋内に入ることなく、窓の外から「私」の姿を確認し、マットの不在も確かめる。この様子から、おそらくハンスは川に落ちたマットの姿を確認はしたが、溺死したかどうかは確認できなかったのではないかと推測される。事故の翌朝にマットが帰宅していないことを確かめた時に事の重大さに気づいた、ということだろう。テクストではこの後のハンスの行動については非常に断片的に描かれるのみであり、不明な部分が多いが、「私」とハンスが何らかの接触を持った後に再びハンスが行方をくらましたのだろうことは推測可能である。「私」はこの後森の中で何らかの事故に遭い失明する。ハンスと「私」が森の中で待ち合わせた上で共に逃亡する予定だったのか、「私」が単にハンスを探して森に入ったのかは明らかではない。しかし、「私」はハンスが逃亡するタイミングで共に行動することができず、取り残されることになったことは確かだ。そしてその際に盲目となるのである。

このように、ハンスが逃亡する経緯や過程についての『雀蜂』のテクストはかなり断片的なものであるが、ハンスがその後長期にわたってどのような運命を辿ったのかについても明白でない部分が多い。『雀蜂』のテクストの冒頭部は次のような文で始まる。「当時、私はストーブの前に座っていて、火を見つめていた、と弟は言った」(DH11)。これはマットの事故の翌朝、ハンスが家に戻り、窓の外から兄弟の寝室にいる「私」を見たシーンの回想場面である。いわゆる物語性のあるテクストに慣れた我々の眼は、このような回想の文から次のような展開をほぼ自動的に読み取るだろう。すなわち、「私」の弟は「私」に向けて過去の話を直接語っているのであるから、物語の時系列においてその後「私」と弟は直接出会うことになる、ということを。さらにテクストを少し読み進めれば、「私」も弟もこの時点では少年に過ぎず、回想している時点では家族として同居しているであろうという推定も可能だろう。

しかし、『雀蜂』の断片的なテクストはこのような読みを許さない。テクストがその後展開していく中で、「私」の失明後にハンスが帰還している場面は描かれないのである。描かれるものは、弟の帰還を待ちわびる「私」の姿であり、弟の不在のもたらす痛みと盲目となった「私」が見る弟の幻なのだ。確かに、第三十九節「氾濫」ではハンスと「私」の会話が再現されているように見える。断言されているわけではないが、二人の会話の様子から「私」はすでに視力を失っていると推測される。「私」と弟はとある川辺に佇み、一人の男が川の中に立っている様子を弟は「私」に向けて語る。この描写自体は客観的なものだ。しかし、一人の男の様子を説明していたはずの弟の語りは、「私」との会話の中で変容し、洪水の中に取り残された幼い兄弟たちの描写へと移っていく。描写の視点も川辺から上空を飛ぶ飛行機の中へ移動し、水に呑み込まれる兄弟たちの様子を俯瞰するのである。この第三十九節の語りが意味するものは、「私」の失明後に弟が戻り、「私」に向けて語る内容のテクストが、弟の帰還を客観的に証明するものではないということだ。しかし、『雀蜂』の冒頭部のテクストは一見すると客観的描写であるように見える。この矛盾点は、ハントケのケアレスミスなどではない。それは、通常の物語性に慣れた読者の読みを脱構築する機能を持たされているのだ。いったんは逃亡した弟はその後戻ってきて「私」と会話しているはずではないのか？　いったい弟はいついなくなったのか？　テクストの受容者にこのような違和感を生じさせ、より注意深くテクストの文を追わせること、これがハントケの狙いなのである。

ハントケの二人のおじ、グレーゴアとハンスが客観的事実としては戦死し、彼らの帰還はあり得ないものであるように、『雀蜂』の二人の弟たちは二度と帰ってはこないのだ。しかし、『雀蜂』においては逃亡した弟ハンスのその後の運命を物語化することに主眼が置かれているわけではない。マットの事故死の後ハンスはそのまま逃亡し、行方不明となったままなのか、あるいはいったん逃亡したがその後帰宅し、成人後家を出たのか。いずれにせよこのような物語はハントケがテクスト化の対象とするものではないのだ。『雀蜂』のテクストにおいて弟の不在性を支えているのは、「私」の「盲目性」である。「私」が失明することによって、「私」の眼からは弟の存在は消える。すなわち、「私の現実」から弟は永久に消えてしまうのである。そしてもし弟が帰還したとしても「私」にはそれを見ることはできない。このことによって、客観的現実の中では弟は永久に不在であることが暗示されてもいるのである。

『雀蜂』のテクストでは、「私」の盲目性は弟の不在性を支えているばかりではない。「私」の盲目性は、「私」自身の不在性をも生み出している。『雀蜂』のテクストの「私」は、偏狭な田舎の人間社会の中で徹底的に疎外された存在でもあるのだ。マットの事故死とハンスの家出の後、盲目となった「私」がその後どのような日常生活を過ごしたのかが『雀蜂』のテクストに系統的に描かれることはない。たとえば、「私」の学校生活や同年代の友人たちとの交友関係などはまったく描かれないのである。「私」が盲目となった後にテクスト内に現われる時間的な基点は二つある。その一つは正確な時期は不明だが、かなり成長した「私」がまだ実家に父と継母と暮らしているある夏の日曜日である。この日曜日に「私」は父と継母と連れだって教会に行く。その様子は教会に行く前の家を出る様子から、教会に入り、出て行くまでにわたって詳細に描写されている。この部分で「私」は父親とは会話をしている。しかし、継母との意思疎通は常に父親を経由して行なっており、「私」が部屋に忘れた盲人用の杖を取りに行った継母は、それを「私」に直接手渡さずに父親から「私」に渡させている。このように、家族内においても「私」は親しい人間関係を築き得てはいないことが示されている。もう一つの基点は「私」の現在、すなわちすでに施設に入り、ベッドに横たわりながら弟や自分の過去について想起している時点である。この「私」の現在については、具体的な生活の様子はほぼ描かれない。それゆえ周囲の人間との関係についてもまったく言及されないのだが、これによってより一層実家を出た「私」の絶対的な孤独が感得されるのである。

テクストに描かれる「私」は、実家に引きこもっているわけではない。むしろしばしば町へ出かける様子がうかがえる。その中で町の住民との接触の様子も断片的に描かれるのだが、それはたとえば第十二節「自転車」が示すように「私」に対する住民からの敵意を持った排斥以外のものではない。この節で「私」は町の少年たちから、町に自転車を放置したのはお前か、と因縁をつけられる。例によってこの節からだけでは主人公の外的事情を再構成することは困難だが、『雀蜂』のテクストでは自転車を含む乗り物は重要な位置づけをされている。自転車以外では、列車、バス、牛乳運搬のトラックなどだが、それらのすべては弟の不在と帰還に結びつけられている。すなわちそれらの乗り物は、弟の移動のための手段であり、「私」はそれらの乗り物を使って弟が帰って来ることをひたすら待ち続け、かつその場面をイメージしているのである。特にテクスト内において再三登場し、主人公も拘りを示す自転車はもちろん弟の所有物であったものなのだ。それを「私」は町へ持っていき、弟へ送ろうとしたのではないか、と少年たちから疑われているのである。地域の住民から見たとき、弟の逃亡はもう一人の弟の溺死事故と関連するものであり、事故の責任が弟にあるがゆえに彼は逃亡したと思われているのである。「私」が盲目となったのは弟の逃亡に関係がある。地域住民たちは、「私」が弟の逃亡を手助けしたと見なしており、弟とともに「私」もいわば犯罪者扱いしている。このような「私」の盲目性は地域社会にとって負のメルクマールとならざるを得ない。地域住民にとって、障がい者である「私」は同情し、補助すべき対象ではない。逃亡者である弟と同類であり、いなくても良い者、いなければ良い者となっているのである。

このような社会的立場を持ってしまっている「私」だが、再三繰り返してきたように『雀蜂』のテクストはその社会的事実を描写するものではない。それはハントケの言う「私の現実」ではないのである。「私」が感じているものは、自分が盲目であるがゆえの「不在性」なのだが、このことについてテクスト内では複数箇所で言及される。たとえばすでに第十節において、表面上日常的な習慣と関係づけられ、「誰も鏡の中の盲人の顔は見ない」（DH60）と言われる。これは一見何気ない文であるが、なかなかこうは書けないものだ。鏡は目の見える者用の道具である。盲人は当然鏡など使わない。無意味だからである。しかし、たとえば衣料品店などで目の見えない客と店の店員が並んで鏡の前に立つことはあり得るだろう。もちろん客観的事実としては盲目の人であろうと鏡には映る。また、店員も鏡に映る盲人の顔を見ることはできる。だがそれは意味のない行為なのだ。客が試着する衣類が似合っているかどうかを店員と客が鏡の中でアイコンタクトを取りながら確認することはできないからである。鏡の中の像とは、目の見える者同士が共有する世界であり、その共有される世界には盲人は参入できないのである。

この鏡に映る像の世界とは、客観的な現実を写し取ろうとする写実主義のテクストの世界だと見なすこともできるだろう。盲人はそこでは不在の者と成らざるを得ない。彼の現実はそのような像の世界とは別次元のものなのである。ハントケが主人公の「私」を盲目の者としたことにはこのような背景を見ることも可能だろう。

盲目の「私」の不在性は、テクストの終盤においても再度言及される。第六十六節「物語の成立」では、盲人と鏡の関係について以下のように語られる。「誰も鏡の中の盲人の顔を見ることはない、目の見えない人が鏡の前に立つ時、誰も鏡の前にはいないのである」（DH287）。第五十六節「隠れるという言葉」では、やはり鏡と同様に目の見える者同士の共通了解の下に成り立つ行為である「隠れる」ことと盲人性の関係について語られ、そこから次のように言われる。「私自身から私は隠れる必要はない、なぜなら私は見ることができないからだ」（DH211）。さらに、「私の目は目ではない、それはつまり私は存在していないということだ」（DH211）と続く。この部分に至って、「私」の盲目性は鏡という限定から離れ、一般的な不在性と結びつけられていることが分かる。そして第六十六節の「盲目な者は不可視なものでもある。ある外国語の方言では、盲目の者に対しても他人からは見えない者に対しても同じ言葉を用いている」（DH287）へと展開する。『雀蜂』のテクストにおいて、「私」の盲目性は社会からの排斥と疎外、孤独を意味すると同時に、「私」という存在の不在性、不可視性と結びつくものなのだ。

第六十六節においては盲人の不可視性、不在性についてネガティヴな側面のみが言及されるわけではない。盲人は、鏡の中の像に象徴される共通理解の世界からは疎外された存在である。しかし彼はまたそれゆえに共通性というバイアスから解放され「自分が見ようとするものを見ることができる」(DH288)のだ。もちろん視力を失った人間が今現在眼前で生じている出来事を実際に「見る」ことは不可能である。だが過去の出来事を想起し、それを像(Bild)として思い浮かべることは可能だ。『雀蜂』のテクストにおいても「私」が失明する前の出来事が詳細に描写される場面は複数箇所で見られる。ところがこの過去の想起は盲人の特権ではない。視力のある人間でもそれは可能な行為だからだ。しかし、現在の出来事を「見る」場合、盲人の世界と視力のある人間の世界はまったく異なる。視力のある人間が「見る」場合、それは当然視力という感覚を使用する行為であるが、盲人の場合、それは視力以外の感覚を手掛かりとして対象の像を思い浮かべるという行為になる。

目の見える人間にとって、不在の者を「見る」ことはできない。不在の者は客観的な事実として不在であり、その者は事実として再発見されるまで「見られる」ことはない。しかし、『雀蜂』のテクストは客観的な事実の再現を目指すものではない。そこでは「客観的な事実」の世界は鏡の中の像であるに過ぎない。盲人である「私」は、そのような共通理解の像の世界を離れ、不在となってしまった弟の姿を「見る」のだ。ここで留意しなくてはならない点は、「私」の「見る」行為が単なる想像とは異なることである。今現在視力の届く範囲外での事象を想像することは視力のある人間でも行なうことはある。だがそれは客観的な事実ではない事象として規定されるものであり、客観的な事実の構成する世界とは別の次元を示すものではない。『雀蜂』の「私」が見る世界は、このような客観的事実外の、いわゆるファンタジーの世界ではない。また「私」の「見ようとするもの」は常に弟の姿と関連している。それは弟の不在に関する「私」の痛み、弟の帰還を待つ「私」の気持ちを基盤にしたものなのである。

前述したように、『雀蜂』のテクストの大きな目的の一つは、文学によって弟を連れ戻すこと、にある。これはフィクションとして弟の帰還の物語を語ることを意味するのではなく、また客観的な事実としては描くことのできないものだ。弟はそのような事実としては帰還することはないのである。ではどのように『雀蜂』のテクストは弟の帰還を果たそうとするのか。「私」は盲人となることによって客観的な事実性の世界を離れ、今まさに帰還しつつある弟の姿を「見る」。弟は、船員バッグを担ぎ、ある時は駅のトイレで夜を明かし、ある時はバスに乗り遅れて歩き、ある時は牛乳配達のトラックに乗せてもらう姿となって登場する。その向かう先は「私」と弟たちが育った実家、あるいは実家を出た後に「私」がいる施設なのだ。これらの弟の姿は客観的現実として示されることはない。そうではなく、「私」の見る「私の現実」なのである。しかしながらこの「私の現実」は盲人の世界においても持続性を持たないものだ。「私」が事実として存在する以上、客観的事実の世界は常に盲目の「私」の現実をも侵食するものであり、結果として「私の現実」は持続性を持たず、弟の帰還は永続的なものとして果たされることはない。残されるものは「私」の痛みのみなのである。

盲人である「私」の見る世界においても弟の最終的な帰還は果たすことはできない。「私」が見るものは帰りつつある弟の姿であり、帰還という結果ではない。帰還しつつある弟の姿は常に断片として示され、最後には幻で終わる。『雀蜂』のテクストは、その終盤において弟の帰還に関して、

「私」の「見る」という行為よりもさらに一歩踏み込んだ方法を提示する。第六十四節「帰還」において主人公は当初自転車を押しながら実家に向かっている。この時すでに主人公を示す人称代名詞は「私」ではなく「彼」が使用されている。実家への道程は果てしなく、主人公はミルクスタンドの陰に座り込んで休む。テクストには主人公の過去の想起、主人公が盲目となり家に運び込まれた時に、弟がいったんは帰宅していた目撃談などが挿入され、盲目性と逃亡の要素が強調される。主人公は家に向けて歩きながら弟への思念を強めていく。その中で、主人公は次第に、「自分のものと弟のものの区別がつかなくなった、足は彼の下で歩き続け、指は船員バッグを肩に掛け、唇は知らない言葉を呟いていた」(DH263)のである。すなわちここで主人公は不在の弟と一体化しつつある。弟と一体化し、自分が帰還することによって弟の帰還をも果たそうとしているのだ。この一体化が、主人公がテクストの最終部分で試みる弟の帰還への方法なのである。

「私」の盲目性は「私」を客観的な事実性の世界から切り離し、不在の者となった弟の姿を「見る」可能性を「私」に付与する要素となっている。また、「私」の盲目性は、「私」自身を不可視の者、不在の者とも成している。弟の姿を「見る」だけならば、「私」の不在性は必要不可欠なものではない。しかし、不在の者である弟と一体化するのであれば、「私」も同様に不在の者とならなくてはならない。このように、「私」の持つ盲目性は、弟の帰還を果たすための不在性とリンクしているのである。

結語

以上、ハントケの『雀蜂』について、盲目性をキーワードとしながら考察してきた。盲目性のテーマが、『雀蜂』のテクストにおいてハントケの掲げる文学的方法と存在の問題と深く連関するものであることが示されたであろう。方法の問題は、文学に異化効果を求める若きハントケにおいては特に「新しさ」への要求と繋がるものである。また当時のドイツ文壇の支配的潮流であった新写実主義への批判と言語への意識も若きハントケの主張の中核を成していた。『雀蜂』のテクストにおける盲目性はこの二つのテーマを象徴するものであることが示されただろう。また、ハントケの文学を支えるもう一方の柱である存在の問題とこの方法の問題は根源的な部分でリンクするものであった。ハントケにとって、文学テクストで示されるべき現実は「私の現実」であって、共通理解の下に構成される「鏡の像」の世界、すなわち客観的な現実ではない。ただ一つのリアルな現実などというものは存在せず、それは目の見える者同士の間で共有される像の一つに過ぎないのだ。「盲人」はそのような世界から追放された存在を示す方法的な形象である。それゆえ『雀蜂』の主人公は健常者の世界からは疎外されざるを得ない。しかし、彼はまた自らの現実を示すために意図的に像の世界を離れる存在でもある。すなわち、彼は意図して目をつぶり盲目となるのだ。その目的は、不在の者となった弟を同じく不在の者となった自らの現実を通して文学テクスト化し、連れ戻すことにあるのである。

さて、本稿の最後に、冒頭部で掲げた問題、ハントケの文学は今読み直す価値があるのか、について言及したい。ハントケのデビュー作『雀蜂』はその後のハントケの文学の方向性をほぼすべて含有しているテクストであった。初期の実験的な方法については、長期にわたって常に新しい方法を提示することが不可能である以上、表面的にはいずれ転換が必要なものである。ハントケについても中期にいわゆる転向が生じている。もう一方の、存在への拘り、「私の現実」を示すこと、が自分の文学の目的であるとする方向性はハントケの文学の根幹として残り続ける。このハントケの根本姿勢を押さえれば、彼が六〇年代末に隆盛を迎える学生運動に対しても、九〇年代に生じたユーゴスラビア解体とコソボ紛争に対しても距離を取ることになるのは不思議ではない。両者ともにハントケにとっては彼自身の現実ではないのだ。特に彼の母方の出身地としてのスロベニアと旧ユーゴスラビアに直接関係するコソボ紛争については、彼自身の現実とヨーロッパのマスコミが生む共通理解の現実が激しくぶつかり合う事態となる。ハントケは自らの信念に従ってジャーナリズムの反セルビア言説を批判する。そこからハントケに対する世論の激しいバッシングが生じてしまうのだ。彼の主張はジャーナリストたちから見れば現実を無視した的外れなものだ。しかし、ハントケの文学はこのような社会的現実を無視しているわけではない。ハントケも現在に生きる存在であり、外界の出来事は彼の現実に紛れもなく反映している。それが共通理解の像と異なるからといって価値のないものだという判断はできないのである。またハントケは文学における言語優先主義の作家でもある。文学は言語を素材とする芸術であり、言語への鋭い問題意識はハントケの作品に一貫している。このようなハントケの作品は今もなお注意深く読み直す価値を持つものだと言えるだろう。

●注

（1）HONOLD, Alexander: „Der Erd-Erzäler. Peter Handkes Prosa der Orte, Räume und Land-schaften.“ Stuttgart 2017, S.22.

（2）HANDKE, Peter: „Aufsätze 1.“ Berlin 2018, S.23–36. 原題は、"Ich bin ein Bewohner des Elfenbeinturms" (1967). 本稿では、『雀蜂』のテクストも含め、ハントケのテクストはすべて二〇一八年にズーアカンプ社から出版されたハントケ全集を底本としている。以下、引用部には末尾に作品タイトルのイニシャルと頁数を記す。HANDKE, Peter:"Prosa 1."Berlin 2018, S.7–290

（3）ハントケが使用する用語は beschreiben、あるいはその名詞形である Beschreibung だが、これに対する邦訳語は複数ある。「記述」、「叙述」、「描写」などだが、本稿では、「現実描写」などの表現を鑑み、「描写」を用いる。

（4）ハントケには父親の異なる弟と妹がおり、この自伝的要素から『雀蜂』の主人公の女きょうだいを妹と解釈することも可能だが、本稿では主人公を世話する描写、主人公よりも早く実家を出て飲食店を経営する内容などから姉であると推測し、以降「姉」と記述する。

（5）HANDKE, Peter: „Prosa 1.“ Berlin 2018, S.10–290.

（6）たとえば、第十七節「猫」など。

（7）HERWIG, Malte: „Meister der Dämmerung. Peter Handke. Eine Biographie." München 2011. など。

（8）ebd., S.24.

（9）ebd., S.25.

病と不調の経験から他者としての女性の経験へ
——病者と労働者階級へのヴァージニア・ウルフの（非）共感性

四戸 慶介

はじめに

◉病とウルフ——日常的不調の位置づけ

ヴァージニア・ウルフ（一八八二—一九四一）と病についての関係を考察する際、まず連想されるのは精神的病である。ウルフ本人が精神的病に悩まされていたことは彼女の残した日記や手紙からもよく知られており、また、彼女の『ダロウェイ夫人』（一九二五）で描かれる戦争帰還兵セプティマス・スミスが戦地で負ったトラウマに悩まされる経験は、作家自身の生活と精神的病の関係のみならず、彼女の作品に表われる精神的病の考察を行なう研究のアイコニックな題材となっている。

本稿が焦点を当てるのはそうした精神的病ではなく、ウルフと「誰もが経験する日常的な病や不調」である。ウルフと日常的な病や不調の関係の重要性は、ウルフが一九二六年にT・S・エリオットが編集を務めた雑誌『ニュー・クライテリオン』（*The New Criterion*）に寄稿したエッセイ「病むことについて」に見ることができる。そのエッセイで彼女は、愛や憎しみだけでなく、インフルエンザ、歯痛、坐骨神経痛といった日常的な病や不調の経験も小説のテーマとして扱われるべきである、という提案を行なっている。このエッセイでは、自身もその症状に苛まれたり、小説の題材としても扱った心に関する病への言及がされておらず、メランコリーや戦争神経症などの特定のジェンダーや階級などのラベルに紐づけされない、誰もが経験する日常的な病や不調が取り上げられている。このことについて、どのような解釈が可能なのか検証される必要があるのではないだろうか。本稿は、ウルフのテクストにおいて日常的な病や不調が文学創作との関わりにおいて、どのような位置づけで表われているのかを考察していく(1)。まずはその準備段階として、精神的病に焦点を当て、ウルフと精神分析との関係を扱う主要な研究を概観する。

●ウルフ作品と精神分析・トラウマ研究

ヴァージニア・ウルフと精神分析との関係を扱う研究には、大きく分けて三つのアプローチがある。ウルフ自身の心の病を扱うもの、フロイトやフロイトの影響を受けた精神分析に対するウルフの関心や反応を扱うもの、そして、ウルフの作品に表われる精神分析学の影響を扱うものである(Jouve 245)(2)。

上に挙げたウルフ自身や彼女の作品についての精神分析学的研究の発展に伴い、ウルフが抱えていた幼少時の自身に対する性的虐待、母や弟の死などのトラウマに注目するようなトラウマ研究が一九九〇年代頃からウルフ研究において現われてくる。たとえば一九八九年にルイーズ・デサルヴォ（Louise DeSalvo）が出版した『ヴァージニア・ウルフ――幼少期の性的虐待がウルフの人生と作品に与えた影響』（*Virginia Woolf: The Impact of Childhood Sexual Abuse on Her Life and Work*）はウルフの抱えた性的虐待のトラウマについての研究者たちの関心を大きく集めた研究である。[3] その関心の強さがタイトルにも明白に現われているように、シュゼット・ヘンケ（Suzette Henke）とデヴィッド・エバリー（David Eberly）の編集による『ヴァージニア・ウルフとトラウマ――身体化されたテクスト』（二〇〇七）（*Virginia Woolf and Trauma: Embodied Texts*）、そして、レイナ・ファン・デル・ヴィール（Reina Van der Wiel）による『トラウマの美学――ヴァージニア・ウルフとジャネット・ウィンターソン』（二〇一四）（*Literary Aesthetics of Trauma: Virginia Woolf and Jeannette Winterson*）などで性的虐待によるトラウマだけでなく、彼女の家族の死、そして戦争のトラウマ等にも焦点を当てる研究が現在も継続されている。

◉ウルフ作品と日常的不調

これまでに挙げてきたような研究が進んできた中で、心の病やトラウマではなく、日常的不調に焦点を当てる本稿の狙いは、エッセイ「病むことについて」において、ウルフが精神的病ではなく誰もが経験する日常的な病や不調を取り上げていることの意味、とりわけそのことがウルフが関心を持っていたジェンダー問題や階級問題と芸術創作との関係に繋がっている点を明らかにすることにある。たとえばエレイン・ショウォールター、そしてサンドラ・ギルバートやスーザン・グーバーらは、十九〜二十世紀文学に見られる精神的病の表象とジェンダー・イデオロギーの考察を行なった。そうした彼らの分析はジェンダーに焦点を当てた文学と（精神的）病の関係の古典的研究として知られるが、その研究射程から外れているのがウルフがエッセイで扱うような日常的病や不調である。本稿が目的とするのは、心の病やトラウマに注目する研究とは異なる何か新しい事実を明らかにするというよりは、これまでの研究に付け足す形で、ウルフの執筆に日常的病や不調が現われてくる意味を探ることでもある。

　しかしそれは、ウルフの精神的病について彼女の担当医がインフルエンザという診断を下していたとか、またそのような診断名が精神病を患っているというレッテル貼りを避けるためのウルフの隠れ蓑として使われているとか、そうした結論を導き出すものではない。ウルフがエッセイで取り上げた病や不調は、むしろ、トラウマ研究の鍵概念となっている他者の苦痛の共感不可能性の問題と関係している。誰もが知っているはずの病や不調の経験について、「病人自身の苦しみは、友人たちの心に、彼らがかかったインフルエンザ、彼らが味わった痛みや苦しみを思い出させるだけなのだ」（「病むことについて」七七頁）、と言い切るウルフのエッセイにも、他者の苦痛への共感の限界が示されているのである。

●他者の経験に対する共感の限界

　自分以外の者が感じる苦痛のみならず、他者の経験に対する共感の限界については、「病むことについて」以外のウルフのテクストに所々表わされている。これは、ウルフ自身が他者の立場に、特に政治的に、深く関与することを避ける傾向との関係がいくらかあるように思われる。

たとえば、女性の社会的立場に言及する彼女の多くのテクストから、ウルフはフェミニストのアイコンとして認識されているが、彼女は必ずしも自身をフェミニストとして常に明確に表明し、積極的に運動に関わっているわけではない。ナオミ・ブラック（Naomi Black）が『三ギニー』（一九三八）を引き合いに出しながら述べるように、ウルフは自身が「フェミニスト」というラベルを付されることには嫌疑を示している（Black 23）[4]。

また、ウルフとセクシュアリティに関する議論で頻繁に挙がったウルフのセクシュアル・アイデンティティの問題においても、パトリシア・モーニュ・クレーマー（Patricia Morgne Cramer）が触れているように、彼女は「レズビアン」や「サッフォー」として自身をラベリングすることについて批判的である（Cramer 130）。クレーマーは、ウルフ研究におけるクィア・リーディングがウルフのセクシュアル・アイデンティティを「レズビアン」として位置づけることを避ける方法論を批判的に振り返り、レズビアン・リーディングを通してウルフのテクストが持つ同性愛的要素を同時代の男性作家たちの同性愛的関係と絡めて実証している。クレーマーの批判の対象となっているのはたとえば、キャリン・スプロールズ（Karyn Sproles）がウルフのセクシュアル・アイデンティティに関するクィア・リーディングの文脈で、ウルフの「セクシュアリティや主体の流動性」、そしてキャサリン・シンプソン（Kathryn Simpson）がウルフのテクストにおける「曖昧（あいまい）さ」や「不確定性」を強調している点である。

スプロールズやシンプソンが強調するウルフ（と彼女のテクスト）の「曖昧性」や明確な立場を表明することの「躊躇」は、しかしながら、ウルフとセクシュアリティの問題以外にも見ることができる要素である。これまでに確認してきたようなウルフの曖昧な政治的立ち位置や立場の表明の「躊躇」は、英国モダニズム文学のひとつの特徴と併せても考察できるはずである。E・M・フォースターの作品分析を通してフレドリック・ジェイムソンが述べているようにモダニズム文学が試みるのは表象できない物事を表象することであるならば（Jameson 54）、言語化することへの「逡巡」もまたモダニズム文学が抱える問題と言えるだろう。その点で、ウルフが「病むことについて」で表わす他者の苦しみの理解への躊躇いは表象できない物事を表象しようとするモダニズムの特徴と重なることは留意しておきたい。そこで、次節ではもう少し詳細に「病むことについて」の読解を通して、他者の苦しみの理解の限界がどのように表わされているのかを考察していく。

1　「病むことについて」（一九二六）

◉「病むことについて」で示される病者への共感の限界

ウルフは「病むことについて」で、言葉にならない病者の体験を言語化しようと試みている。「病気が、愛や戦いや嫉妬とともに、文学の主要テーマの一つにならないのは、たしかに奇妙なことに思われる」（七三頁）という疑問から始まるウルフの従来の文学テーマに対する挑戦は、愛や嫉妬、悪役として登場する人物などに替わって四〇度の熱、歯痛、坐骨神経痛による痛み、そして睡眠不足などを描くような文学の「情熱の新しいヒエラルキー」(七六頁)を主張するものである。エッセイの中では、病気に罹かり、病気の症状である高熱などの影響で変わってくる病者の身体感覚と意識に焦点が当てられ、健康な人々とは異なる病者の立場が、彼らと外界との隔たりや、周囲の人々との同調や価値観の共有の失敗によって位置づけられていく。(5)

◉美学化される病者への共感の限界と非共感性で示されるフェミニスト的政治性

病気になることで健康な人々とは違って見える景色があることに価値を見出し、従来の文学が好んで扱うテーマの傾向を覆そうとする彼女の目論見は、それだけにとどまらず、より社会的な問題へと関連させて読まれることも明らかに射程に入れている。次の引用はそれが顕著に表われている箇所である。

一人一人の道には原生林が、鳥の足跡さえも見られない雪の広野が横たわっているのだ。ここを私たちは一人で歩み、だからこそその道がより好きなのだ。つねに同情され、つねに同伴され、つねに理解されたら耐えがたいだろう。しかし、健康なときには、親切なふりをしなければならないし、努力――伝達し、文明化し、分かち合い、砂漠を耕し、原住民を教育し、昼間はともに働き、夜にはともに遊ぶ努力――はくり返されなければならないのだ。病気になると、こうしたふりは止む。ベッドが必要とされるやいなや、あるいは椅子の中でいくつもの枕のあいだに深く身を沈め、もう一つの椅子の上に両足をのせ地上より一インチ高くするやいなや、私たちは正義の人々から成る軍隊の兵たることを止める。脱走兵になるのだ。正義の人びとは戦いにのぞむべく行進する。私たちは木片れとともに流れの上を漂う。枯れ葉とともに芝生の上をあたふたと漂う。無責任で、無関心で、ここ何年来おそらく初めて、あたりを見回し、見上げ――たとえば、空を見つめることができる。（七九―八〇頁）

国を運営し拡大し、そして国を守るために必要とされる健康な国民（"army of the upright"）に対して、そこからは逸脱してしまうような、脱走兵（"deserters"）となって無関心に流れ漂い、空を見上げる、自然に眼を向ける病者の姿は、戦争に加担するいかなる行動からも逸脱してしまう国民として描かれている。健康な人々で構成された社会との距離や周囲と病者の同調の失敗は、病者が不調であるために起こる、どうすることもできないある種の症状として表わされる。このような病者の経験を、国家の拡大・成長を支える健康な国民からの逸脱として位置づけるこのエッセイの批判的な視線の先には、健康な国民によって支えられてきた帝国主義拡大の歴史や経済的覇権が、その露骨な比喩表現からもわかるように、明確に示されていると考えられる。

ところで、このエッセイでウルフが描く病者のジェンダーは明らかではない。たとえば、これまでに表わされてきた男性中心主義的言説の中で女性が病者として他者化される傾向――シャーロット・パーキンス・ギルマンの『黄色い壁紙』（一八九二）やヘンリー・ジェイムズの『デイジー・ミラー』（一八七八）に見られる病者＝他者としての女性のように表象される傾向――はよく知られている。そうした傾向に対し、ギルバートやグーバー、そしてショウォールター等によるフェミニスト批評は病者＝他者として表わされた女性の主体性を取り戻す読解を行なってきた。ウルフのエッセイでは、そうした病や不調と女性の結びつきを強調するような描かれ方がされていない。このエッセイではむしろ、高熱、歯痛、そして坐骨神経痛といった症状を挙げることで病や不調の日常性を強調し、「誰もが」体験した、あるいはこれからすることになる可能性があるという開かれた経験として提示している。それはつまり、病者が女性という性別に特定されているのではなく、病者が「誰でも」あるという点で重要なことである。

健康な人々の隊列から外れたこの性別不明の病者の視線は、しかしながら、病んだ自分に対してまったく無関心な態度を貫き通す自然に向けられたのち、健康な、しかし男性と同じように教育を受け、自由に家の外に出て生きることが許されていなかったヴィクトリア朝中期のある侯爵夫人の姿に向かう。

彼女はいつも手を振って夫を送り出したが、もしこれが最後だったらどうしよう、とそのたびに考えるのだった。そして、あの冬の朝、最後になったのである。馬がつまずき、卿は死んだのだ。それが告げられる前に彼女には分かった。そして、サー・ジョン・レズリーは決して忘れられないだろう、葬儀の日、階下に駆け降りていったとき、柩が出て行くのを立って見送っている夫人の美しさを。また、彼が戻ってきたとき、カーテン――重い、ヴィクトリア中期の、たぶん絹織りビロード地のもの――が、もだえ苦しむ夫人の手で掴まれて、しわくちゃになっ

ていたこともけっして忘れられないだろう。(九一―九二頁)

侯爵の乗っている馬が転倒し、落馬した侯爵が亡くなったという知らせを聞いた彼女が、部屋の窓辺で外を見ながら握りしめていたカーテンの皺として現われた彼女の苦悩へと、病者の視線を介した読者の視線もまた向けられるのである。このエッセイでは最後に、病者の病の経験を通した読者が、病や不調の苦しみとはまた別の、部屋から自由に出ることのできなかった女性の抱える言葉として表われない苦悩に目を向けられ、その苦悩を理解できるかが試されているのである。

このように、エッセイ「病むことについて」では誰もが持ちうる病や不調の苦しみの経験が男性中心主義的社会で生まれる暴力による国家の拡大という欲望への懐疑的なまなざしを生み出し、そうした経験がまたヴィクトリア朝的価値観のもとに生きることを余儀なくされた女性たちの経験へと繋げられる点にフェミニスト的政治性が見られるのである

2 『自分ひとりの部屋』(一九二九)から『三ギニー』(一九三八)へ

◉『自分ひとりの部屋』の「隊列」

「病むことについて」で表わされた脱走兵("deserters")として健康な人々の隊列から外れ漂う病者たちのモチーフは、十年後、女性と戦争というテーマについて書かれたエッセイ『三ギニー』において、男性たちが隊列を成して行進する姿を見ながらその隊列に加わるか否か考えている、ある

いは気づかなくともすでにその隊列に組み込まれている「教育のある男性の娘たち」として形を変えて再び現われる。このモチーフの変化について端的に示すならば、病人と健康な人々という対照が中流階級の女性と男性という図式に形を変えて現われている、と言えるだろう。しかしながら、二つのエッセイにおいて異なる形で表わされるこのモチーフが批判的に示すのは、国家を拡大させていこうとする欲望や他者との競争心を煽る男性中心主義的イデオロギーであることに変わりはない。そこで、本節では「病むことについて」の一年後、そして『三ギニー』に先立つ一九二九年に出版された『自分ひとりの部屋』に表われる経済と女性の問題の考察を経由し、いかにして病人と健康な人々という対照が『三ギニー』において形を変えて現われるのかを見ていく。

◉女性と男性の価値観の差異

『自分ひとりの部屋』は、女性が小説を書くための要件として、年五〇〇ポンドの不労所得と内側から鍵のかけられる自分だけの部屋によって担保される経済的、時間的、空間的制約からの解放の上で展開される作家の両性具有性を提示している。フェミニスト批評におけるこのテクストの重要性は言うまでもないことであるが、同時に、女性が執筆するために必要な条件として挙げられた年五〇〇ポンドの不労所得と自分だけの部屋という要求水準は、たとえば作家アーノルド・ベネットが当時批判したように、ウルフの階級に対する無自覚さが露呈するテクストとしても触れられている。

しかし年に五〇〇ポンドの収入と自分だけの部屋という挑戦的な要求は、このエッセイの語りがオックスブリッジの男子カレッジと女子カレッジの環境を比較した上で、貧しい環境に甘んじざるを得ない女性たちの不公平な現状を批判するレトリックでもある。

あちらで収集されていた、ありとあらゆる書物のことを思いました。羽目板を張り巡らせた部屋には、昔の主教などのお偉方の肖像画が何枚も掛かっていました。窓のステンドグラスから、球型や三日月型の不思議な影が舗道に落ちていました。銘板や記念碑があり、碑文が刻まれていました。噴水と芝生がありました。静かな中庭が見渡せる静かな部屋が並んでいました。それから(こんなことを思ってすみませんが)、美味しい煙草やお酒や、ゆったりした肘掛け椅子とか気持ちのいい絨毯のことも思い出さずにはいられませんでした。贅を凝らし、プライヴァシーとスペースをふんだんに確保したそのおかげで、洗練と温和さと威厳が備わっていました。母たちはこういうものと比肩できる何物をも、母たちはわたしたちに遺してくれませんでした。母たちは三万ポンド掻き集めるのにも苦労し、セント・アンドリューズ〔スコットランド東部の町〕で牧師の子を十三人産んだのでした。(『自分ひとりの部屋』四四頁)

ここでエッセイの語りは、書物、室内装飾、家具に食事が十分に整えられた快適な男子学寮の環境と一八七〇年頃の女子学寮創設の資金集めに奔走した女性たちが自分たちの娘の世代のためになんとか用意した教育環境を比較し、教育機関における男女の経済格差を示している。このような不平等な状況にあって、それでも語りがこのエッセイで強調しているのは、そうした不公平さによって生じる怒りや嫉妬が、女性の執筆に与える弊害である。たとえば、語りは十九世紀の小説家シャーロット・ブロンテの『ジェイン・エア』（一八四七）を以下のように評している。「『ジェイン・エア』からわたしが引用した場面を考えれば、怒りが小説家シャーロット・ブロンテの〈誠実〉を邪魔しているのは明らかです。彼女はストーリーに全力を尽くすべきときに、個人的な腹立ちに気を取られていました。しかるべき経験が自分には与えられなかったこと、世界中を気ままに放浪したいときに牧師館で靴下を繕ってくすぶっていなくてはならなかったことを、彼女は忘れられませんでした」（『自分ひとりの部屋』一二九頁）。ここで注目すべきは、世界中を気ままに旅することができる男性が享受する経験と家に留まる以外に選択肢がない自身のそれとの「比較を通して」女性の想像力を歪ませる怒りや妬みが生じている、と語りが捉えている点である。この語りは男性と女性の生活において、両者が同様の経験を持つことよりもむしろ、両者の人生の価値観そのものに違いがあることに力点を置いており、そのことに関して次のように説明している。

また、小説とは実人生とこのように対応関係にあるので、小説において何に価値があるかは、実人生において価値があると考えられているものとある程度同じです。ところが、女性にとって価値があるものは、男性によって価値があると決められてきたものとはしばしば明らかに食い違っています。自然とそうなっています。それなのに、幅を利かせているのは男性の価値観です。大雑把に言ってサッカーなどのスポーツは「重要」で、ファッションに夢中になって服を買うのは「取るに足りないこと」です。そしてこの価値観は人生から小説へと、当然ながら転用されます。批評家はこう決めてかかります。これは戦争を扱っているから重要な本である、これは客間での女性の感情を扱っているから取るに足りない本である、戦闘場面はお店の中の場面より重要である。価値の差異はあらゆるところに、〔ふだん思っているより〕もっとずっと微妙な形で存在しています。(『自分ひとりの部屋』一二九―一三〇頁)

語りが強調するのは、ここで触れられているような幅を利かせている男性の価値観＝尺度に女性のそれを合わせなければ、女性の書いたものが評価されないという問題と同時に、男性の価値観と同じものを女性が持つことが不可能であるという事実である。女性が男性と同じ経験を持つことができないという現実において、女性が無理やり男性の尺度に合わせてものを書こうとすれば、恵まれた男性たちに対する怒りや嫉妬が、そこに歪みとして生じてしまうことを語りは懸念しているのである。語りが評価するのは、家父長制社会における男性優位主義の中で自分たちの尺度を基準として作品を書いた、「男性が書くようにではなく、女性が書くように書いた」ジェイン・オースティンとエミリー・ブロンテの「才能」と「誠実さ」である。

●戦争を阻止する「三ギニー」

『自分ひとりの部屋』において強調される「女性と男性の価値観の差異」は、女性が執筆するという限られた設定からより広範に、そして大戦前夜という時宜にかなった設定においても重要な要素を持ちながら『三ギニー』の中に表われてくる。一九三八年に出版された『三ギニー』では、一九一九年以来、フェミニズム運動によって徐々に女性の職業選択の幅が広がり、かつてのように父親や夫に経済的に依存することなく、自身の生計を立てることができるようになった「教育ある男性の娘たち」が、自分たちの収入から三ギニーを使って戦争を阻止するために女性として何ができるのかが提示されている。

ウルフは、職業を持ち経済的に自立した中流階級の女性たちが一ギニーずつを非営利団体に寄付することで戦争を阻止することに貢献できるとエッセイで述べている。ウルフが寄付を行なうのは、まず初めに女子学寮建替えの基金を募る女性に、次に女性の就職支援団体で寄付を募る女性に、そして最後に、「文化と知的自由を護る」協会から寄付と署名を募る元法廷弁護士の男性に対してである。これらの団体に寄付をする理由を簡潔にまとめるとすれば、女性がより良い環境で教育を受けられるようにすること、女性がこれまで以上に自由に職業を選択できるようにすること、そしてすべての男女にとっての正義と自由という目的を達成することが戦争を阻止することにつながるとウルフが考えるからである。

一見、戦争を阻止するための活動とは関わりなく見える女子学寮建替え基金と女性の就職支援団体への寄付の必要性を説くウルフの語りは、『自分ひとりの部屋』同様、家父長制社会における男性と女性の経済格差を問題としている。女性が経済的に男性に依存しなければならない状況が続く限り、これからも戦争の発端である家父長制を――自分たちが経済的に自立できないがために依存せざるを得ない家父長制を――女性たちは保持するしかない。その循環を打開するための、つまり女性たちが父親や夫に依存することなく自身の権利を行使するための自由の確保を可能にする経済的自立がここでも求められている。より広い職業選択の自由は教育を受けることでアクセス可能になるため、ウルフは女子学寮建替え基金と女性の就職支援団体への寄付をするのである。

◉『三ギニー』の「隊列」

一九一九年以来、徐々に広がりつつある「教育ある男性の娘たち」の経済的自立の可能性を、彼女たちが戦争を阻止するためにさらに後押ししようとするウルフは、同時にある問題提起も行なっている。そこで現われるのが「病むことについて」の病者と健康な人々の隊列という対照モチーフが「教育ある男性の娘たち」と「教育ある男性の息子たち」として形を変えたものである。

あちらを彼らが歩いています――パブリック・スクールと大学で教育を受けた兄弟たちが。石段を上がり、ドアを出入りし、壇上に登って説教し教育し、だれかを裁き、医学を実践し、取引を行い金儲けをしています。砂漠を行く隊商のようなこの隊列は、つねに厳粛きわまりない光景です。(『三ギニー』一一三頁)

これまでこの隊列を部屋の窓から見ているだけであった女性たちに対し、ウルフは問いかけをする。「わたしたちの問いとはこうです――いまここで、自分はあの行進に加わりたいだろうか？ 加わりたくないだろうか？ どんな条件であの行進に加わろうか？ そして何より、〈教育のある男性たち〉の行進は、わたしたちをどこに連れていこうとしているのだろうか？」(『三ギニー』一一五頁)。これまでに男性たちが行なってきた職業を実践するという名の行進に、今や実際には、その行進の後ろの方に加わっている事実をおさえながら、ウルフは男性たちの職業実践の性質を、そしてその行進に加わるということが女性にとってどのような影響を与えるのかを、次のように言い表わす。

職業を実践すると人は独占欲に囚われ、自分の権利が少しでも脅かされると嫉妬に燃え、その権利に疑義が呈されれば激しく牙を剝きます。だとすれば、わたしたち女性も同じ職業に就くなら同じ性質を身につけるだろう――そう考えるのが正しいのではないでしょうか？　そしてその性質が戦争を導くのではないでしょうか？　同じようなやり方で職業を実践したら、約一世紀後には現在の男性方とまさに同じように独占欲と嫉妬心と闘争心を募らせ、まさに同じように神や自然や法や財産の命じるところはかくかくしかじかなり――と断定するのではないでしょうか？（『三ギニー』一二三―一二四頁）

ここでは男性たちと同じ方法で職業実践を行なうことで、戦争に繋がる家父長制社会の性質を反復することに、ウルフは批判的な姿勢を示している。しかしながら、すでにこの「行進」に加わっている、働くことで生計を立てられるようになってきた女性たちに対して、ウルフが求めるのは、男性たちとは異なる方法で働くということである。具体的に〈貧しくあること〉、〈純潔であること〉、〈嘲笑（ちょうしょう）すること〉、そして〈偽りの忠誠心から自由であること〉の四点を実践することで、独占欲、嫉妬心、そして闘争心を生み出す家父長制のそれとは異なる働き方ができると、ウルフは示すのである。[6]

ここまで見てきた『自分ひとりの部屋』と『三ギニー』では、ウルフは明確にその対象読者を自分と同じ階級、「教育ある男性の娘たち」に限定している。このことが、たとえばウルフが労働者階級の存在を度外視したフェミニズムの主張を行なっている点として批判の対象とされる所以でもあるが、「病むことについて」において病者の苦しみはあくまでその病者の苦しみであるとして扱いながら、健康な人々の隊列から外れて漂う病者のモチーフを男性と女性という対照に更新しているウルフは、男性と女性だけでなく、異なる階級間においても自分には踏み込めない他者の領域があることをわきまえている、と考えるのが公平な判断のように思える。

『三ギニー』の訳者解説で片山亜紀は、『自分ひとりの部屋』と『三ギニー』とで、ウルフの語りの色調が異なる点について非常に興味深い解説をしている。「『自分ひとりの部屋』を味わいつくしていたもの、つまり散策しながらの思索や、ワイングラスを傾けながらの語らいは、本書にはない。本書のウルフは飲まず食わず、時間に急かされながら、テーブルでひたすら手紙の返事を書いている」(片山　三八八頁)。このような、経済的、時間的、空間的制約から解放された語りから「余裕のない」ウルフの語への変化をもたらした要因として、片山は一九三〇年から始まったウルフと作曲家エセル・スマイスとの親交を挙げている。ここで注目したいのは、一九三一年に彼らが行なった「音楽と文学」というタイトルの講演が、ロンドン&イギリス女性雇用協会のフィリッパ・ストレイチーの依頼によるもので、二千人の働く女性たちを聴衆としている点である。片山が指摘するように、「働く女性」に向けたスマイスとの講演を経た後、『三ギニー』では年に五〇〇ポンドの収入と鍵のかけられる自分だけの部屋を持てるような収入と時間に余裕が垣間見える作家の語り口ではなく、食事の時間を削るほどに余裕のない作家の語り口への変化がある。これがウルフにとって、「身体の経験」として想像できる範囲での女性たちの生活なのだろうか。それともウルフはここに身体的な違和感を感じて書いているのであろうか。こうした変化をさらに後押しする要因として、『私たちが知っている生活』（一九三一）への序文執筆があるのではないだろうか。ウルフが挙げた、作家として解決すべき身体の真実は、中流階級の自身にとって所詮は偽の想像でしか補うことのできない、労働者階級の働く女性たちの身体経験という壁に阻まれている。マーガレット・ルウェリン・デイヴィス等によってまとめられたこの本の著者たちは、『自分ひとりの部屋』において語りが図書館で見つけることのできなかった女性たちではないだろうか。そこで、最後の節では、ウルフが実際に関わった労働者階級の女性たちに対して、どのような言葉を用いながら、共感の限界を示しつつも女性として共通の目的を持とうと試みているのか、『私たちが知っている生活』につけたウルフの序文の考察を行ない本稿を締めくくる。

3 女性協同組合(Women's Co-operative Guild)出版『私たちが知っている生活』(一九三一)へのウルフの序文

◉他者の身体経験

ウルフは夫レナードの取り組む協同組合活動を通して、一九一三年から女性協同組合の設立者であるマーガレット・ルウェリン・デイヴィスと親交を持っている。デイヴィスは一九三一年、女性協同組合の労働者階級の女性たちがそれぞれ自身の生い立ちや生活を綴った文章をまとめ上げ、『私たちが知っている生活』として出版する。ウルフはその本の序文を執筆しており、そこでウルフは自身が女性協同組合の大会に参加した時の記憶を辿りながら、組合の女性たちによって編まれた女性たち個人の伝記的出版物が世に出た功績を肯定的に評価している。(7)

しかしながら、過去に参加した組合の大会の記憶について触れるウルフの言葉には、自分を含めた「教育のある男性の娘たち」という階級と労働者階級の女性たちとの間に、両者の経験を真に理解することの限界を示す表現が明確に表わされている。

[組合が改善要求してきた] こうしたすべての問題は、私自身のこととして、私に影響を与えることはありません。もし彼らが要求するあらゆる改善がまさにこの瞬間に認められたとしても、快適な資本主義指向の私の頭の毛ひとつ揺らすことはありません。したがって私の興味は単に

利他主義的なものなのです。それはまばらで淡いものです。活力も切迫感もありません。どれだけ強く自分の手を叩き、自分の足を踏み鳴らしても、自分に背いて立てるその音には虚しさがあるのです。私は善意ある傍観者なのです。（xviii–xix ［　］は引用者補足）

組合の大会に出席したウルフはそこでスピーチを行なう女性たちの経験に共感できない「善意ある傍観者」として表われている。どれだけ女性たちの話に耳を傾けようとも、その場で手を叩き、足を踏み鳴らしてみても、あるいは自分たち中流階級の女性たちが仮に「ある炭鉱労働者として働く夫の妻であるジャイルズ夫人」だったとして振る舞ってみても、ウルフの彼女たちに対する共感を阻むのは、実際に生身の身体を通して彼女たちの生活を経験したことがないという事実である「「私たちの身体は一度だって洗い桶の前に立ったことはないし、私たちの手は一度だって洗濯物を絞ったり、床を磨いたり、炭鉱夫の夕食となる肉が何の肉であれ、それを細かく切ったりしたことがないので、私たちはダラムのジャイルズ夫人にはなれないのです」（xxi）」。自分たちがどれだけ共感を示したとしても、実際に自分の手で洗濯し料理したことのない自分たちの共感は偽りのものであり、それは傍から見れば美しい共感であったり、視覚や想像を通した共感で、心や神経による共感ではない、と述べるウルフは、そのような共感を「身体的に不快である」と表現する。「病むことについて」において他者の苦痛――他者の身体経験――があくまでもその当事者のものであるのと同じように、異なる階級の身体経験もまた当事者にしか表現しえないものとして扱われていることがわかる。

このようにウルフは自分たち中流階級と労働者階級の身体を通した共感の限界を明示した後で、

組合が自分たち女性の声を言語化し、まとめ上げ、一冊の本にしたことを評価する。完璧な仕上がりの本とは言えないが、それはどの文学にも言えることで、彼女たちがオックスフォードで博士号を与えられたとしても、こうした文章は書けないだろう、とウルフは述べる。「教育のある男性の娘たち」とは異なる方法で経験された領域があることを示した上で、そしてそうした彼らの身体を通した独自の経験が、男性たちとは異なる方法で表現されたことがここで評価されているのである。

◉誰もが経験しうる不調

ウルフが人それぞれによって異なる身体経験があることに対し常に意識的であったことを踏まえ、最後に再びウルフのエッセイ「病むことについて」に立ち戻ろう。戦場という特殊すぎる環境下で負った精神的病や熱帯雨林で罹った感染症ではなく、むしろ日常的に誰もが経験しうる不調に焦点を当てたこのエッセイは、多くの人々と不調という身体経験を共有する可能性を持つ。しかし、この経験の共有は条件付きである。その経験もまた個々に特有のものであり、それぞれが差異を抱えている。「病むことについて」における病や不調は、こうした差異があることを踏まえながらも共有することが可能な経験のひとつとして、ウルフの作品群の中で重要な位置を占めるのではないだろうか。

◉本研究はＪＳＰＳ科研費（若手研究 20K12968）の助成を受けたものである。本稿は二〇一八年に青山学院大学大学院に提出された博士学位申請論文で扱ったヴァージニア・ウルフのエッセイ「病むことについて」の解釈をもとに、新たに『自分ひとりの部屋』と『三ギニー』の考察を加え、『私たちが知っている生活』のウルフの序文との関連を論じたものである。

◉注

（1）アーサー・クラインマンによれば、disease が医者をはじめとする医療従事者によって観察される病者の症状だけを指す一方で、illness は病者の経験のみでなく、病者の家族や友人、同僚といった周囲の人々の経験も含む（Kleinman 1–2）。そして本稿が注目するのはクラインマンによるところの、“disease” ではなく “illness” になる。

（2）ニコル・ウォード・ジューヴはこれらの研究に加えて、ウルフの生活や執筆に関する精神分析学的解釈を行なう研究が四点目として挙げられることにも触れている（Jouve 245）。

（3）一九七七年から八四年にわたり公開されたウルフの日記や手紙の出版は、ウルフの死後出版された自伝的エッセイ『存在の瞬間』（一九七二）に記された義兄ジェラルド・ダックワースに関する記憶を検証するための資料を提供したことがウルフのトラウマ研究の大きな進展となっている。

（4）「ヴァージニア・ウルフのフェミニズムを理解することは、ウルフ自身が人生のさまざまな時点でフェミニストというラベルに対する嫌悪を示しているために、より困難になる。最も有名なのは、フェミニストという言葉などはなくしてしまうべきだと彼女が『三ギニー』で書いたことである」（Black

23)。ブラックは、「フェミニスト」という名を冠することで男性のフェミニズムへの参加を妨げることをウルフが懸念していたことを明示している。

(5) 本稿で“On Being Ill”に触れる際の引用は川本静子訳「病むことについて」からのものである。片山亜紀による新訳も適宜参考にされたい。新訳に際して、片山亜紀は、このエッセイが執筆される当時のウルフの日記や手紙、そして社会状況などから、この病気がインフルエンザである可能性を指摘している。

(6) ウルフが示す四点は以下のとおり説明されている。「〈貧しくあること〉とは、生活費相当のお金だけを持つという意味です。つまり、他のだれからも自立しているのに必要なだけ、心身の充分な発達のための運動や娯楽や教育などに充てるのに必要なだけのお金を稼いでください――ということです。でもそれ以上ではありません。一ペニーの超過もいけません。〈純潔であること〉とは、職業に就いて生活していけるだけのお金を稼いだら、お金欲しさに頭脳を切り売りするのは拒む――ということです。つまり、仕事をするのをやめるか、仕事をするとしても調査や実験のためでなくてはなりません。芸術家であれば芸術のためでなくてはなりません。あるいは職業で得た知識を、必要とする人に無償で与えてください。〔……〕〈嘲笑すること〉〔……〕とは、自己宣伝のためのあらゆる方法を拒み、名声や称賛より、冷やかしや無名性や非難のほうが心理的に好ましいと考えるということです。徽章、勲章、学位が差し出されたなら、ただちに授与者の顔めがけて投げ返してください。〈偽りの忠誠心から自由であること〉とは、まずは国籍への誇りを捨てねばならないということです。さらに宗教への誇り、大学への誇り、パブリック・スクールへの誇り、家族への誇り、性別への誇り、そしてこれら

の誇りから派生する偽りの忠誠心を捨てねばなりません」（『三ギニー』一四九―五〇頁）

（7）労働者階級に対するウルフの態度に関するこれまでの評価をまとめ、彼女の階級問題に対する政治的意識を再評価する論文として Jean Mills の "Virginia Woolf and the Politics of Class" がある。

◉引用文献

Black, Naomi. *Virginia Woolf As Feminist*. Cornell UP, 2003.

Cramer, Patricia Morgne. "Woolf and Theories of Sexuality." *Virginia Woolf in Context*. Edited by Bryony Randall and Jane Goldman, Cambridge UP, 2012, pp. 129–46.

Davies, Margaret Llewelyn, editor. *Life as We Have Known It*. 1931. W. W. Norton, 1975.

DeSalvo, Louise. *Virginia Woolf: The Impact of Childhood Sexual Abuse on Her Life and Work*. Women's Press, 1989.

Dubino, Jeanne. "On Illness as Carnival: The Body as Discovery in Virginia Woolf's 'On Being Ill' and Michael Bakhtin's Rabelais and His World." *Virginia Woolf: Emerging Perspectives: Selected Papers from the Third Annual Conference on Virginia Woolf*, edited by Mark Hussey and Vara Neverow, Pace UP, 1994, pp. 38–43.

Fisher, Jane Elizabeth. *Envisioning Disease, Gender, and War: Women's Narratives of the 1918 Influenza Pandemic*. Palgrave, 2012.

Gilbert, Sandra. M., and Susan Gubar. *The Madwoman in the Attic: The Woman Writer and the Nineteenth-Century Literary Imagination*. 1979. Yale UP, 2000.

Jameson, Fredric. "Modernism and Imperialism." 1988. *Nationalism, Colonialism, and Literature*. U of Minnesota

Press, 1990, pp. 43–68.

Jouve, Nicole Ward. "Virginia Woolf and Psychoanalysis." *The Cambridge Companion to Virginia Woolf*. Edited by Sue Roe, Susan Sellers, Cambridge UP, 2000, pp. 245–72.

Kleiman, Arthur. *The Illness Narratives: Suffering, Healing and the Human Condition*. Basic Books, 1998.

Lee, Hermione. Introduction. *On Being Ill*, by Virginia Woolf, Paris Press, 2012, pp. xiii–xxxvi.

——. *Virginia Woolf*. Vintage, 1997.

Light, Alison. *Mrs Woolf and the Servants: An Intimate History of Domestic Life in Bloomsbury*. 2008. Bloomsbury, 2009.

Mills, Jean. "Virginia Woolf and the Politics of Class." *A Companion to Virginia Woolf*. Edited by Jessica Berman. Willey Blackwell, 2016, pp.219–34.

Showalter, Elaine. *The Female Malady: Women, Madness and English Culture 1830–1980*. Virago, 1987.

Sim, Lorraine. *Virginia Woolf: The Patterns of Ordinary Experience*. Ashgate, 2010.

Simpson, Kathryn. *Gifts, Markets and Economies of Desire in Virginia Woolf*. Palgrave Macmillan, 2008.

Sontag, Susan. *Illness as Metaphor; and AIDS and Its Metaphors*. Picador, 1990.

Sproles, Karyn Z. *Desiring Women: The Partnership of Virginia Woolf and Vita Sackville-West*.Toronto UP, 2006.

Van der Wiel, Reina. *Literary Aesthetics of Trauma: Virginia Woolf and Jeanette Winterson*. Palgrave Macmillan, 2014.

Woolf, Virginia. Introductory Letter. *Life as We Have Known It*, 1931. Edited by Margaret Llewlyn Davis, Norton,

1975, pp. xv–xxxix.

——. "Memories of A Working Women's Guild." *Virginia Woolf: Selected Essays*, edited by David Bradshaw, Oxford UP, 2008, pp. 146–59.

——. "On Being Ill." *The Essays of Virginia Woolf*. Edited by Andrew McNellie, vols. 3, Harcourt Brace Jovanovich, 2011, pp. 317–29. 川本静子訳「病むことについて」『病むことについて』みすず書房、二〇〇二年、七三—九二頁。片山亜紀訳「病気になるということ」『Hayakawa Books & Magazines（β）』. 早川書房Web，www.hayakawabooks.com/. 二〇二〇年四月二十七日、二〇二〇年九月十日アクセス。

——. "Professions for Women." 1931. *Selected Essays of Virginia Woolf*, edited by David Bradshaw, Oxford UP, 2008, pp. 140–45.

——. *A Room of One's Own and Three Guineas*. Edited by Morag Shiach, Oxford UP, 1998.（片山亜紀訳『自分ひとりの部屋』平凡社ライブラリー、二〇一七年／片山亜紀訳『三ギニー』平凡社ライブラリー、二〇一七年）

英語教育における批判的思考力の育成
――クリティカル・リーディングの指導

伊佐地 恒久

はじめに

批判的思考力に対する関心が日本の教育界で高まっている。批判的思考力は、すべての市民が身につけるべき「二十一世紀型スキル」であり、すべての大学生が専攻に関係なく身につけるべきジェネリックスキルである（楠見・道田、二〇一五）と認識されるようになったためである。学習指導要領においても、批判的思考力は思考力の重要な構成要素とみなされている（文部科学省、二〇一八）。批判的思考は、多様な思考を包括する幅広い概念であるが（道田、二〇〇三）、最も多く引用されている定義は、Ennis（1987）による「何を信じ、何をするかの決定に焦点をあてた、合理的で反省的な思考」である。物事の判断のあり方に焦点をあてると「何事も無批判に信じこんでしまうのではなく、問題点を探し出して批判し、判断しようとすることである」（道田・宮元、一九九九、一〇頁）といえる。また、楠見（二〇一二）は、批判的思考の多様性を踏まえたうえで、批判的思考の中核は「目標に基づいて行われる意識的で内省を伴う論理的な思考」であると述べている。批判的思考を発揮するには、認知的なスキルを持っているだけではなく批判的思考態度をあわせ持つことが重要である（楠見、二〇一〇）。批判的思考の能力と態度は比較的独立に機能する。したがって、批判的に思考しようとする人が、必ずしも的確に批判的思考を行なうわけではないし、批判的思考ができる人であっても批判的に思考しようとするとは限らない（犬塚、二〇一四）。

批判的思考を働かせながら読むことは批判的読解（クリティカル・リーディング）とよばれ（市川、二〇〇一）、「テキストの内容を評価するために批判的に読む方法」と定義される（中野、二〇〇〇）。文部科学省（二〇〇六）は、テキストを単に読むだけではなく、論理的な思考の確かさなどを理解・評価したり、建設的に批判したりするような読みであるクリティカル・リーディング力の育成が、国語だけでなく学校教育の教育活動全体のなかで重要であるとしている。本稿では、筆者が実践したクリティカル・リーディングの指導について報告し、英語教育における批判的思考力の育成について検討する。

深い読みと批判的思考力の育成を目指したクリティカル・リーディングの授業

◉授業実践の背景

日本の学校教育における英語リーディング指導は、伝統的に英文の逐語訳と文法説明が中心の「訳読法」で行なわれることが多かった。このような指導では、「訳」を完成することが自己目的化し、英文の「理解」は進みにくい(語研、二〇〇七)。PISA調査では、読解力(reading literacy)を、「自らの目標を達成し、自らの知識と可能性を発達させ、効果的に社会に参加するために、書かれたテキストを理解し、利用し、熟考する力」と定義し、その読解プロセスを、文章に書いてあることをそのまま把握する「情報の取り出し(retrieving information)」、書かれた情報から推論して意味を解釈する「テキストの解釈(interpreting texts)」、書かれた情報を自らの知識や考えや経験に関連づけて熟考し評価する「熟考・評価(reflection and evaluation)」の三つのプロセスからとらえている(国立教育研究所、二〇〇七)。PISA調査では、日本の生徒はテキストに書かれている「情報の取り出し」と比べ、「テキストの解釈」や「熟考・評価」の力が弱いと報告されている。この結果を踏まえ、文部科学省(二〇〇六)は、「テキストの解釈」や「熟考・評価」の力を高めるために、国語だけでなく学校教育の教育活動全体のなかで読解力を育成することが重要であると述べている。

以上のようなリーディング力を英語教育のなかで育成するためには、テキストの事実情報の把握にとどまらず、推論により内容について理解を深め、テキストの深い理解に基づいて読み手が自らの知識や経験に関連づけてテキストの記述内容について評価したり、意見を構築したりする指導が求められる。そのようなリーディング指導として、クリティカル・リーディングに着目し、授業を実践した。テキストは説明文（expository texts）を扱った。それは、（1）これまでの批判的思考とクリティカル・リーディングの定義が主に説明文を扱っていると考えられること（e.g., Ennis, 一九八七; 文科省, 二〇〇六; 中野, 二〇〇〇）、および（2）現代の情報基盤社会では、物語文（narrative texts）よりも説明文を批判的に読み、判断することが求められることが多いと考えられるためである。

◉クリティカル・リーディング

「はじめに」で述べたように、クリティカル・リーディングは、批判的思考を働かせながら読むこと（市川、二〇〇一）であり、「テキストの内容を評価するために批判的に読む方法」と定義される（中野、二〇〇〇）。井上（二〇〇九）は、クリティカル・リーディングのチェック項目を三つの観点（a．語の用法は明確であるか、b．証拠となる資料・事例は十分に整っているか、c．論の進め方は正しいか）からまとめ、各々についてさらに三〜五項目ずつ示している。

◉教師の発問を活用したクリティカル・リーディングの指導

クリティカル・リーディングの授業では、読み取ったテキストの内容について自らの知識や経験に関連づけて意見を述べたり、批判したりすることが求められるので、学習者は主体的にテキストに取り組むことが欠かせない。このような指導を可能にするために、教師による発問に着目した。発問は、「生徒が主体的に教材に向き合うように、授業目標の達成に向けて計画的に行う教師の働きかけ」(田中、二〇〇八)と定義される。英語リーディング指導における教師の発問は、生徒が興味を持ってテキストに向き合い、深い読みを行なうよう促す重要な要素のひとつとして挙げられる(例:池野、二〇〇〇:田中、二〇〇八)。発問は、事実情報の把握を目的とし、テキストに明示されている情報だけで答えられる「事実発問」(fact-finding questions)、テキストに明示されていない事柄を推測することが必要な「推論発問」(inferential questions)、そしてテキストに書かれた内容に対する読み手の考えや態度を答えさせる「評価発問」(evaluative questions)に大きく分けることができる(田中、二〇一二)。クリティカル・リーディングにおいて、学習者はテキストに書かれた情報を正確に取り出すだけでなく、テキストに明示されていない事柄を推測することにより理解を深め、読み取った内容について考えや態度をまとめていく。したがって、教師は「事実発問」に加えて、「推論発問」と「評価発問」を効果的に用いる必要がある。

●授業実践

以下のようにクリティカル・リーディングの授業を実践した。

【授業科目】

英文読解Ⅲ

【対象学生】

私立大学三年生二十七名（男子十二名、女子十五名）。調査の一部を欠席した四名を除き、二十三名を分析対象者とした。

【実施時期】

平成二七（二〇一五）年四月〜七月、九〇分間×十五回。

【授業の目標】

「受身の内容理解で終わるリーディングではなく、読んだ英文についてその主張や根拠などを検討し、自分の意見を論理的に構築すること、すなわちクリティカル・リーディングを実践し、英文読解力の向上及びクリティカル・シンキングを学ぶことを目標とする」〈シラバスより抜粋〉

【教材】

▼テキスト

靜哲人・Rebecca Calman（著）（二〇〇九）『Ready to Start?: Developing the Four Skills: A Basic Course [Revised Edition]』を用いた。ただし、本テキストのみでは教材が不足したため、第十四回の授業では補充教材を使用した。

本テキストでは、書かれた内容について読者の意見が賛成・反対に分かれるような題材が選ばれている。そのため、テキストに書かれた情報を理解したのち、読み取った内容について考えや態度をまとめていくクリティカル・リーディングの指導に適当であると判断した。

▼発問プリント

読解前（pre-reading）に、英文のトピックに関する学生の興味を喚起したり、背景知識（schema）を活性化したりする発問を与えた［例：Are you interested in cosmetic surgery?（あなたは美容整形手術に興味がありますか）］。読解中（while-reading）には、一巡目の読解（first-reading）で「事実発問」［例：What did her friend suggest to Linda?（友人はリンダに何を勧めましたか）］を中心に英文の概要を把握するための発問を与え、二巡目の読解（second-reading）では、「推論発問」（例：Why did Linda decide not to undergo Botox treatment?（リンダはなぜボトックス療法を受けないことに決めたのですか）］を中心に、テキストの記述に基づいて推論し、理解を深めるための発問を与えた。そして三巡目の読解（third-reading）において、テキストの記述内容に対して疑問を投げかけたり、別の観点から考えさせたりするための発問［例：What cosmetic treatments are you interested in? And answer the reason.（あなたが興味がある美容術は何ですか。また、その理由を答えてください）］を与えた。

▼英文の内容に関する題目による意見文記入用紙

英文のトピックに関する学生の意見を求める論題［例：Men shouldn't undergo cosmetic surgeries. Yes / No（男性は美容整形手術を受けるべきではない。賛成／反対）］を与えA４判の用紙一枚に英語で意見文を書かせた（「評価発問」）。大井他（二〇〇八）が述べているように、書くことにより考えが深まるだけでなく、学生が自分の考えをより客観的で批判的に判断できることを目指した。英文全体の構成を考えてから英文を書かせるために、用紙の表面に英文を記入するスペースを、裏面に学生が主張と理由を箇条書きで整理する欄を設けた。用紙をこの形式にすることにより、提出された用紙を見れば、学生が意見と理由をどのようにまとめたかを把握できるようにした。

●授業の概要

一時間の授業過程は以下のとおりであった。

▼単・熟語の小テスト

前回の授業で扱った英文を範囲とした単・熟語の復習テストを行なった。学生は、筆者が発音した単・熟語のつづりを書き取り、その意味を日本語で答えた。授業の復習として、単・熟語だけでなく、英文全体を読み直させるため、語句の意味は英文の中での意味とした。他の意味が辞書にあっても、英文中の意味のみを正解とした。一問一点で十問出題し、十点満点とした。

▼Pre-reading

a．オーラル・イントロダクション（oral introduction）：英文のトピックについて簡単に英語で導入した。

b．読解前発問（pre-reading questions）に解答：発問プリントを配布し、読解前発問に解答させ、発表させた。

▼While-reading

【1巡目の読解（first-reading）】

a．黙読：ＣＤにあわせて英文を黙読させた。

b．事実発問に解答：再度黙読させ、一巡目の発問（事実発問中心）に解答させた。

c．解答の発表：解答を発表させ、正解を確認させた。英語の正確さよりも、内容の適切さを重視した。ただし、学生の発表に対して、教師（筆者）は正確な英語で正解を与えた（recast）。

d．説明（explanation）：内容理解のために必要な本文中の語彙、文法、語法について説明した。内容理解のためという目的から行ない、詳しくなりすぎないよう注意した。日本語で行なった。

e．オーバーラッピング：CDに合わせて音読させた。

【二巡目の読解（second-reading）】

a．推論発問に解答：黙読させ、二巡目の発問（推論発問中心）に解答させた。

b．解答の発表：解答を発表させ、正解を確認させた。推論発問には、解答だけでなく解答の根拠とした英文とそのような解答に至った理由を答えさせた。

c．オーバーラッピング：CDに合わせて音読させた。

【三巡目の読解（third-reading）】

a．黙読させ、テキストの記述に対して疑問を投げかけたり、英文とは別の観点から考えさせたりするための発問に解答させた。慣れてきたら、学生に発問を作らせた。

b．解答の発表とコメント：解答を発表させ、それに対して他の学生の意見を求めたり、論理性の観点から筆者がコメントしたりした。言いたい内容を十分に表現できることを重視し、日本語の使用を認めた。

▼Post-reading

ａ．評価発問：英文の内容に関する論題（proposition）を設定し、賛成・反対の意見を根拠とともに述べる意見文を英語で書かせた。【教材】で述べたＡ４判の意見文記入用紙に記入させ、次回の授業で提出させた。第一回の授業で、最初に主張を述べ、そのあとに根拠とその説明・具体例を述べるスタイルである「主張→［理由１→説明・具体例］→［理由２→説明・具体例］→［理由３→説明・具体例］→まとめ」の「型」を、例【資料１】を提示し指導した。Ａ～Ｆで評価し、次の授業で返却し、指導助言した。はじめに主張を述べ、そのあとに理由を述べるスタイルに慣れさせるとともに、具体性と客観性のある理由とその説明を論理的に示すことができることを目指した。意見文記入用紙に記入するコメントや授業中の指導助言でも、このような英作文の「型」と論理性に重点を置いた。

各回の授業内容は【表１】のとおりであった。

●指導効果の検証

【調査材料】

▼批判的思考力テスト

久原・井上・波多野（一九八三）を事前・事後テストとして使用した。これは論理的思考に焦点をあて、与えられたデータに基づき仮説の正しさの度合いを評定させる推論課題により参加者の批

【表1】各回の授業内容

回	授業内容
1回	オリエンテーション 事前テスト:批判的思考力テスト・批判的思考態度アンケート・説明文読解ストラテジー認識のアンケート(**指導効果の検証**を参照) 意見文の構成の「型」について説明:「主張 → [理由1 → 説明・具体例] → [理由 2 →説明・具体例] → [理由 3 → 説明・具体例] →まとめ」意見文の例〈資料 1〉の提示 意見文: Electric dictionaries are better than paper dictionaries for learning English. Yes/ No
2回	Unit 1: What is your view of English? 意見文: We need to learn English. Yes/ No
3回	Unit 2: Stop the name-flipping practice! 意見文: The name-flipping practice of Japanese people. Good/Bad
4回	Unit 3: Ugly Japanese, ugly Americans. 意見文 4: We should follow the customs of host countries we visit. Yes/No
5回	Unit 4: Daughter fed up with "tyrant" father. 意見文: I agree with Mr. Fujiwara. Yes/ No
6回	Unit 5: Don't leave engines idling! 意見文: I agree with Gilbert: Legislation to prohibit drivers from idling engines is necessary. Yes/No
7回	Unit 6: Agreed to die. 意見文: To prohibit suicide-related websites decreases the number of suicides. Yes/No
8回	Unit 7: Don't buy cheap, buy fair. 意見文: Should poor people join fair-trade movement?
9回	Unit 8: We should educate all our children. 意見文: The Japanese constitution should entitle non-Japanese children in Japan to receive education. Yes/ No
10回	Unit 9: Poison that makes you look younger. 意見文: Men shouldn't undergo cosmetic surgeries. Yes/ No
11回	Unit10: We should appreciate the food chain. 意見文: The class showing how to kill the chicken by the elementary school teacher is good. Yes/ No
12回	Unit11: Is shorthand here to stay? 意見文: Shorthand will be popular. Yes/ No
13回	Unit12: Miss pageants: Misdirected or misunderstood? 意見文: Beauty contests should be abolished. Yes/ No
14回	補充教材:Linus(Carpenter・関口, 2012 より) 意見文: How can we decrease the number of abandoned pets?
15回	まとめ 事後テスト:批判的思考力テスト・批判的思考態度アンケート・説明文読解ストラテジー認識のアンケート(**指導効果の検証**を参照)

判的思考力を測定するものである。三段論法などの形式論理ではなく、非形式的な推論能力を測定する。同じ形式で内容の異なる二種類の平行テスト（SM（2）版、TM（2）版）が用意されており、日本語により事前・事後テストとして使用できるものである（一点×二十問＝二十点満点【資料2】）。

▼批判的思考態度アンケート

平山・楠見（二〇〇四）が批判的思考態度のモデルを構成するとして示した「論理的思考への自覚」五項目、「探究心」五項目、「客観性」五項目、「証拠の重視」三項目の合計十八項目から構成された。各項目について「五：あてはまる」から「一：あてはまらない」の五段階リッカート・スケールで評定させた【資料3】。

▼説明文読解ストラテジー認識のアンケート

説明文（expository text）の読解ストラテジー認識のアンケート二十七項目を、犬塚（二〇〇二）、井関・海保（二〇〇一）、大河内（二〇〇一）を参考に作成した【資料4】。これらは、説明文に特化した読解ストラテジー認識のアンケート項目を提示しており、主にテキストの要点や構造の把握、文や語句の意味の明確化、そして自分の理解度のモニタリングとその結果への対応などのメタ認知的な読みをとりあげている。アンケートには、五段階リッカート・スケール（五：完全にあてはまる、一：全然当てはまらない）を用いた。

【調査結果】

▼批判的思考力への効果

【表2】は、批判的思考力テストの事前・事後テストの平均値の差を対応ありt検定により検討した結果を示している。事前・事後テストの平均値の差は有意であり（$p<.01$）、大きな効果量（$r>0.5$）を示した。これらの結果から、本授業実践は学生の批判的思考力の向上に効果があったといえる。ただし、本研究で使用した久原・井上・波多野（一九八三）は、【調査材料】で述べたように、非形式的な推論能力を測定するもので、他の批判的思考力に対する効果について判断することはできない。

▼批判的思考態度への効果

【表3】は、批判的思考態度アンケートによる事前・事後調査の各因子の尺度得点の平均値の差を対応ありt検定により検討した結果を示している。その結果、有意差は見られず($p>.05$)、効果量も小さかった（$.16<r<.29$）。したがって、本実践が、参加者の批判的思考態度に十分な効果があったとはいえない。

【表2】批判的思考力テストの記述統計（$N=23$）

事前テスト		事後テスト		t(22)	p	r
M	SD	M	SD			
8.30	2.98	10.39	3.06	-3.97	.001	.65（大）

注：20点満点

【表3】批判的思考態度アンケートの記述時計（$N=23$）

因子	事前		事後		t(22)	p	r
	M	SD	M	SD			
論理的思考への自覚	2.87	0.64	3.07	0.69	-1.41	.172	.29(小)
探究心	4.24	0.80	4.44	0.41	-1.06	.301	.22(小)
客観性	3.79	0.74	3.92	0.68	-0.77	.451	.16(小)
証拠の重視	3.49	0.83	3.74	0.75	-1.27	.216	.26(小)

注：アンケートは1~5の5段階評定

ただし、効果量から判断すると、小さいとはいえ効果はあったといえる。したがって、さらに継続して指導することによって、参加者の批判的思考態度が向上することが期待できるかもしれない。

▼説明文読解ストラテジーの認識への効果

【表４】は、説明文読解ストラテジーの認識のアンケート結果のうち、授業実施前と実施後で有意差か有意傾向がみられた項目の結果を示している。

項目7、項目18、項目21は、テキストの記述を受動的に理解するだけではなく、読み手が背景知識と照らし合わせながら理解を進める能動的な読みを表わし、項目23は、文やパラグラフの内容からテキスト全体を推論しようとする読みを表わしている。加えて、項目7と項目21は、読み取った内容について読み手自身の意見を構築しようとするための読みを表わしている。このように、本実践は読解ストラテジーの観点からは、学習者を能動的な読みへ方向づけることに一定の効果があったと考えられる。

【表4】説明文の読解ストラテジーの認識アンケートの記述統計：
事前・事後で有意差（p <.05）か有意傾向（p <.10）がみられた項目（N＝23）

項　目	事前		事後		t(22)	p	r
	M	SD	M	SD			
7. 自分が今まで知っていることと比べながら読んだ。	3.26	1.21	3.83	1.23	1.84	.079	.37(中)
18. 難しい文は、自分のことばでかみ砕いて言い直しながら読んだ。	3.74	1.10	4.17	0.83	-1.74	.096	.35(中)
21. 読んだ内容の中で疑問に思ったことについて考えた。	2.70	1.22	4.30	0.82	-2.24	.036	.43(中)
23.文脈から全体像を予測した。	3.52	0.95	3.96	0.88	-2.01	.057	.39(中)

注：アンケートは 1~5 の 5 段階評定

【まとめ】

本実践は、三種類の発問（i.e., 事実発問、推論発問、評価発問）を用いたクリティカル・リーディングの授業を実施し、論理性を中心とした批判的思考力、批判的思考態度、説明文読解ストラテジーの認識への効果を調べた。その結果、学習者の非形式的な推論能力を中心とした批判的思考力の向上には有意な効果がみられたが、批判的思考態度に対しては有意な効果はみられなかった。また、読解ストラテジーの観点から、本実践は、テキストの記述を受動的に理解するだけではなく、自らの背景知識と照らし合わせながら理解を進め、テキスト内容に対する意見を構築しようとする能動的な読みへと学習者を導く効果が認められた。

全体のまとめ

本稿の目的は、英語指導におけるクリティカル・リーディングの実践研究により、英語教育における批判的思考力の育成について検討することであった。

批判的思考を働かせながら読むことであるクリティカル・リーディング（市川、二〇〇一）の指導を実践し、学習者の批判的思考力、批判的思考態度、説明文の読解ストラテジーの認識への効果を調べた。指導過程は、一巡目の読解ではテキストに明示されている情報だけで答えられる「事実発問」（fact-finding questions）を中心に英文の概要を把握させ、二巡目の読解では、テキストに明示されていない事柄を推測することが必要な「推論発問」（inferential questions）により理解を深めさせた。そして、三巡目の読解でテキスト内容について批判的に思考させた。その後、テキストに書かれた内容に関する論題で意見文（評価発問：evaluative questions）を書かせた。本実践により、学習者の非形式的な推論能力としての批判的思考力の向上に有意な効果がみられたが、批判的思考態度に対しては有意な効果はみられなかった。また、読解ストラテジーの観点から、テキストの記述を受動的に理解するだけではなく、自らの背景知識と照らし合わせながら理解を進め、テキスト内容に対する意見を構築しようとする能動的な読みへと学習者を導く効果が認められた。

以上のように、事実発問、推論発問、評価発問を活用したクリティカル・リーディングの指導により、日本人英語学習者の批判的思考力と能動的な読みを向上させることができることが示された。国語の授業だけでなく英語の授業においても、クリティカル・リーディングの指導を取り入れ、学習者の批判的思考力の育成を図ることが望まれる。

今後の課題として、実践研究を積み重ね、クリティカル・リーディング指導の批判的思考態度への効果をさらに調べること、そしてクリティカル・リーディング指導のリーディング力への効果を調べることなどが挙げられる。

◉「深い読みと批判的思考力の育成を目指したクリティカル・リーディングの授業」の節は、伊佐地（二〇一五）の論文をもとに、加筆修正を行なったものである。

◉引用文献

Carpenter, R. &関口智子（2012）『Focus on Reading——読み方から教えるリーディング・レッスン』松柏社

Ennis, R. H. (1987). A taxonomy of critical thinking dispositions and abilities. In J. B. Baron & R. J. Sternberg (Eds.), *Teaching thinking skills: Theory and practice* (pp. 9–26). W. H. Freeman Company.

池野修（二〇〇〇）「読解発問」高梨庸雄・卯城祐司（編）『英語リーディング事典』七三―八八頁、研究社

伊佐地恒久（二〇一五）「深い読みと批判的思考力の養成を目指したクリティカル・リーディングの授業」『JACET中部支部紀要』第一三号、五五―六八頁

井関龍太・海保博之（二〇〇一）「読み方略についての包括的尺度の作成とその有効性の吟味」『読書科学』第四五号（一）、一―九頁

市川伸一（二〇〇一）「批判的に読み、自分の主張へとつなげる国語学習」大村彰道（監）秋田喜代美・久野雅樹（編）『文章理解の心理学——認知、発達、教育の広がりの中で』二四四―六五頁、北大路書房

犬塚美輪（二〇〇二）「説明文における読解方略の構造」『教育心理学研究』第五〇号、一五二―六二頁

犬塚美輪（二〇一四）「第二章：高次リテラシーとしての批判的読解」犬塚美輪・椿本弥生『論理的読み書きの理論と実践——知的基盤社会を生きる力の育成に向けて』七四―八八頁、北大路書房

井上尚美（二〇〇九）『思考力育成への方略——メタ認知・自己学習・言語論理〈増補改訂版〉』明治図書

大井恭子（編著）・田畑光義・松井孝志（二〇〇八）『パラグラフ・ライティング指導入門——中高での効果的なライティング指導のために』大修館書店

大河内祐子（二〇〇一）「読みの目標が疑問生成に与える影響」『読書科学』第四五巻第四号、一二七—一三四頁
楠見孝（二〇一〇）「第六章：批判的思考と高次リテラシー」楠見孝（編）『現代の認知心理学三：思考と言語』一三四—一六〇頁、北大路書房
楠見孝（二〇一一）「第一章：批判的思考とは」楠見孝・子安増生・道田泰司『批判的思考力を育む——学士力と社会人基礎力の基盤形成』二—二四頁、有斐閣
楠見孝・道田泰司（二〇一五）『批判的思考——21世紀を生きぬくリテラシーの基盤』新曜社
久原恵子・井上尚美・波多野誼余夫（一九八三）「批判的思考力とその測定」『読書科学』第二七号、一三一—一四二頁
（財）語学教育研究所（二〇〇七）『リーディング・ライティング再検討』（財）語学教育研究所
国立教育政策研究所（編）（二〇〇七）『生きるための知識と技能三——ＯＥＣＤ生徒の学習到達度調査（ＰＩＳＡ）』ぎょうせい
靜哲人・Calman.R.（二〇〇九）『Ready to Start?: Developing the Four Skills: A Basic Course [Revised Edition]』松柏社
田中武夫（二〇〇八）「リーディング指導における教材研究のあり方について」『中部地区英語教育学会紀要』第三七号、一〇五—一一二頁
田中武夫（二〇一一）「一・一 推論発問とは何か」田中武夫・島田勝正・紺渡弘幸（編著）『推論発問を取り入れた英語リーディング指導——深い読みを促す英語授業』一二—一三頁、三省堂

中野幸子（二〇〇〇）「クリティカル・リーディング」高梨庸雄・卯城祐司（編）『英語リーディング事典』二三九―五四頁、研究社
平山るみ・楠見孝（二〇〇四）「批判的思考態度が結論導出プロセスに及ぼす影響」『教育心理学研究』第五二号、一八六―九八頁
道田泰司（二〇〇三）「批判的思考の疑念の多様性と根底イメージ」『心理学評論』第四六号、六一七―三九頁
道田泰司・宮元博章（一九九九）秋月りす（漫画）『クリティカル進化論――『ＯＬ進化論』で学ぶ思考の技法』北大路書房
文部科学省（二〇〇六）『読解力向上に関する指導資料――ＰＩＳＡ調査（読解力）の結果分析と改善の方向』東洋館出版社
文部科学省（二〇一八）『中学校学習指導要領解説　外国語編』開隆堂

【資料1】意見文の例

Title: School Uniforms are Necessary

【意見】I think that school uniforms are necessary.【理由 1】First, we can save time and money.【理由 1 の説明・具体例】Because of school uniforms, we don't have to decide what to wear every morning, and we don't have to buy a lot of clothes.【理由 2】Second, school uniforms are very fashionable and attractive.【理由 2 の説明・具体例】School uniforms are designed by designers. We can even wear them outside of school.【理由 3】Third, we feel school spirit when we all wear the same school uniforms.【理由 3 の説明・具体例】If we don't have school uniforms, it is difficult for us to have the school unity.【まとめ】That's why we need school uniforms.

（大井他, 2008）をもとに作成した。

【資料2】批判的思考力テスト（説明の抜粋）

解答用紙には、それぞれの推論について、真・たぶん真・材料不足・たぶん偽・偽と書いた欄があります。次の説明に従って、解答用紙のもっとも適当な欄の数字を○で囲んで答えてください。

（中　略）

〈例　題〉

東海地方の 200 人の高校生が、先ごろ週末を利用して、ある都市で開かれた討論会に自発的に参加した。この会では人種問題と、恒久的な世界平和を達成する方法という 2 つの問題が、今日の世界で最も重要な問題として生徒たちによって選び出され、討議された。

1. この大会に参加した生徒は、全体的にみて、人道主義や社会問題に対して深い関心を持っていた。「たぶん真」
2. この大会に参加した生徒は、全体的にみて、人道主義や社会問題に対して深い関心を持っていない。「たぶん偽」
3. 東海地方の高校生は、全体的に見て、人道主義や社会問題に対して深い関心を持っている。「材料不足」
4. この大会に参加した生徒のうち、何人かは、人種問題と世界平和達成の方法を討論するのは重要なことだと考えた。「真」
5. この大会に参加した生徒はだれも、人種問題と世界平和達成の方法を討論するのは重要なことだとは考えなかった。「偽」

【資料3】批判的思考態度アンケート項目　(−) は逆転項目

「論理的思考への自覚」

1. 複雑な問題について順序立てて考えることが得意だ。
5. 物事を正確に考えることに自信がある。
9. 考えをまとめることが得意だ。
12. 誰もが納得できるような説明をすることができる。
15. 何か複雑な問題を考えると、混乱してしまう。(−)

「探究心」

2. いろいろな考え方の人と接して多くのことを学びたい。
6. 自分とは違う考え方の人に興味を持つ。
7. 生涯にわたり新しいことを学び続けたいと思う。
13. さまざまな文化について学びたいと思う。
18. 外国人がどのように考えるかを勉強することは、意義のあることだと思う。

「客観性」

3. 物事を決めるときには、客観的な態度を心がける。
8. 自分が無意識のうちに偏った見方をしていないか振り返るようにしている。
10. 物事を見るときに自分の立場からしか見ない。(−)
14. 一つ二つの立場だけではなく、できるだけ多くの立場から考えようとする。
17. いつも偏りのない判断をしようとする。

「証拠の重視」

4. 判断をくだす際は、できるだけ多くの事実や証拠を調べる。
11. 結論をくだす場合には、確たる証拠の有無にこだわる。
16. 何事も、少しも疑わずに信じ込んだりはしない。

【資料4】説明文読解ストラテジーの認識のアンケート項目

1. コメントや内容をまとめたものを書き込んだ。
2. どういう意味かをはっきりさせながら読んだ。
3. 次にどういう内容が書かれているかを予想しながら読んだ。
4. 書いてあることが正しいかどうか考えながら読んだ。
5. 意味がわからないところや難しいところをくり返し読んだ。
6. 文章の組み立て (構造) を考えながら読んだ。
7. 自分が今までに知っていることと比べながら読んだ。
8. 大切なところに線を引いた。

9. 各文は簡単に言うとどういうことかを考えながら読んだ。
10. 直接本文で述べられていないことについても考えた。
11. わからないところはゆっくり読んだ。
12. 接続詞（例：and, but, when, because）に注目しながら読んだ。
13. 集中して読んだ。
14. 時々読むのをやめて、それまでに読んだ内容を思い出した。
15. わからなくなったら、どこからわからなくなったのかを考え、そこから読み直した。
16. 書かれている内容について具体的な例を考えた。
17. 一度読んだだけでは理解できないときは、もう一度読んで理解しようとした。
18. 難しい文は、自分のことばでかみ砕いて言い直しながら読んだ。
19. すでに知っていることと読んでいる内容を結びつけようとしながら読んだ。
20. 内容をまとめるために簡単な表や図を書いた。
21. 読んだ内容の中で疑問に思ったことについて考えた。
22. 重要なところはどこかを考えながら読んだ。
23. 文脈から全体像を予測した。
24. 書いてあることを頭でイメージしながら読んだ。
25. 書いてあること以外のほかの考え方がないかを考えた。
26. パラグラフごとに要点をまとめながら読み進めた。
27. 意見なのか事実なのか区別して読んだ。

談話研究とその日本語教育への応用
――「のだ」疑問文を中心に

大塚 容子

はじめに

外国語学習に誤用はつきものである。おそらく一度も間違いをしないで、外国語を運用できるようになる人はいないであろう。誤用には学習者の母語の負の転移によるものと、学習者の母語に関係なく現われるものがある。後者の誤用は日本語の特異性による場合が多い。そのような誤用の一つに「のだ」[1]がある。たとえば、来週試験があるかどうかを教師に尋ねるときに、「来週、試験があるんですか。」という疑問文が使われることがある。試験の有無を単純に尋ねる場合には、この疑問文は誤りである。「来週、試験がありますか。」という「のだ」を使わない問い方が適格である。「のだ」を用いた質問（以下、「のだ」疑問文と呼ぶ）をすると、相手を非難、あるいは詰問（きつもん）しているような悪い印象を与える。このような学習者の意図しないことが相手に伝わり、人間関係に問題が生じる可能性がある誤用は深刻である。

言語研究の分野に目を向けてみると、近年、談話研究が盛んに行なわれるようになっており、日本語教育の世界では、この談話研究の成果を活かした日本語教材（岩田・初鹿野、二〇一二；西郷・清水、二〇一八等）が作成されている。

本稿の目的は、自然会話コーパスを用いて「のだ」疑問文の使用実態を明らかにすること、その調査結果が日本語教育に応用できるか、その可能性を明らかにすることである。その手続きとして、まず、自然会話の特徴、会話における質問の役割、「のだ」の機能、疑問文の種類について検討する。そして、使用するデータ、調査方法について説明し、調査結果を示す。調査結果の考察を踏まえ、日本語教育への応用可能性について述べる。

◉自然会話とは

尾崎・椿・中井（二〇一〇、四頁）は会話の特徴として誰が・いつ・どのぐらい話すのかが予め定められていないことを挙げ、交渉会話と交流会話に分類している。交渉会話は友人を映画に誘う、見知らぬ人に道を尋ねるといった、ある目的を達成するための会話であるのに対し、交流会話は人間関係の構築・維持を目的としている、いわゆる雑談である。本稿で扱う自然会話はこの雑談のことである。

清水（二〇一七、二六頁）は雑談を「当事者の間にラポール（信頼関係や心が通い合った状態）を生み出すことによって、良好な人間関係を育み、物事を円滑に運ばせるために」行なわれるものだと述べている。良好な人間関係を構築・維持するためには、会話を円滑に展開するうえで、話題の選択、質問内容、質問に対する応答等、注意しなければならないことがいくつかある。

◉交流会話（雑談）における質問することの危険性

会話は、通常、一人の会話参加者が何らかの話題を提供して、他の会話参加者がそれに対して質問をしたり、あらたな情報を追加したりしながら展開していく。会話を円滑に展開していくための一つの方法は相手に質問するということである。このような会話を円滑に展開するための方法の学習を主目的として作成された日本語教育用教材、岩田・初鹿野（二〇一二、九二頁）は話を続けるための一つの方法として「相手の話について上手に質問して、相手から話を引き出せるようになろう！」というユニットを設けている。会話を続けるポイントは相手の発話内容をよく聞いて理解し、その中から次の話題にできるようなこと（「話のタネ」）を見つけ、それについて質問することであるとし、そのような質問をする練習を提示している。会話をより楽しく、面白いものにするためには、質問が重要な役割を果たすことがわかるだろう。

一方、「配慮表現」という観点から質問を捉えた野田（二〇一四、七―八頁）は、質問は「相手への働きかけが強い文」に属すると言う。「相手への働きかけの強い文」というのは相手に対して何らかの行動を求める。質問は相手に対して返答を要求する。表面的な、返答しやすい質問であれば何ら問題はないが、その人にとって答えたくない質問、個人のプライバシーに関わる質問の場合には返答に躊躇（ちゅうちょ）することもあるだろう。そのため、相手への配慮が必要なのである。

このように、質問することは会話を円滑に進めるために――結果的に人間関係の構築・維持につながるのであれば――きわめて有効な方法であるが、その一方で質問の内容、質問の仕方を間違えると、人間関係の構築・維持どころか、人間関係そのものが壊れる可能性のある危険なものなのである。

◉文末表現「のだ」の機能

ここでは、本稿の焦点である「のだ」疑問文の「のだ」の機能について検討する。文末表現「のだ」はさまざまな用法があるため、多くの研究がされてきている（久野、一九七三、一九八三：田野村、一九九〇：野田、一九九七等）。それらの研究を踏まえた日本語記述文法研究会編（二〇〇三、一九五頁）は、「のだ」の機能を二つに分けている。否定・疑問などのスコープを表わす機能と説明のモダリティを表わす機能である。このような記述は日本語母語話者向けに「のだ」の用法を理解するためのものである。

一方、日本語教育文法の構築を目指し、「のだ」を正しく産出するための研究が行なわれるようになっている（庵、二〇〇〇：菊地、二〇〇〇：石黒、二〇〇〇、二〇〇三）。本稿では先行研究における共通理解である「認識の二重性」を踏まえ、包括的に「のだ」の用法を産出の側面から考察している、石黒（二〇〇三）の研究を紹介する。

まず、石黒（二〇〇三、五―六頁）は「認識の二重性」について次のように捉えている。一つは、話し手や聞き手がすでに持っている認識（既有の認識）、もう一つは話し手や聞き手の発話の時点での認識（発話時の認識）である。そして、「のだ」が使われることにより、「認識の二重性」だけでなく、「話し手または聞き手いずれかの既有の知識が不充分なものであり、それが発話時に充分なものになるということも」示されると指摘している。この観察を基に、「のだ」の中核的機能を次のように定義し、そこから派生される四つの機能（充填機能、訂正機能、共有機能、前提機能[2]）を設定している。

（1）「のだ」の中核的機能
「のだ」の中核的機能は、話し手、聞き手いずれか一方の、既有の不充分な認識が発話時に充分になることを示すことにある。

そして、疑問文の場合の「のだ」の中核的機能は、「話し手の既有の不充分な認識を充分にするよう聞き手に求めることを示すことにある」（石黒、二〇〇三、六頁）と述べている。

具体例を使って説明しよう。

（2）Bが素敵な靴を履いているのをAが見つけたときの会話
A「Bさんの靴、素敵ですね。どこで買ったんですか。」
B「あ、ありがとうございます。駅前のデパートで買ったんです。」

上記（2）のAにおける既有の認識は「素敵な靴を買った」こと、Bにおける発話時の認識は「駅前のデパートで素敵な靴を買った」ことである。Aは既有の認識のなかで不足している情報（買った場所）を知りたいということを表わすために「のだ」をつけてBに質問する、一方、BはAの不足している情報が満たされることを示すために「のだ」をつけて回答するというわけである。

　さらに、不充分な認識についてその内容により「すき間がある認識」と「思い込みがある認識」に分けている。これらの不充分な認識と派生的機能の関係について説明する。「すき間がある認識」の典型例は（2）で見たように、成分が欠けている場合である。AはBの発話から認識のなかのすき間が埋められる。これが派生的機能の充填機能である。

「思い込みがある認識」は次のような場合である。

（3）Bが素敵な靴を履いているのをAが見つけたときの会話

　A「Bさんの靴、素敵ですね。買ったんですか。」

　B「あ、これは友だちにもらったんです。」

上記の会話（3）ではAは「Bが靴を買った」という思い込み（思い込みがある認識）をしていて、Bはその思い込みを「のだ」を使うことにより訂正している。これが訂正機能である。

「のだ」は独話でも対話でも使用されるが、派生的機能のうち、共有機能は対話の場合にのみ生まれる機能である。そして、共有機能が単独で働くことはなく、常に充填機能、訂正機能のいずれかと共に、あるいは充塡機能、訂正機能の双方と共に働く。たとえば、(2)ではAの既有の認識のすき間がBの発話により埋められることによって、AとBは認識を共有することができる。さらに、(3)ではAの思い込みをBの発話により訂正されることにより、両者の間で認識が共有される。これが共有機能である。

◉疑問文の分類

疑問文は疑問を担う文のことであり、疑問は話し手にとってわからないことがあるために、その命題に対して話し手が判断することができないことを表わすモダリティ(日本語記述文法研究会、二〇〇三、二一頁)である。

日本語記述文法研究会(前掲書、二三頁)に従い、本稿でも疑問文を次の三種類に分類する。

(4) 疑問文の分類
(ア) 真偽疑問文　例：明日、大学に行きますか。
(イ) 選択疑問文　例：飲み物は紅茶がいいですか、コーヒーがいいですか。
(ウ) 補充疑問文　例：次回のゼミのレポーターはだれですか。

真偽疑問文は通常、「はい」か「いいえ」で答えられる疑問文である。選択疑問文は提示された選択肢のなかから該当するものを選んで答える疑問文である。補充疑問文は話し手にとって不明な部分が疑問語で表わされているため、聞き手はその疑問を補充するような応答をしなければならない。「配慮表現」という観点からこれらの疑問文を見ると、補充疑問文が最も相手への配慮が必要な質問になると言えよう。なぜなら、聞き手は話し手が要求する情報に対して、それを埋めるだけの返答が求められる。より具体的な情報提供が求められる分だけ聞き手に対する負担が大きくなるからである。選択疑問文は選択肢が与えられているとは言え、その中から少なくとも一つの回答を選ばなければならないという点で補充疑問文に近いと言えるだろう。

◉三種類の疑問文と「のだ」

文末表現「のだ」と疑問文との関係について考えていく。真偽疑問文、選択疑問文、補充疑問文に「のだ」が使われている疑問文をそれぞれ真偽「のだ」疑問文、選択「のだ」疑問文、補充「のだ」疑問文と呼ぶことにする。真偽「のだ」疑問文が使われる場合を（5）に、選択「のだ」疑問文が使われる場合を（6）に示す。

（5）Ａ「これ、お土産です。」
　　Ｂ「あ、どこかに旅行に行ったんですか。」
　　Ａ「はい、沖縄に行ってきたんです。」

Ａからお土産をもらったＢは「Ａがどこかに旅行に行った」という認識を得る。この段階でこの認識は不充分な認識である。この不充分な認識に対する真偽を問うためにBはAに質問をしているのである。それに後続するAの「はい」という発話により、Bの認識が正しかったことがわかり、Aの不充分な認識は充分な認識に変わる。

（6）A「週末に蓼科（たてしな）に行って来ました。」
B「あ、そうですか。車で行ったんですか、電車で行ったんですか。」
A「Cさんが車の運転が好きなので、車で行ったんです。」

上記の会話での既有の認識は「週末に蓼科に行って来た」ことである。不充分な認識は週末に蓼科に「車で行ったのか、電車で行ったのか」である。これが後続のAの発話により、「電車で行った」という選択肢が削除され、「車で行った」ことが確定され、充分な認識に変化している。

補充「のだ」疑問文の例は（2）で見たとおりである。不充分な認識を埋めるために疑問語を使って質問することによってすき間を埋めようとする。相手から新たな情報が得られれば、充塡機能により不充分な認識が変えられるわけである。

このように、「のだ」疑問文は話し手がもっている既有の認識のなかの不充分な認識を埋めるために相手に働きかけ、情報を得ることにより充分な認識に変えたいという話し手の態度を表わすものだと言えるだろう。

◉調査で使用するコーパスと調査方法

本稿で使用するコーパスは『ＢＴＳＪ日本語自然会話コーパス（トランスクリプト・音声）二〇一七年先行リリース版』である。本コーパスは宇佐美（二〇〇七）が開発したＢＴＳＪ（Basic Transcription System for Japanese）に則り、発話文を単位に文字化されている。収集された自然会話はその特徴によりグループ分けされ、各会話には通し番号が付けられている。本研究で使用する会話はグループ番号一四、会話の通し番号一九一、一九三、一九五、一九七の四会話で、総時間数六〇分一七秒である。会話参加者は大学生または大学院生の女性二人、人間関係は同等、初対面の雑談である。会話参加者の名称は記号化され、本調査会話に登場する参加者は **JBF01**、**JBF02**、**JBF03**、**JBF04**、**JSF02** の五人である。

調査方法はまず、すべての発話文のなかから情報要求の機能をもつ発話文を抽出する。ここで言う情報要求とは、話し手に不確かな要素があるため判断ができず、判断するための情報の提供を相手に要求することである。(3) 不確かな要素には事実に関わることや相手の意見だけでなく、話し手の不充分な認識も含まれる。情報要求の機能をもつ発話文は多くの場合、疑問文という形式を採る。また、重光（二〇二〇）の研究に則り、疑問文以外の形式でも情報を要求していると解釈できる場合は、情報要求の発話文として抽出する。

次に、情報要求に分類された発話文を重光（二〇二〇）の分類方法を参考に四種類に分類する。

（7）情報要求発話文の四分類

（ア）完結型疑問文
①真偽疑問文
②選択疑問文
③補充疑問文
（イ）非完結型疑問文　例：「大学名1」で？。（一九三、四四）[4]

情報要求発話文は完結型疑問文と非完結型疑問文に大別される。完結型疑問文は述部の最後まで発話されている疑問文のことであり、前述したように三種類に分類される。非完結型疑問文は述部の最後まで発話されていない発話文であるが、相手に情報を要求していると解釈される文のことである。述部等が省略されていたり最後まで発話されていなかったりする文が含まれる。（7）（イ）の例では、述部「勉強しましたか。」が省略されている。

◉会話の全体像——会話参加者はどのように会話に参加しているのか

分析対象とする四つの会話の全体像を知るために、まず、各会話参加者の発話文数を示す。【図1】から四つの会話において、二人の会話参加者の発話文の頻度に若干の差は見られるものの、いずれの会話も二人の会話参加者の発話文数の割合が五〇％前後であることから、二人の参加者はほぼ対等に会話に参加していると言えるだろう。

次に各会話参加者の会話の全発話文における情報要求の発話文数の割合を示す【図2】。

【図1】各会話における会話参加者の発話文数

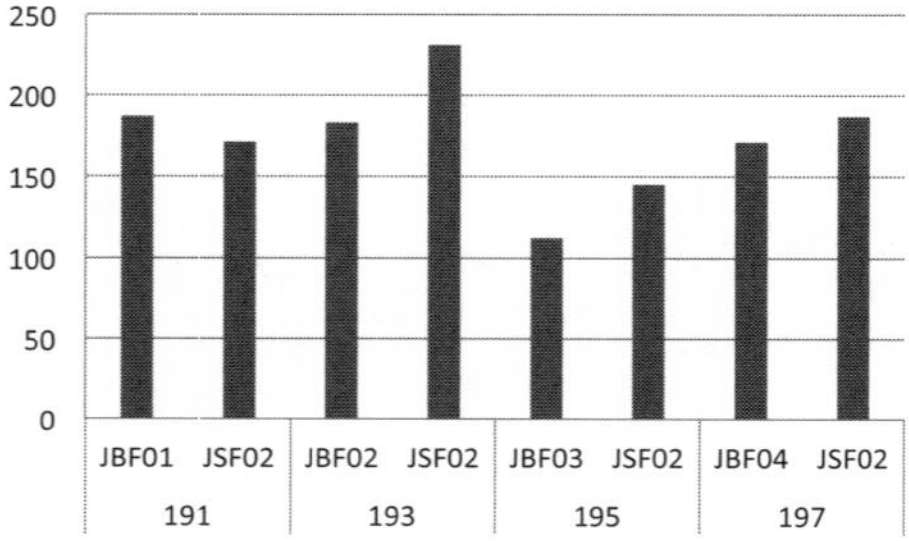

【図2】各会話参加者の発話文における
情報要求発話文数の割合

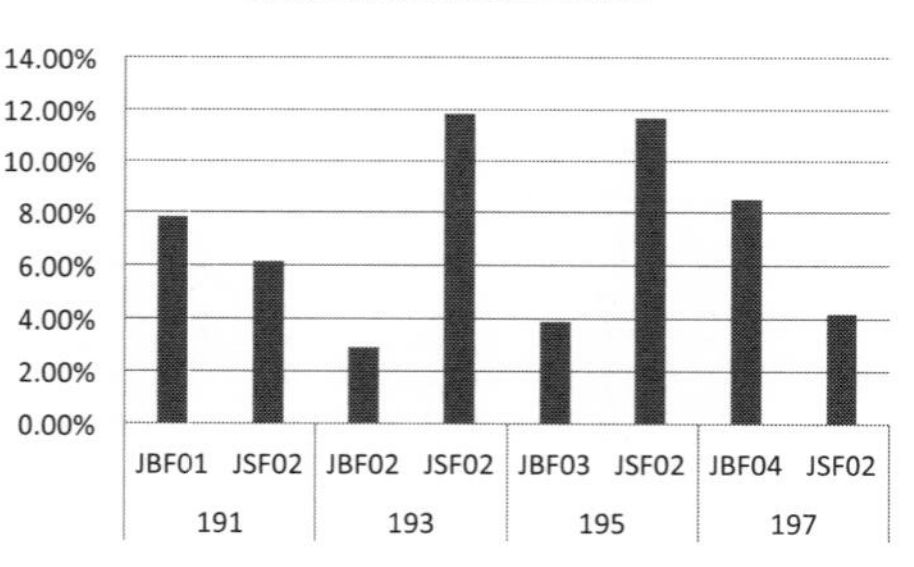

会話の展開の一つのパターンは、一人の会話参加者が情報要求を行なう。それに対し、もう一方の会話参加者が情報提供し、情報要求をした会話参加者が提供された情報に対してさらに何らかの反応をするというものである。相手の発話内容によって、途中で同意要求や確認要求が挟まれたりする。これを踏まえて、それぞれの会話の情報要求発話文の頻度について確認しよう。会話全体に占める情報要求発話文の割合は四会話の間で大きな差はない。会話一九一では、二人の会話参加者の情報要求の発話文の割合に大きな開きはないが、会話一九三、一九五、一九七では、一方の会話参加者の情報要求の発話文の割合が高い。

◉疑問文の種類

各会話参加者がどのような形式を使って情報要求を行なっているかを見てみよう(5)。

まず、完結型と非完結型の疑問文の出現頻度を比較すると、いずれの会話参加者も完結型疑問文の使用数が非完結型疑問文の使用数を上回っている。また、会話参加者JSF02はすべての会話に参加しているが、会話により情報要求の発話文の出現頻度が異なることから、それぞれの会話の展開により会話への参加の仕方が異なっているようである【図3】。

次に、各会話参加者がどのような完結型疑問文を使用しているかを見ていく。真偽疑問文・真偽「のだ」疑問文と補充疑問文・補充「のだ」疑問文の出現頻度を比べてみると、会話番号一九一のJBF01以外の会話参加者は補充疑問文より真偽疑問文の使用頻度のほうが高い【図4】。前述したように、補充疑問文のほうが相手に対する負担が大きくなるため、初対面場面ではそれを避けよう

【図3】各会話参加者の使用した完結型疑問文・非完結型疑問文数

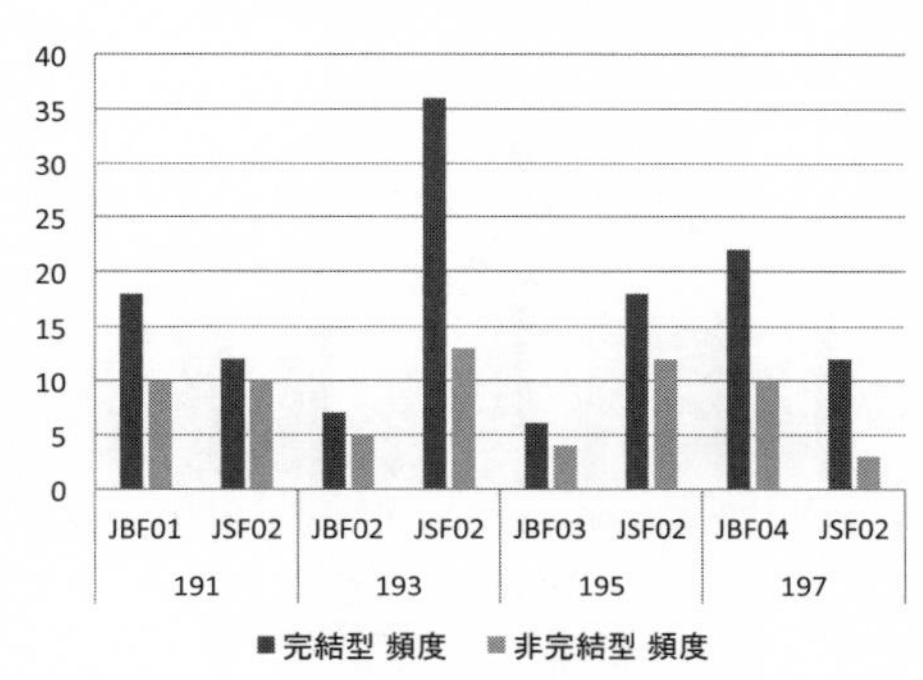

【図4】真偽疑問文と補充疑問文の出現頻度

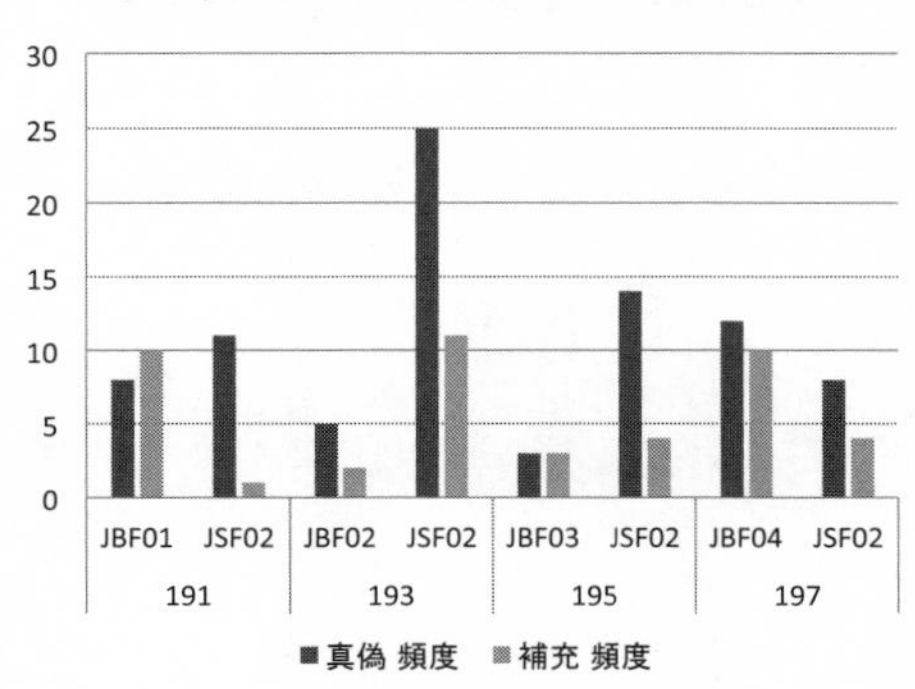

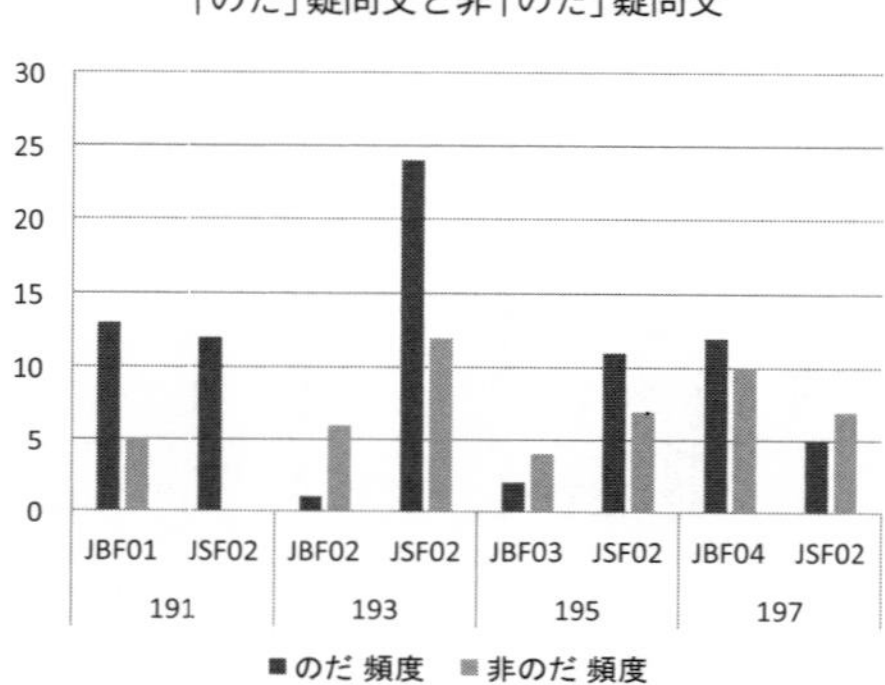

【図5】各会話参加者の使用した「のだ」疑問文と非「のだ」疑問文

とした結果であると言えるかもしれない。

　さらに、それぞれの会話参加者の「のだ」疑問文と、「のだ」を使用していない疑問文（以下、非「のだ」疑問文と呼ぶ）の使用頻度を見てみると、各会話で情報要求の発話文の使用率が高い会話参加者では「のだ」疑問文のほうが非「のだ」疑問文より使用頻度が高くなっている。会話番号一九三で、**JSF02**の情報要求の発話文使用率（一一・八四％）は**JBF02**の情報要求発話文使用率（二・九〇％）より高い。**JSF02**の「のだ」疑問文数（二四文）は非「のだ」疑問文（一二文）を上回っている。会話番号一九五で、**JSF02**の情報要求発話文数は一一・六七％、**JBF03**は三・八九％である。**JSF02**の「のだ」疑問文数（一一文）は非「のだ」疑問文数（七文）より多い。

　逆に、会話番号一九七では**JBF04**の情報要求発話文使用率は八・四九％、**JSF02**は四・一九％である。**JBF04**の「のだ」疑問文の使用数（一二文）は非「のだ」疑問文の使用数（一〇文）より、わずかであるが多い**【図5】**。

　以上のことから、情報要求の発話文の使用頻度が高くなると、「のだ」疑問文の使用頻度も高くなるという傾向がありそうである。

◉「のだ」疑問文はどのように使われているのか

それぞれの会話の冒頭部分では自己紹介が行なわれ、相手の情報を得るための質問がされる。そのような場面では「のだ」疑問文は使われない。真偽疑問文「え、「大学名1」の方〈かた〉ですか?。」(一九三、九)、補充疑問文「何語ですか?。」(一九七、一二)等が使われている。初対面で会話参加者間に共有知識がないため、「のだ」が使われないのは当然の結果と言えるだろう。たとえば、「え、「大学名1」の方なんですか。」と「のだ」疑問文を使うと、初対面の相手と話し手の既有の認識との間にずれがあることが明らかになり、結果として疑念を表わすことになってしまう。

では、「のだ」疑問文は自然会話のなかでどのように使われるのだろうか、コーパスからその使用例を見ていくことにする。**【会話番号一九三】**(本稿一四三頁)は最も「のだ」疑問文の使用頻度の高い、**JSF02**の情報要求行動の例である。

この会話は、**JBF02**が大学四年生でベトナムとアメリカに留学していたことがあるということを語ったあとの場面である。**JBF02**の発話内容を受けて、**JSF02**は「のだ」疑問文を使って質問をし、会話を展開している。ライン番号一二四でいつ帰国したのかを尋ねている。**JBF02**がアメリカに留学した経験がある」が既有の認識で、「アメリカからいつ帰国したか」が不充分な認識で、それを補充「のだ」疑問文を使って尋ねている。**JBF02**の発話内容から「二年連続して留学した」ことを推論し、その真偽をライン番号一三三で真偽「のだ」疑問文を使って質問している。そして、さらに現在四年生であることから就職活動をしているのではないかと察し、ライン番号一三九でそのことを尋ねている。就職先が決まったことを知ると、ベトナムとアメリカの二か国に留学していることを踏まえ、その就職先は二つの言語が使えるところなのかどうかをライン番号一四四で質問している。これらの質問文にすべて「のだ」疑問文が使用できるのは、JBF02の発話内容がJSF02にとって既有の認識となっているからである。

【会話番号一九二】は会話の展開に有効に使われた「のだ」疑問文の例である。この会話の冒頭部分でJBF01はJSF02に留学経験があるかどうかを問うている。JSF02は留学経験はないが、韓国、マレーシア、シンガポール、ヨーロッパに行ったことがあると述べる。そして、韓国の友人の結婚式に出席するために船で韓国に行ったこと、韓国における結婚式のしきたりについてかなり長く（約六八発話文）話している。ライン番号二五四で韓国関連の話題がひと段落したあとに、JBF01は話題をヨーロッパに移している。ここで「のだ」疑問文を使うことにより、唐突な話題の転換という印象を与えることなく、円滑に話題転換が図られている。「のだ」を付加することによって、JBF01にとってJSF02がヨーロッパに行ったことが既有の認識であることが示され、それを踏まえ不充分な認識を埋めたいという話し手の態度が表わされるからである。そして、ライン番号二六〇でヨーロッパ旅行に関する質問を連続して相手に投げかけることによって会話をさらに展開させている。

●雑談における「のだ」疑問文の効果

交流会話において、「のだ」疑問文はどのような働きをしているのであろうか。**【会話番号一九三】**のなかの、「のだ」疑問文を非「のだ」疑問文にすると（8）のようになる。

【会話番号 193】

ライン番号	発話文番号	発話文終了	話者	発　話　内　容
120	110-2	*	JBF02	で、今はちょっと色々(<笑い>)国際電話とかしたり、(はい)そう友達に、ベトナム人に(うんうん)の友達とベトナム語で話したり、で、国際電話かけて(うん)アメリカにいる人と英語で話したり、まぁ両方やってるんで、(うん)ちょっと今混乱…(<笑い>)<してる状態かな>{<}。
121	112	*	JSF02	<あ、でも一生>{>}懸命維持しようとしてるん<ですね>{<}。
122	113	*	JBF02	<維持、>{>}しないともう、(あー)維持しようとしてもそれでも限界はあるくんですよ>{<}。
123	114	*	JSF02	<え、でも>{>}もう少したったらまぁ、もう、大丈夫なんじゃないですか?=。
124	115	*	JSF02	=え、でもいつ帰ってきたんですか?、アメリカから。
125	116	*	JBF02	えっとー、年末。
126	117	*	JSF02	あぁー、じゃあまだ本当に帰ってきて半年ぐらいってことですよね。
127	118	*	JBF02	うん。
128	119	*	JSF02	あ、じゃあ、もう少し<したら?>{<}。
129	120	*	JBF02	<多分>{>}もう忘れてると思いますよ。
130	121	*	JSF02	えーっ、そうですか。
131	122	*	JBF02	うん。
132	123	*	JSF02	はぁーん、すごい。
133	124	*	JSF02	へぇー、2年連続で行ったんですか?。
134	125	*	JBF02	あ、1年明けて、(ふぅーん)2年生が終わってからベトナム行って。
135	126-1	/	JSF02	うん、3年生をやって,,
136	127	*	JBF02	やって。
137	126-2	*	JSF02	アメリカに行って、(うん)はぁー。
138	128	*	JBF02	そうなんですよね。
139	129	*	JSF02	今じゃあ就活なんですか?。
140	130	*	JBF02	あ、就活終わりました。
141	131	*	JSF02	あ、そうなんですか[→]。
142	132	*	JSF02	はぁ、おめでとう<ございます>{<}[小さい声で]。
143	133	*	JBF02	<終わった>{>}、終わったっていうか、うーん、まぁここでいいかなって。
144	134	*	JSF02	え、両方使えるとこなんですか?。
145	135-1	/	JBF02	両方、多分海外営業になると思うんで,,
146	136	*	JSF02	ええ。
147	135-2	*	JBF02	自分の任される担当地域がどこになるかわかんないんですけど。

【会話番号 191】

ライン番号	発話文番号	発話文終了	話者	発　話　内　容
251	236-1	/	JSF02	私たちは韓国語をちょっとやってたんで,,
252	237	*	JBF01	あー、そっかそっか。
253	236-2	*	JSF02	うん韓国語と日本語で半分半分くらいで(へぇー)片言ずつ、あとはなんか英語とかちょっと(うーん)いれたりとかして。
254	238	*	JBF01	へぇー、(うん)楽しそうだなー、ふーん。
255	239	*	JBF01	ヨーロッパはいつ行ったんですか?。
256	240	*	JSF02	は今年の春です。
257	241	*	JBF01	あー春休み、そうそう。
258	242	*	JBF01	なんか卒業旅行みたい<ですよね>{<}。
259	243	*	JSF02	<うん、そう>{>}ですね。
260	244	*	JBF01	へぇー、どれぐらい行ってたんですか?。

(8) 非「のだ」疑問文の場合

・「え、でもいつ帰ってきましたか、アメリカから。」
・「へえー、二年連続で行きましたか。」
・「今じゃあ就活ですか。」

非「のだ」疑問文を使用すると、既有の認識は存在しないことになる。そのため、尋問しているような調子になり、相手の発話内容について、より多くのことを知りたいという話し手の態度が感じられなくなる。特に、相手の話に興味をもったことを表わす「へえー」と共起すると、不自然さが生まれる。

では、「のだ」疑問文は雑談のなかでどのような機能を果たしているのだろうか。ここで「のだ」の機能をもう一度振り返ってみよう。「のだ」の中核的機能は話し手、聞き手いずれか一方の、既有の不充分な認識が発話時に充分になることを示すことにあり、疑問文の場合は、話し手の既有の不充分な認識を充分な認識にするように聞き手に求めることを示すことにある。会話の場合、既有の認識は話し手と聞き手との間に共有されている、すなわち前提[6]になっていることが多い。そして、石黒(二〇〇三)が指摘するように、疑問文の場合は話し手の既有の認識も発話時の認識も不充分であるがゆえに、聞き手に情報を要求し不充分を充分に変えようとするのである。

これを踏まえて質問をBrown and Levinson(1987)が提唱したポライトネス理論の観点から捉え

るとどうなるであろうか。彼らによれば、日本語文化はネガティヴ・ポライトネスが重視される文化である。質問は「相手への働きかけの強い文」であるから、相手のネガティヴ・フェイス（相手から侵害されたくないという欲求）を侵害する行為である。

しかし、初対面会話で相手に質問をしなければ新しい情報を得ることができないし、相手との共通項が見出さなければ、話題を提示することもできない。ところが、「のだ」を使用することにより、話し手は聞き手も同様の認識をもっていると見なしていることを示すことができる。これは話し手と聞き手との間に共通の基盤を作ることになり、話し手、聞き手双方のポジティヴ・フェイス（相手に認められたいという欲求）を満たすことになる。さらに、自分にとって不充分な認識を充分な認識に変えたいという欲求から相手に情報を要求することは相手のポジティヴ・フェイスを満たすことになる。

また、事実に関する質問は話し手自身に知識がないことを露呈することになる。しかし「のだ」疑問文の場合、自分の質問が否定されることがあったとしても、それは自分自身の思い込みが否定されるだけである。その思い込みは先行文脈から導き出されるものであるので、相手から完全否定されるものでもない。話し手のポジティヴ・フェイスが多少傷つく可能性はあるが、非「のだ」疑問文の場合よりその可能性は低くなるだろう。さらに、話し手と聞き手との間に共通基盤が築かれている限り、相手のネガティヴ・フェイスを侵害する可能性も非「のだ」疑問文よりも低くなる。つまり、「のだ」疑問文は相手のネガティヴ・フェイスを侵害する可能性のある、質問という言語行動の危険性を軽減し、それだけでなく、相手をより深く知りたいというポジティヴ・フェイスを満たす行為に変える可能性を秘めていると考えられる。

◉日本語教育への応用

「のだ」は話し手、聞き手、あるいは双方の不充分な認識のもとに使われる文末表現であるため、初級段階では比較的指導しにくい文法項目の一つである。なぜなら、初級の段階では二〜四発話の会話文のなかで文型を教えることに注意を向けられることが多く、その文型がどのような文脈のなかで使われるかというところまで配慮されていることが少ないからである。新屋・姫野・守屋(一九九九、二〇―二七頁)は「のだ」が何らかの前提のもとで発話するという点に着目して指導する重要性を説いている。しかし、「のだ」の文型を教えようという意識が強いと、どうしても一発話か、多くても三発話の会話文で終わってしまうことになる。これでは中級レベルになってもなかなか会話のなかで「のだ」を的確に使えるようにはならないだろう。

会話展開という観点から「のだ」疑問文を捉えることが必要であろう。学習者の自律的な学習(中井、二〇一二)を併せて考えると、まず、学習者が「のだ」疑問文が自然会話でどのように使われているかを観察し、その使用のあり方に学習者自らが気づくことが重要であろう。次の段階として、学習者の気づきに基づき、「のだ」疑問文がどのような場合に使われるかを学習者と共に考える。日本語教育上の重要なポイントは次の三点にまとめられるだろう。

①会話の開始部分で話し手と聞き手との間に共有の知識がない場合には、「のだ」疑問文は使

わない。

②相手の発話内容をよく聞いて、それに関連する事柄を「のだ」疑問文を使って尋ねる。

③「のだ」疑問文を使用すると相手から情報を引き出しやすくなり、会話を展開させることができるという談話展開上の機能を理解する。

おわりに

筆者が日本語教育に携わったばかりのころ、ある学習者から次のような質問をされたことがある。その学習者は日本人男性と結婚したアメリカ人女性、「近所の「奥さん」たちの会話にうまく入れない、どうしたら会話に入れるのか」と。近所の「奥さん」たちの会話（井戸端会議）、つまり雑談である。当時、筆者はその質問に答えることができなかった。談話研究が進められている現在、その成果を何らかの形で日本語教育に活かす方法を探るべきであろう。

◉本研究は、国立国語研究所の機関拠点型基幹研究プロジェクト「日本語学習者のコミュニケーションの多角的解明」のサブプロジェクト「日本語学習者の日本語使用の解明」（リーダー：宇佐美まゆみ）、および、ＪＳＰＳ科学研究費補助金・基盤研究（Ａ）JP18H03581「語用論的分析のための日本語一〇〇〇人自然会話コーパスの構築とその多角的研究」（研究代表者：宇佐美まゆみ）の成果の一部である。

◉注

(1)「のだ」には「んです」、疑問文における「の」など、変異型が存在する。それらを含めたものとして「のだ」と表記する。

(2)本研究では前提機能に関する言語現象を扱わないので、説明は省略する。

(3)聞き返しは含まれない。

(4)『BTSJ日本語自然会話コーパス』からの例文を提示するときは、会話番号、ライン番号の順で示す。

(5)選択疑問文は一例のみであるので、補充疑問文として計算している。

(6)補充「のだ」疑問文の場合には、前提が必ず存在する。

◉BTSJの文字化の規則

。　発話文の終了を表わす。　，，　発話文が終了していないことを表わす。

?　疑問文であることを表わす。　〈　〉　発話の重なりを表わす。

{〈}　発話の重なりの始まりを表わす。　{〉}　発話の重なりの終わりを表わす。

◉引用文献

Brown, Penelope and Stephen C. Levinson (1987) *Politeness: Some universals in language usage*. Cambridge University Press.

庵功雄(二〇〇〇)「教育文法に関する覚書——「スコープの「のだ」を例として」『一橋大学留学生センター

紀要』第三号、三三—四二頁
石黒圭（二〇〇〇）「「のだ」に関する一試論」『一橋大学留学生センター紀要』第三号、四三—五八頁
石黒圭（二〇〇三）「「のだ」の中核的機能と派生的機能」『一橋大学留学生センター紀要』第六号、三一—二六頁
岩田夏穂・初鹿野阿れ（二〇一二）『にほんご会話上手！ 聞き上手・話し上手になるコミュニケーションのコツ15』アスク出版
宇佐美まゆみ（二〇〇七）「改訂版：基本的な文字化の原則（Basic Transcription System for Japanese: BTSJ）二〇〇七年三月三一日改訂版」『談話研究と日本語教育の有機的統合のための基礎的研究とマルチメディア教材の試作』平成一五—一八年度科学研究費補助金基盤研究Ｂ（二）（研究代表者 宇佐美まゆみ）研究成果報告書
宇佐美まゆみ監修（二〇一七）『ＢＴＳＪによる日本語自然会話コーパス（トランスクリプト・音声）二〇一七年版』『人間の相互作用研究のための多言語会話コーパスの構築とその語用論的分析方法の開発』平成二〇—二二年度科学研究費補助金基盤研究Ｂ（課題番号20320072）研究結果
尾﨑明人・椿由紀子・中井陽子（二〇一〇）『会話教材を作る』スリーエーネットワーク
菊地康人（二〇〇〇）「「のだ（んです）」の本質」『東京大学留学生センター紀要』第一〇号、二五—五一頁
久野暲（一九七三）『日本文法研究』大修館書店
久野暲（一九八三）『新日本文法研究』大修館書店

西郷英樹・清水崇文（二〇一八）『日本語教師のための日常会話力がグーンとアップする雑談指導のススメ』凡人社
重光由加（二〇二〇）「質問行為に伴う配慮――初対面会話と親しい者同士の男性の雑談より」宇佐美まゆみ編『日本語の自然会話分析――BTSJコーパスから見たコミュニケーションの解明』八五―一一一頁、くろしお出版
清水崇文（二〇一七）『雑談の正体』凡人社
新屋映子・姫野伴子・守屋三千代（一九九九）『日本語教師がはまりやすい日本語教科書の落とし穴』アルク
田野村忠温（一九九〇）『現代日本語の文法Ⅰ「のだ」の意味と用法』和泉書院
中井陽子（二〇一二）『インターアクション能力を育てる日本語の会話教育』ひつじ書房
日本語記述文法研究会編（二〇〇三）『現代日本語文法四　第八部　モダリティ』くろしお出版
野田春美（一九九七）『「の（だ）」の機能』くろしお出版
野田尚史（二〇一四）「配慮表現の多様性をとらえる意義と方法」野田尚史・高山善行・小林隆編『日本語の配慮表現の多様性』三―二〇頁、くろしお出版

恩師の取材とレジリエンス形成
——教職課程のアクションリサーチ

冨田 福代

はじめに

本書は全体として研究論文の質を担保しつつ、専門分野外の一般読者を対象とする趣旨であるため、本稿も一般的な学術論文とは異なり、教育分野や教師教育を専門としない人にも本稿を通して議論や考察にご参加いただくことを想定した内容としている。タイトルとした「恩師の取材とレジリエンス形成」は教員を目指す学生が大学の学びを通して教員に求められる力を獲得していく一過程を示し、また本稿の構成は「はじめに」で研究の概要と背景を、「1　研究の端緒「コロナ禍」と「レジリエンス」」では本稿の端緒として据えた「レジリエンス」と研究内容の関係を、「2　研究方法」ではアクションリサーチとしての研究手法を、「3　実践と結果」では結果と考察を、そして「4「恩師の取材」の意義」では本研究の中心的取り組みにさらなる考察を加え、最後の「おわりに」では全体を総括する内容になっている。

筆者の研究分野は教師教育を内容とする教育学だが、本研究の研究手法は、いわゆる大量のアンケートを処理する量的研究や観察結果などを綿密に分析する質的研究とも異なり、また実践の事実をまとめた実践記録や研究経過を記録した研究ノートとも異なるもので、勤務する大学での授業実践を描写し考察して改善する「アクションリサーチ」に位置づけることができる。

筆者は大学における教員養成を担当する者として、日々の授業を教育活動の中核に置いているだけでなく、大学教育の実践家としての自分自身の「アクションリサーチ」の研究対象だという認識をもち、授業が二重の意味で重要な位置づけにあると考えている。そこには、大学が小学校や中学校とともに学校教育法第一条の学校として列記されるものの、「教員免許を必要としない」教員として自らが専門分野の授業をデザインして行なう実践家であることに違いはないという思いがある。近年大学教育も改革が進み、多くの大学において大学教員への研修であるFD（Faculty Development）が充実してきており、その内容も多様化され大学教員間で具体的な授業に関する研修や研究会なども開かれている。事実、これまで経験した勤務大学においてもさまざまなFDが実施され着実に成果をあげている。現在では大学の授業に学生が主体的に学ぶ「アクティヴ・ラーニング」が多く取り入れられ、以前とは様変わりしつつあることも付け加えておきたい。

さて、皆さんは「レジリエンス」という言葉に馴染みがあるだろうか。筆者はコロナ禍が始まった二〇二〇年春以降にこの言葉をさまざまなところで耳にする機会が多々あり、この国難ともいえる渦中で最も心に響いた言葉のひとつだと思っている。本稿のタイトルに「レジリエンス」を位置づけたのは、本稿執筆中の社会状況下における人々の取り組みの底流に、この「レジリエンス」の精神が求められていることを感じとることができたことにある。本稿は大学におけるアクションリサーチに、この「レジリエンス」をテーマに取り組んだ研究を内容としている。次節では本研究の端緒として、「レジリエンス」と「コロナ禍」について論じ、本研究の対象とした「教師論」の授業との関係を述べていく。

1　研究の端緒「コロナ禍」と「レジリエンス」

周知のとおりCOVID-19は、二〇二〇年一月十四日にWHOが新種のウイルス検出を認定し、翌十五日には日本国内でも初の感染が確認され、以後二〇二二年三月現在に至るまで日本国内を含め世界で拡大し続けている。このコロナ禍における世界の対応として、それぞれの地域や社会で人類の英知が活かされ各分野でさまざまな取り組みが展開されてきた。前述のように、その中で幾度となく耳にした言葉が本稿のキーワードとして位置付けたこの「レジリエンス」である。

辞典によると「レジリエンス（resilience）」とは、「弾力、復元力、また病気などからの回復力。強靱（きょうじん）さ」と書かれている。文字どおり建築の世界では建物や建材の物理的な「弾力」として、また経済や経営分野ではしなやかで時にしたたかな経済の状況や組織力として語られている。もともとは「精神的回復力」「抵抗力」「復元力」「耐久力」「再起力」などとも訳される心理学用語だと説明されている。先行研究の中で、「多少不健康になったとしてもすぐに立ち直ることができ、深刻な精神的不健康には陥らないこと」（今林他、二〇〇七）、「いかに回復に導いていくかという個人の潜在的な回復力や弾力性に焦点があてられている」（佐々木、二〇一三）など、「レジリエンス」に関する定義や説明が確認でき、「負の状況への対処」からさらに一歩進めた「回復や復元の意味」が明確に含まれていることがわかる。その点で、これまで多くの研究蓄積がある「ストレス」や「バーンアウト（燃え尽き症候群）」の研究とは異なる研究分野だといえる。今回のコロナ禍の社会状況下において、さまざまな制約と困難に耐えて、それを乗り越えて新たな方策を模索することが求められる中、この説明内容が示すレジリエンスは誰もが必要とする力そのものだと考えられる。

筆者の専門である教育分野でもその必要性は明らかであり、この環境下で学ぶことが十分に保障されない子どもたちと、困難の中で子どもたちを支える学校教員にはやはりこのレジリエンスは大きな力になると思われる。このことは筆者が担う大学教育においてもそのまま当てはめることができる。年齢は違えども、コロナ禍で学びの環境を制限され戸惑う大学生の状況は、学校で学ぶ児童生徒の困難さと共通するものがある。

教員養成分野で見れば、政府主導で進められる働き方改革が象徴するように教員の仕事量の多さは従来からの課題であり、また近年の多様な教育課題を反映した仕事の質の変化は教員のさらなるストレス要因になっているといわれる。そのため教員を目指す学生には、子ども理解や教育の知識・技術といったこれまで必要とされてきた資質能力だけでなく、ストレスに強い精神力が求められている。その意味で、教員はコロナ禍以前からレジリエンスが必要な状況にあると考えられる。

このような問題意識が背景にある教員のレジリエンスに関する主な先行研究として、教員養成課程を対象とした研究の佐々木（二〇一三）、教育実習を対象とした研究の今林他（二〇〇七）、保育実習を対象とした研究の串崎他（二〇一八）、またイギリスの教員を対象にしたGu他（2013）による研究を挙げることができる。また、問題を抱える青少年や教員同様にストレスが多いとされる看護師を対象とした研究でも同様にレジリエンス研究を確認することができる。ハウザー他（二〇一一）の青少年を対象とした研究の中では、レジリエンスを「リ（レ）ジリエンスは性格特性ではない」「リ（レ）ジリエンスとは重大なリスク場面や逆境に置かれたときのプラス方向への適応パターンをいう」と定義している（四頁）。また、McAllister他（2011）による看護師の研究では、看護師のストレスの実態を分析し、レジリエンスの要素や過程を明らかにしている。その第一章のタイトル「Preparing for Practice: Becoming Resilience」（実践の準備――レジリエンスとなる）にあるように、ハウザー他の定義と共通してレジリエンスは獲得するものとしてとらえている点が注目される。

また佐々木（二〇一三）は、これまでの主な研究で示されているレジリエンスの定義を【表1】のように整理している。

さらに、佐々木（二〇一三）は教職課程の学生に関して、「自分があるべき姿についてモデルとなる姿の教員や未来像をもつことは、困難な状況に直面した時に、それに立ち向かい、克服し、精神的健康を回復する原動力の一つとなることが推察される」として、「今後教員養成課程におけるレジリエンス育成の視点として、モデルや理想となる教師像や目標となる未来像の育成と具体化に関するアプローチや働きかけがレジリエンス向上に貢献できると考えられる」としている（一一三頁）。

これらを踏まえて、ここで「レジリエンス」を「弾力のある回復力」と定義し、この力は動的なものとして「一定の過程を経て形成されるもの」との仮説のもと、教職課程の授業を通してレジリエンスを形成するアクションリサーチを実施した。

2 研究方法

前述のように本研究は意図的計画のもと、より良い実践を模索して改善を試み、その過程を記録考察してさらに実践した大学授業のアクションリサーチの形態をとっている。本節では、研究方法を「対象授業と学生」「取り組みの概要」「アンケート」に整理し記述していく。

(1) 対象授業と学生

研究対象とする授業実践は、勤務大学の教職課程の入口科目ともいえる「教師論」の授業である。本科目は教職課程の見直しに伴い、二〇一八年度入学生まで二年生後期に開講さ

【表1】「レジリエンスの定義」(出典：佐々木 2013, p.121)

著者	年号	レジリエンスの定義
Masten, Best & Garmezy	1990	困難あるいは脅威的な状況にも関わらず，うまく適応する過程，能力，あるいは結果
Wagnild & Young	1993	ストレスの負の効果を和らげ，適応を促進させる個人の特性
小塩・中谷・金子・長峰	2002	困難で脅威的にさらされることで一時的に心理的不健康状態に陥っても，それを乗り越え，精神的病理を示さずよく適応している状態
Grotberg	2003	困難な出来事を克服し，その経験を自己の成長の糧として受け入れる状態に導く特性
石毛・無藤	2005	ストレスフルな状況でも精神的健康を維持する，あるいは回復へと導く心理的特性
齊藤・岡安	2011	ストレッサーを経験しても心理的な健康状態を維持する，あるいは陥った不適応状態を一時的なものとして乗り越え，健康状態へと回復していく力，や過程
山下・甘佐・牧野	2011	ストレスフルな出来事を経験したり困難な状況にさらされていても精神的健康や適応行動を維持する，あるいはネガティブな心理状態に陥ったり心的外傷を受けたりしても回復する能力，またそれを糧としてコンピテンスを高め成長・成熟する能力や心理的特性

れていた該当科目を翌年入学生から一年生後期に移している。これには大学入学後の一定期間を経て大学生活に順応し落ち着いたなるべく早い段階で、授業内容を通して自身の適性を見極めてその後の教職課程の履修を具体的に考える機会を設けるねらいがある。したがってそのカリキュラム内容は公的基準である「コアカリキュラム」に沿って作成されると共に、学校教員の実情や学校をめぐる社会状況など現実や実態を織り交ぜながら学生の意識を高める構成で実施している。授業シラバスにある目標と概要は次のとおりである。

▼「到達目標およびテーマ」

教職における児童・生徒に愛情を注いで教育していくことの社会的意義を見出すとともに、学校教師の職務の性質、特殊性について理解し、日本社会特有の教師像ゆえの身分保証や服務を概観する。また、学校組織において、専門性を持つ多様な人材と協働する今日的意義を理解する。これらを通して、これまで教育を受ける立場として相対する存在と捉えてきた教職を教師の視点に立って捉え直し、自身の教職への適性を考える。（略）

▼「授業の概要」

実践的指導力の育成や、「学び続ける教員」の養成といった政策下の「教師」を多面的に扱う。教師の職務や研修などの具体的事例の資料やディスカッションを通して学修し、その社会的役割や意義を理解する。教職人生の基礎となるべき本授業では、教職に就いた後の自己研鑽（けんさん）との連続性を視野に、個々の教職志望の原点を確認する「恩師の取材」を位置づけ、主体的で内面的な学びにつなぐ。

本稿では該当授業の中心に据えた「恩師の取材」（「授業の概要」傍点）に焦点をしぼり、その「取り組み」「学生の報告レポート」「アンケート」を資料として分析と考察を行なう。

また、対象学生は、中学校および高等学校の教員免許取得者を対象とする同科目二クラスで履修する、全学四学部所属の合計一三一名である。授業形態は、一回目は教室での対面授業で、二回目以降はオンラインで実施し、内容によってリアルタイムまたはオンデマンド方式を組み合わせて実施した。

(2) 取り組みの概要

教員に求められる「弾力のある回復力」としたレジリエンスは、一定の過程を経て形成していくものととらえ、該当学生に対し授業カリキュラムの一部として以下の要項で「恩師の取材」の課題レポートを課した。この課題は、学生自ら計画した恩師の取材を通し、具体的で身近な恩師の教員としてのあり様を一人の先輩教員として改めて認識させることで、目標とする教師像の形成を図りレジリエンスの形成に向かわせることを目指している。

【二〇二〇年度後期「教師論――恩師の取材」課題レポート作成要項】

（一）「教職を目指す原点と自分自身の適性を確認する」ため、下記要領で「恩師の取材」を実施してレポートを作成し提出する。

＊第九回授業で交流会を予定

（二）提出締め切り日時（略）

（三）作成要項

・「問い」と「表題」は自分で作成する

・A４標準設定　三ページ

・一般的なレポート形式を踏まえて作成する。（評価対象）

＊参考文献（略）

（四）取材要項

・これまで指導を受けた教師の中から一人を選び、各自で連絡を取って電話等で直接取材する（小学校、中学校、高等学校の恩師）

（五）次の内容を入れること

・恩師について（自分との関係、学校種、担当教科、特徴など）

＊個人が特定されない配慮をする。

・その教師を選んだ理由

・恩師の教育観（教師として大事にしていること、教師のやりがい　など）

この課題レポートは一回目授業で八回目授業日を締め切り（約二か月間）として提示し、九回目授業で数人の小グループに分けて内容の交流会を実施することとした。

(3)アンケート

対象授業では、教職課程スタートの科目として、授業開始直後に「教職に関する意識」調査のオンラインアンケートを実施した。本研究の前提となる実態をつかむことを主なねらいとして、次の三問を主たる質問項目とした。

質問1　卒業後の進路として、現時点で教職をどの程度希望していますか?
質問2　教員免許を取得する理由で近いものを選んでください。（複数可）
質問3　教職は子どもたちの将来のための教育を担う社会的に重要な職業です。教員に期待されるものは質量ともに多種多様です。主に必要だと思うものを選んでください。（複数可）

本研究の中心となるアンケートとして、第九回目授業「恩師の取材」の交流会後の十二月上旬に、「恩師の取材」に関するアンケートを実施した。主な質問項目は次の十二問である。

質問1　「恩師」の学校種

質問2 （自分と）「恩師」との関係
質問3 「恩師」の当時の年齢層（想定）
質問4 選んだ理由（簡潔に）
質問5 取材方法、質問6 取材時間、質問7 記録方法
質問8 取材を進める上で何か問題はありましたか？
質問9 取材をしてよかったことは何か（複数可）、質問9で選んだ「その他」の内容
質問10 取材で問題だったことは何か（複数可）、質問10で選んだ「その他」の内容
質問11 恩師の取材から学んだことは何か（複数可）、質問11で選んだ「その他」の内容
質問12 「恩師の取材」は教職を学ぶ上で有効だと思いますか？

上記二件のオンラインアンケートは、いずれも履修学生全員を対象に任意で実施したもので、期間は一週間とした。質問方式は選択式を中心に選択肢がない場合の記述を一部加えるなど、選択と記述を組み合わせたセミストラクチャーの方式をとっている。回収率は、全一三一名中、教職に関する意識アンケートは一一八名で九〇％、また「恩師の取材」に関するアンケートは九二名の七〇％であった。

3 実践と結果

「恩師の取材」のレポートは一三一名の学生全員が提出して、十一月中旬の九回目授業で交流会を行なった。オンライン授業の形態での実施となったが、授業開始時に全体での説明を行ない、その後は数人の小グループに分かれそれぞれがレポートを基に報告する交流会の形をとった。最後にそれぞれのグループで話された内容を報告する全体会を設けて授業を終了した。

「恩師の取材」に関するアンケートの結果と分析は次節で行なうこととして、ここでは「教職に関する意識」の調査アンケートの主たる結果の分析と考察を行なっていく。

▼「教職に関する意識」調査アンケート結果より

まず質問1では、「卒業後の進路」に関して教職をどの程度希望するのか、0から10ポイントで回答する質問とした。

【グラフ1】の結果が示すように、三五人の二九・七％にあたる学生が10ポイントで最も高いレベルで教職を目指している

【グラフ1】質問1　卒業後の進路

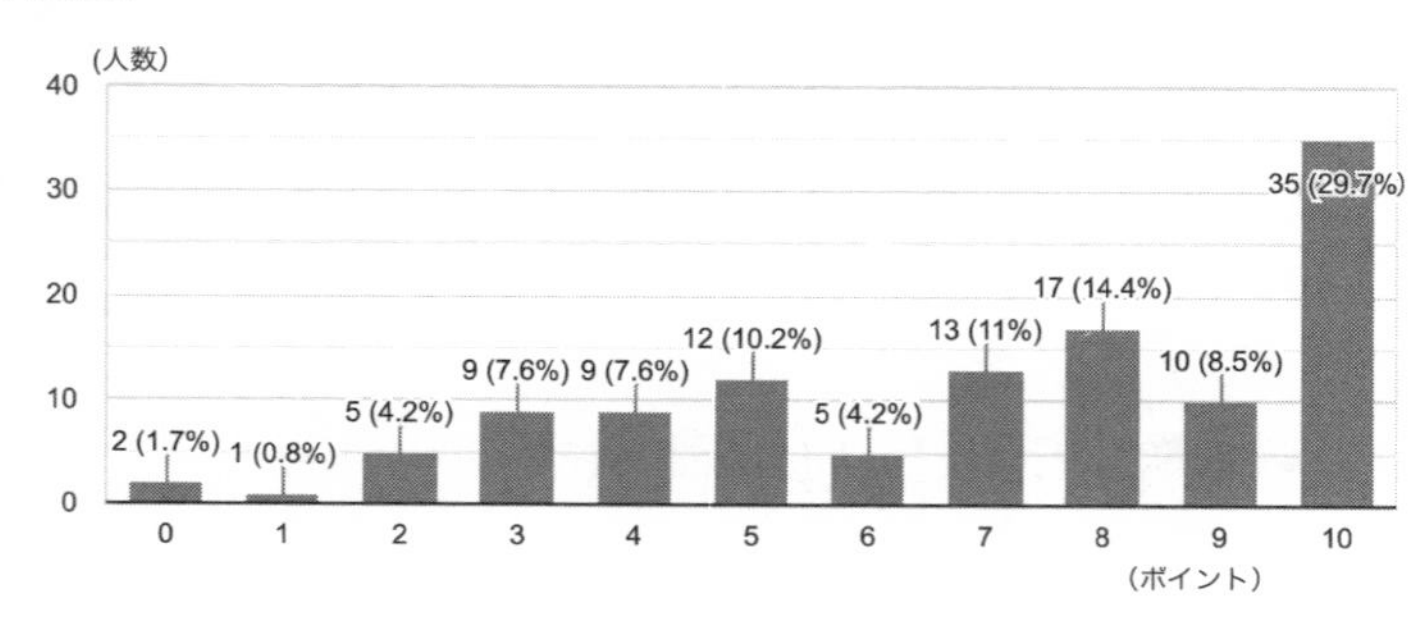

ことが確認できる。さらに八から九ポイントの学生数を加えると六二人の五二・六%となり、半数以上の学生が高いレベルで教職を志望していることがわかる。教職課程を履修する学生にとって、「教師論」を含む教職科目は卒業単位にカウントされない言わば「プラスα」の科目である。そのことを考えると、履修する学生の教職志望の高さは説明がつくといえよう。その一方で、まったく志望しない0ポイントが二人(一・七%)、1ポイントの学生が一人(〇・八%)、2ポイントの学生が五人(四・二%)、3ポイントの学生が九人(七・五%)と一七人(一四・二%)が低いレベル結果を示しており、これらの学生は教職への明確な目的意識をもたないまま受講していると考えられる。

さらに質問2では、教職課程履修の理由を複数回答可で質問した結果、上位五件の回答は以下のようであった。

一位　これまで教えてもらった先生からの影響を受けて(五二人、四四・一%)
二位　憧れの仕事だから(四六人、三九%)
三位　子どもが好きだから(四一人、三四・七%)
四位　教員免許があると役に立ちそうだから(三八人、三二・二%)
五位　安定した仕事だから(三二人、二七・一%)

四位と五位の「教員免許があると役に立ちそうだから」「安定した仕事だから」といった、教職の仕事や目的に沿った内容から遠い理由を挙げている学生の分析や、先の教職志望レベルが低い学生との相関関係などさらなる分析と考察は本稿の紙面の関係上今後の研究課題として、ここでは一位の「これまで教えてもらった先生からの影響を受けて」と二位の「憧れの仕事だから」に注目する。

そもそも教職課程を本格的に学ぶ以前に学生が知っている教職とは、生徒から見える教員の仕事や状況であってあくまで教職の一面にしかすぎない。教員の仕事の中核は授業を中心とした教育だが、近年ますます授業関係以外の校務分掌（ぶんしょう）や事務的仕事が増加し多忙化しているといわれる。教職は理由の二位と三位にあるような、単なる憧れやイメージの理解だけで続けられる仕事ではなく、そこでは現実を受け止めた上で実践を重ねる教員としての強い使命感や確かな資質能力が必要だと考える。また、一位の「これまで教えてもらった先生からの影響」にある恩師の影響も、やはりこの段階では憧れの域を出ない内容だと考えられる。

4 「恩師の取材」の意義

本節では本研究で設定した「恩師の取材」に関する調査アンケート結果や記録を基に分析と考察を行ない、研究テーマの検証を行なっていく。

まず、質問2の学生が選んだ恩師と学生との関係からである。【グラフ2】が示すように、五四・三％が「学級担任」を選んでいる。残りも「クラブや部活の顧問」「委員会の顧問」「授業担当の教師」とあり、学生が直接指導を受けた教員である。これは取材をお願いする上で頼み

【グラフ2】質問2 対象「恩師」との関係

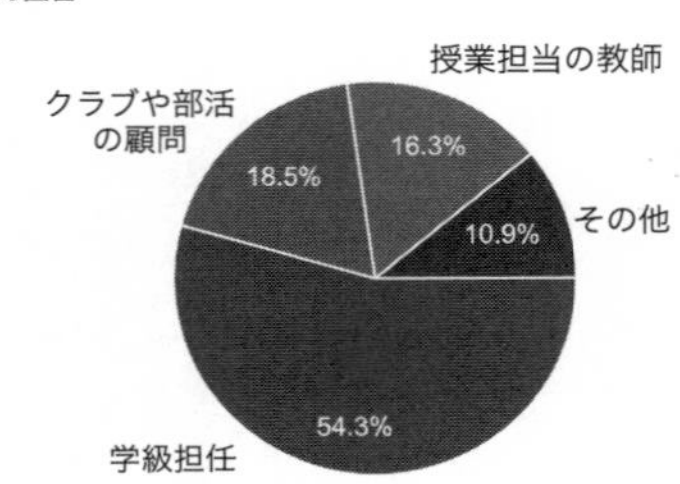

やすいという理由も考えられるが、自由記述の理由の中に「お世話になったから」「助けてもらった」「教科を好きになるきっかけの先生」「尊敬しているから」といった内容が列挙されており、単に便宜上の理由からではないことがわかる。

またコロナ禍での「恩師の取材」の準備に困難があったようで、取材そのものに問題はなかったとしながらも、「時間がかかった」が四八・九%、「依頼が大変だった」が四二・四%と半数近くが調整に手間取ったと回答している。

このアンケートで注目したい結果の一つに、【グラフ3】が示す「取材をしてよかったことは何か」という質問に対する回答内容があげられる。学生の八五・九%が「恩師の取材」を「教師を目指すうえで参考になった」と回答している。さらに六四・一%が「知らなかった恩師の一面を見た」と回答し、五二・二%が「目指す教師のモデルが明確になった」と回答している。これらは本研究の仮説「一定の過程を経て形成されるもの」の検証結果において成果の一つだと考えられる。

さらにこの質問の自由記述欄には、以下のコメントが書かれている。

【グラフ3】質問9　取材をしてよかったことは何か（複数可）

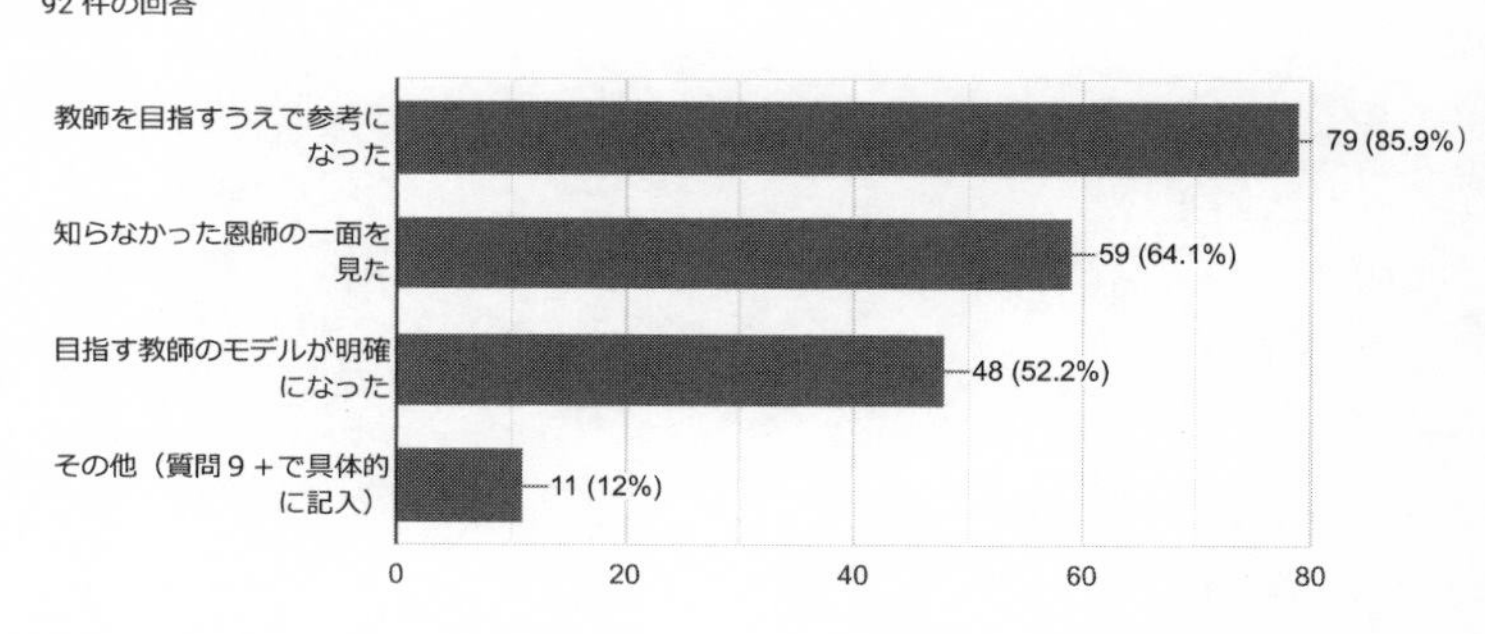

・恩師の先生の過去や、気持ちなどを知れた。
・恩師についてより知ることができた。
・一人の教師の教育観について聴くことができる貴重な経験になった。
・先生の価値観や教師像、普段なかなか聞けないことについて知ることができたこと。
・恩師と再びつながることができた。
・教育以外にも生きていくために必要なことやこれから大切にするべきことなどさまざまな話をすることができ、知識を増やすことができ、自分の考え方を改めることができた。
・教師という職業についてよく知れた。
・教師になりたいという意欲がより湧いた。
・やりがいなどを教えてもらい、やる気をもらえた。
・自分に足りないところがもっと明らかになった。

上記コメント内容は、個々の学生が今回の取材を通して、これまで知らなかった「恩師」の別の一面や教員としての教育観といった内面にまで触れることができ、改めて教職に向かう心構えができたことがわかる。その一方で、下記のように教職の厳しい現実や負の部分まで恩師の話を通して確認していることが読み取れる。

・教師という仕事のリアルを知れました。

・教師の闇をみた。私はメンタルが弱い部分があるので、こういうこともあるかもしれないと教えていただいた。

質問11では今回の取材から学生が学んだことを簡潔に抽象化する質問としたが、【グラフ4】が示す結果は、「教師の考え方や人間性」（八一人、八八％）、「教職のやりがい」（八七％）が上位を占めている。また、「教職の大変さや厳しさ」（六二人、六七・四％）、「教師の仕事や役割」（五三人、五七・六％）が次に続き半数を超えている。

さらにこの質問の自由記述欄には、以下のコメントが書かれている。

・「教師とはやりがいのある仕事」ということはよく理解していたが、実際どんな時にどんな思いになるのかを知ることができた。

・（教員が）普段から大事にしていること

・教育者である前に人として大切にするべきこと

【グラフ4】質問11　恩師の取材から学んだことは何か（複数可）

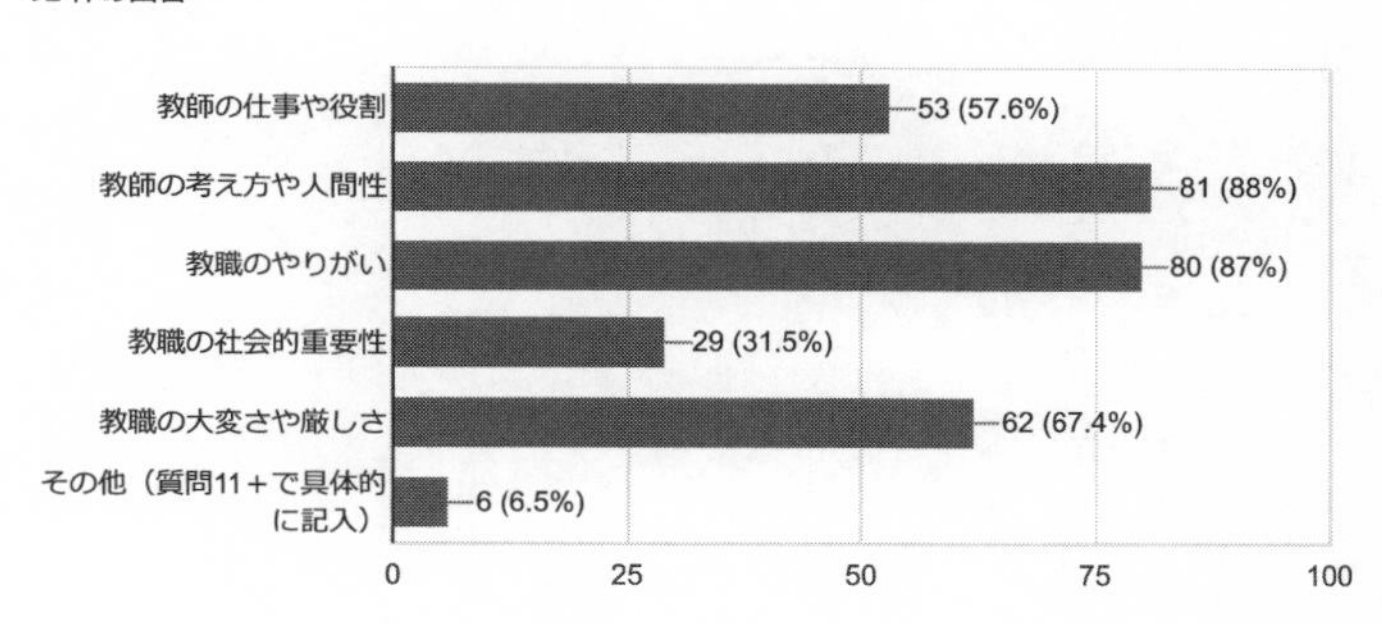

・子供から好かれる教師の考え方
・生徒への気持ちの持ちよう
・生徒に対する熱意
・進学した後のことまで考えられるようになりたいと思えるようになった。

質問11の結果とこれら前向きで肯定的なコメントから考えると、「恩師の取材」は本科目「教師論」の授業の到達目標である「教職における児童・生徒に愛情を注いで教育していくことの社会的意義を見出すとともに、学校教師の職務の性質、特殊性について理解し……」に近づく方策として機能しているといえる。

その一方で、「時間の使い方の大切さ」「働き方改革について」というコメント内容も確認できる。これらは教職の実情を身近な恩師の話を通して知ることで、それまでの単なる憧れやイメージの中の教職から現実味をもった実態のある教職として認識されてきたと理解できる。このことも上記到達目標に合致するものであり、本稿のキーワードであるレジリエンスの弾力ある回復力につながる学びだといえよう。これらのコメント内容は、課題や困難に耐える段階を超えて、さらに積極的に対処する「回復」という次の段階にある認識だと理解でき、「恩師の取材」を通して目指すレジリエンスの形成に向かうものと考えることができる。

なお質問12「恩師の取材」は教職を学ぶ上で有効だと思いますか」の回答は、九二人（一〇〇％）が「はい」となっている。

おわりに

教職課程の学生にとって目指す教員の仕事は、「知っているようで実際はよく知らない」ものだといえよう。学生の「知っているつもり」(憧れやイメージ)から、「身近で実態のある恩師」を対象とした取材を通して負の側面も含めた現実や実態に一歩近づき、教員に必要だと考える「レジリエンス」(弾力ある回復力)の形成に向かうことが本研究のねらいである。もちろん、まだ教職に就いていない学生が「恩師の取材」を通して学んだ間接的な経験内容は、まだまだ教員の現実の課題や困難とは異なる次元であることに違いはない。また一度の経験で獲得できる力ではなく、一定の時間や繰り返しの経験を必要とするものであることも先行研究で明らかにされている。

しかしながら、恩師の取材が学生の間接経験をより現実に近づけてレジリエンス形成に向かうための一定の機能を果たしたことは本稿の中で明らかにしてきたところである。学生が将来学校現場で直面する課題や困難に立ち向かうために必要なレジリエンスは、「一定の過程を経て形成されるもの」としてこのような学修や経験を重ねることで徐々に獲得されていくものと考えている。Gu他(2013)は、レジリエンスの獲得における教員のコミュニティの役割を組織のリーダーシップの必要性とともに、教員間の人間関係「社会的接着剤」(social glue)の重要性の視点で説いている。「学び続ける教員」が求められる現在、教員の「養成」「採用」「研修」の連続性が必要だといわれている。本研究の恩師の取材を通して、学生が恩師の人間性や教育観に直接触れて学んだ貴重な経験は、「恩師」対「教え子」から「先輩教員」対「将来の教員」という教員コミュニティに一歩近づくものと理解でき、アクションリサーチの視点から教職課程のスタート科目として教職を目指す原点と位置づけ、その後の履修科目や系統性との関連を図ることが必要だと考えている。
　本稿の最後に、以下、学生の「恩師の取材」レポートの内容の一部を記載して研究の総括に代えることにしたい。

「ここから学んだことは、自分の夢である教師という職業に就くためだけに、教職の授業や、教員採用試験などに全力を注ぎ込むのではなく、その先のことも見据え、教師になってからも努力や勉強を重ねていくことが大切だということだ。今まで生きてきた年数よりも、教師になってから働いていく年数の方が多い。そのため、その分努力と勉強を重ねていけば、生徒に対して、ますます良い授業をすることができる。そのことをいつも頭に置いておきたい。」

「教員がどれだけ大変でどれだけ難しい仕事であるということは知ることができた。しかしその中でどんな仕事でも感じることのないやりがいを感じることがあるということがわかった。先生と話していても、教え子と話すのはとても楽しいとおっしゃっていた。たくさんいやなことや苦しいことがあってもその中にある幸せを私も感じてみたいとおもった。」

「教職とはやりがいを感じることができるものの、やはりとても大変な職業だということだ。

生徒と接するだけでなく、親との関係性も良好に保たなければいけない。今回、恩師に取材することで、教師の本音を聞くことができ、その大変さをリアルに感じ取ることができたと思う。」

「教職は責任が強くのしかかる職業だ。だがそれ以上にやりがいをとても感じる仕事だと考える。何よりも自分が教育し、指導した生徒たちが、立派に成長していく姿を実際に見たら、どんなに嬉しいだろうか。生徒たちが毎日楽しく学校に来られるような魅力のある教室にするために、今自分ができること、さまざまな学問の勉強、常日頃から規律ある行動を意識するなど、やれることはすべてやり、いつか必ず今回取材した恩師のような、生徒思いの先生になりたい。」

「教員とは限られた時間で数多くの作業、対応をすることが求められるがそれこそが魅力であると認識した。また、生徒の将来を近くで見ることのできる職業であると改めて学び感じ取った。」

「先生方が何に悩み、苦労し、努力し、有意義に仕事をしているかを先生のお話から理解することができた。そしてさらに教師という仕事の大変さを教えていただき知ることができた。教員というものは教員である前に、一人の人間として教職の意義を理解し、教職の大変さや魅力を知り、生徒たちの成長の過程や教育の素晴らしさを学ぶことが、学校教育を支えていくことにも繋がると今回の取材を通じて感じた。教員というものがどういった立場で生徒を導き、自分自身は、そこからなにを学んでいくことが最適なのか、そういった深い内容まで今回の恩師の取材で学び、知ることができた。生徒への関わりを通じて自分も成長していくことができる職業、それが教員という職業の最も良い点であることがこの取材でわかった。恩師からの期待を背負い、今後より一層の努力をしていかなければならない。」

なお、レポート提出後の九回目授業の取材内容の交流会では、「自分も将来恩師の取材を受けるような教員になりたい」という意見が学生の総意として授業のまとめとなったことを補足しておきたい。

本研究では触れなかったGu他（2013）のレジリエンスの考察には、コミュニティのリーダーや人間関係と並び「教員のコミットメント」が挙げられている。本研究結果のさらなる分析に加え、専門職の要件ともいわれるコミットメントとレジリエンスの示唆された関係性は、今後の発展的研究課題として継続して取り組んでいきたい。

◉引用文献

今林俊一、川畑秀明、有馬博幸（二〇〇七）「教育実地研究に関する教育心理学的研究（七）」『鹿児島大学教育学部教育実践研究紀要』一七、二一三—二一四。
串崎幸代、岸本みさ子（二〇一八）「保育実習における不安と自己効力感、レジリエンス、シャイネスとの

関連」千里金蘭大学生活科学部児童教育学科『千里金蘭大学紀要』一五、〇〇一―〇〇八。
佐々木 恵理（二〇一三）「教員養成課程におけるレジリエンス育成の適用と展望――セルフケアを促進する予防的な視点から」岐阜女子大学文化創造学部『岐阜女子大学紀要』第四二号、一一九―一二七。
ハウザー、スチュアート・T／ジョセフ・P・アレン／イヴ・ゴールデン著（仁平説子・仁平義明訳）（二〇一一）『ナラティヴから読み解くリジリエンス――危機的状況から回復した「67分の9」の少年少女の物語』北大路書房、二七五。
Margaret McAllister, John B. Lowe, ed. (2011). *The Resilient Nurse Empowering Your practice*. Springer Publishing Company 179.
Qing Gu, Christopher Day. (2013). "Challenges to teacher resilience: conditions count." *British Educational Research Journal*, Vol. 39, No. 1, February 2013, pp. 22–44.

マインドセットと学習環境
——外国語を学ぶ学生たちを成功へと導く学習スペースの構築

テイラー・クレア／長尾　純

はじめに

講義室や演習室、自習室などを含むすべての学習スペースのデザインは、学習者がそのスペースの中でどのように行動し、どのように感じるかを左右する（Gee, 2006; Barrett & Barrett, 2010; Murray, Fujishima & Uzuka, 2014）。また、学習スペースの環境そのものが学習に関する理念を伝える（Van Note Chism, 2002; Scott-Webber, 2009）。そして、その場に使われる配色・家具・展示物・装飾などのデザインは、学生が多くの時間を自律的学習に費やす学習スペースにおいて特に重要な要素となるのである（Cooker, 2011/2018, p. 142）。たとえ教師がその場にいなくとも、物理的なスペース自体が、学習者の考え方・心的状態・行動を導き、形成するという大きな役割を担うのだ。

本稿では、岐阜聖徳学園大学において外国語を学習する学生を支援するために新たに開設した学習スペースについて述べる。この学習スペースは、キャンパス内にある既存のソーシャル・ランゲージ・ラーニング・スペースに新たに加えられたものであり、既存のスペースでは満たされない学生のニーズに応えるため、限られた予算の中で開設した。はじめに、この新たな学習スペースについての概要と軌跡を説明する。次に、どのような構想の基で構築したのかを述べる。このスペースには学生の学習意欲を奮い立たせるような英語の格言が壁に大きく装飾され、注意書きや看板なども英語で書かれているのだが、そういったデザインが学生にどのような心的影響を与えるかをインタビュー調査によって明らかにする。最後に、これらの調査結果をどのように今後役立てていくのか述べる。

1　背景

本学の外国語学部が運営するソーシャル・ランゲージ・ラーニング・スペース Lounge MELT（以下 MELT と呼ぶ）とは Maximum English Learning Together（最大限の英語学習を共に）の略である。ソーシャル・ランゲージ・ラーニング・スペース（以下 SLLS と呼ぶ）とは、社会的相互作用に焦点を当てた言語学習のためのインフォーマルな学習スペースを指す。セルフ・アクセス・センター（いわゆる SAC）と多くの特徴を共有しているが、SLLS は学習リソースや教材の提供にはあまり重点が置かれていない点で異なり（Murray & Fujishima, 2013）、教室でも自宅でもない「第三の空間」

として機能する（Oldenberg & Brissett, 1982）。したがって学生は気の赴くまま自由に出入りし、楽しい雰囲気の中で外国語での会話を楽しむことができる。近年の教育現場では、いわゆる「英会話ラウンジ」が導入されることも少なくないが、SLLSは、外国語での会話を行なう場であるだけではなく、学習リソースにアクセスしたり、仲間と一緒に課題に取り組んだり、文化的・社会的なイベントに参加したり、アドバイスやチュータリングなどのサービスを利用したりするなど、用途は多岐にわたる（Murray & Fujishima, 2013; Murray, Fujishima & Uzuka, 2014）。

MELTとして賑わいを見せるこの場所も、初めは教室の一つに過ぎなかった。この場所は二〇一〇年からキャンパス内に余っていたテーブルや椅子を配置し、学生が英語や中国語で会話をする場所として使われ始めた。それから二年後の二〇一二年の時点では、寄せ集めのテーブルや椅子はちぐはぐで、物置としても使われていたためか壊れたテーブルや机が置いてあり、魅力的な場所とは言い難い状態であった。同年、学生が快適に過ごせるよう、四年にわたるアクション・リサーチを開始し、環境を徐々に改善した。廊下に面した壁は、中が見えるように上半分をガラス張りにし、ドアもガラス窓のあるものに変えた。床には茶色のタイルカーペットを敷き、照明は暖色系に変えた。至るところに観葉植物も置いた。常にＢＧＭを流し、ソファ、お手玉、温かい飲み物、雑貨、ギターなどを配置した。それにより、学生の興味を惹き、リラックスさせ、会話の流れをスムーズにする情動状態にするような場所にした。また、学習アドバイザーを導入し、クリスマスパーティなどの文化的イベントを行ない、学習リソースを充実させた。このような四年にわたる大幅な改築に合わせて、この場所をMELTと名付けた（Taylor, 2014, 2016）。かつて一日あたりわずか一・四五人であった利用率が、二〇一六年には一日あたり二十九・八五人にまで増加した。利用率が上がると同時に学部の垣根を越えて共に学び合うラーニング・コミュニティが形成されていった。MELTは、確固たるSLLSとなった。

しかし、時間の経過とともに新たな問題が浮上し始めた。MELTを利用するラーニング・コミュニティが成長するにつれ、MELTを利用したい学生の数に対し、スペースや席数が不足することがあった。利用者の中には、英検などの技能テストに備えて静かに勉強する学生もいた。そういった学生は、MELTにある学習リソースを活用して友人やスタッフからのサポートを受けながら集中して学習に取り組みたいと思っていても、活気のある会話が飛び交う環境では困難であった。英語の歌を歌ったり英会話を楽しんでいる学生は、本来推奨されている使い方をしているにもかかわらず、静かに集中して勉強している学生の存在があるために後ろめたさを感じることもあった。集中力を必要とする学習活動のためには、MELTとは別の静かな学習スペースが必要であることは明らかであった。さらに、MELTには外国語の学習に関するアドバイスやチューターのためのプライベートなスペースがなく、スタッフ自身も「日本語禁止」という言語ポリシーによってアドバイスやチューター業務が制限されていた。

二〇二〇年、MELTの隣にあった保健室がキャンパス内の別の建物に移転することになった。そして、空き部屋となるこの保健室をMELTの建増しとして活かすこととなった。補助用ベッドが置かれていた個室はそれぞれ学習内容に応じたスタディブースに改築する素案を作成し、椅子や机などの備品の購入を申請した。大学だけではなく、リフォーム会社、印刷会社と相談しつつ、保健室の改築計画を進めた。

2　新しく建増しされた学習スペースとそのデザイン

MELTに新たに加えられた学習スペースをMELTの「別館」という意味でMELT Annex（以下Annexと呼ぶ）と名付けた。MELTは外国語を使った交流の場である一方で、Annexはスタッフによる個別アドバイスや英語技能試験の勉強など、パーソナルスペースが保たれる中で集中して学習する場と位置付けた。MELTとAnnexを仕切る壁は、アドバイザーや学生が簡単に行き来できるように、新たにアーチ型の出入り口を設けた。それぞれの学習スペースに異なるデザインを施すことで、学生が空間を「読み取る」(Strange & Banning, 2001) ことができ、その空間に適した学習行動を自然と理解できるようにした。【表1】は、それぞれの学習スペースがサポートする学習活動と利用者の心情をキーワードで示している。

◉MELTとAnnexの内装

MELTは大きな開放的スペースで、外国語を使った交流の場として設計されている。一方、Annexには、個人学習や共同学習のためのエリアと、パー

【表1】2つの学習スペースの違い（キーワード）

MELT	Annex
遊び、楽しみ	ワーク、集中
社交的、リラックス、親密	個人作業と共同作業
今ここにいること、今を満喫すること	未来志向、目標達成に向けて
付随的な学習、暗黙的な学習	明示的な学習、努力、目的のある学習活動
朗らか、活気がある、元気が出る、癒される	静か、落ち着いた、集中できる

【図1】MELT（左）とAnnex（右）

ティションで区切られたブースがあり、学生が集中して個人学習ができるようになっているほか、学習に関する相談ができるアドバイスルームもある【図1右】。

また、パーティションで区切られたブースは、一人になる時間が必要な学生のための隠れ家的な役割も果たす。

> Learning spaces need to balance the dual and opposite human needs for community and solitude. Because learning happens both in quiet, private moments and in lively, social settings, environments need to offer a spectrum of private and interactive places (Gee, 2006, p. 10.7).
> [学習スペースは「社会」と「孤独」という相反する人間のニーズのバランスをとる必要がある。静かなプライベートな時間と活発な社会的環境の両方で学習は起こるため、プライベートな場所とインタラクティヴな場所の両方を提供する必要がある。]

パーティションによってプライバシーが確保されたブースは、さまざまなタイプの学習活動を可能にし、特別支援を必要とする学習者や多様な学習スタイルをもつ学習者のニーズにも答える。

【図2】暖色を用いたLounge MELTのロゴ（左）と
寒色を用いたAnnexのロゴ（右）［本書カバー袖を参照］

Annexの廊下に面した壁と入り口のドアは、MELTと同じものを設置して統一感を出した。MELTと同様に廊下に面した壁は上半分がガラスで、廊下から中の様子が覗けて入りやすい。床にはMELTと同じ茶色のタイルカーペットを敷いた。その他の部分においてはMELTとAnnexでは異なるデザインを施した。オレンジ色や黄色などの暖色は社交性を高め、青色などの寒色系は集中力を高める（Barrett & Barrett, 2010）。また、Kopec（2012）は、仕事や勉強の環境では、オレンジ色や黄色は活力を与え、青色は落ち着かせるという研究結果を報告している。そのため、MELTでは、わずかに黄色を帯びたオフホワイトで壁を塗り、暖色系のピンクオレンジのカーテンを設置している。また廊下に面した窓の一つと入り口のドアのガラスにはオレンジを基調としたロゴが貼られている【図2左】。一方、集中して学習する場であるAnnexは寒色系を基軸に配色を施した【図2右】。Barrett et al.（2015）は、教室の場合、白または明るい色の壁や家具を置くことで、より良い学習成果が得られると述べている。Annexの壁には、やや冷たい色合いのオフホワイトを使用し、パーティションにはブライトブルーのラッピングフィルムを施した。廊下に面した窓に貼られたロゴも、合わせて青を基調とした【図2右】。

◉椅子とソファとその他の備品

学習スペース内にある備品は、その場所で行なわれる多様な学習活動をサポートするだけでなく、その空間がどのような意図で設計されているのかを利用者に気づかせてくれる。たとえば、MELTに置かれた丸テーブルやカラフルな椅子、革製の長椅子、コーヒーテーブル、お手玉などは、学生がリラックスしつつ、その場にいること自体を楽しめるようなアットホームな雰囲気を醸し出している。また、MELTには大きな黒板があり、遊び心を持って絵やメッセージを書くこともできる。一方、Annexでは、ビジネスオフィスを彷彿とさせるテーブルと椅子、ホワイトボードが置かれている。これには学生に将来のキャリアを志向し目標達成に向けて学習して欲しいという意図が込められている。プレゼンテーションブースには、ジェスチャーや姿勢を確認するための全身鏡が壁に備え付けてあり、自分の姿を録画したい人のためにスマートフォン用の三脚も設置されている。MELTとAnnexには観葉植物が置かれているが、これは観葉植物の持つ癒し効果や鎮静効果（Kopec, 2012）が、外国語を使った交流や集中して行なう学習を促進させるためだ。

MELTとAnnexでは、異なるタイプの椅子やソファを異なるレイアウトで設置している。MELTにはアームのない椅子を設置している。それは学生同士の親密さをサポートし、近くに座っていても違和感を感じさせないためだ。一方、Annexのアドバイスルームや共同学習スペースには、あえてアーム付きの椅子を設置した。それはアームが“protective barrier（保護柵）”（Scott Webber, 2009, p. 11）となり、パーソナルスペースを確保することができるからである。椅子のレイアウトも重要だ。MELTの椅子は円を描くように配置されているが、これは他の人と目を合わせやすいためで会話に最適だ（Scott Webber, 2009）。一方でAnnexの共同学習スペースにある四つの椅子は、長方形のテーブルの両側に直線的に配置した。そのため、テーブルに置かれた資料を隣に座っている人と一緒に見ることができ、共同でプロジェクトに取り組んだり、ピア・ティーチングを行なったりすることができる。また、MELTの円形テーブルよりも、四角のテーブルの方が、学習資料を置くスペースが広くなるだけでなく、おしゃべりがしにくいため集中して勉強している他の学生の邪魔にならない。

◉周囲状況・ムード

MELTとAnnexでは、異なる照明を使用している。柔らかな光の空間では、人はより多くのことを開示し、より多くのことを話し、よりリラックスした気分になる（Miwa & Hanyu, 2006）。薄暗い照明は社交性を高め（Wardono et al., 2012）、暖色系の照明は白色系の照明よりも居心地がよく、その場にいる人はより親密であると感じる（Casciani & Musante, 2016）。したがって、外国語を使った社交の場であるMELTには、黄色味の暖色系（電球色）の蛍光灯が設置されており、暖色系の電球を使ったシェードランプを多数設置している。一方、学習スペースとしてのAnnexには、学習効果を高めるとされる白色（Barrett et al, 2015）の蛍光灯が設置されている。

ＢＧＭには、訪問者がその場に留まる時間を長引かせ（Sullivan, 2002）、不安を軽減し外国語による会話を助長する（Degrave, 2019）という効果がある。実際にMELTでは、ＢＧＭを流すことで、学生が入りやすい雰囲気を作り、外国語による会話を促していることが明らかになっている（Taylor,

2014)。また、時にMELTでは学生が英語の歌を歌ったり備え付けのギターを弾いたりすることもある。それとは対照的にAnnexではＢＧＭを一切流していない。Annexを利用する学生が集中して学習するためだ。ＢＧＭがない環境の方がＴＯＥＦＬのリーディングの成績が良いという研究報告（Chou, 2010）もある。

Annexでは MELT と異なるポリシーを設けている。たとえば Annex には、食べ物の匂いや食べる音が学習の妨げにならないようにと飲食禁止のポリシーがある。その他にもAnnexではピア・ティーチングなど勉強に関連した内容を小声で話すのは許されているが、基本的に私語は禁止している。これらのポリシーにより、集中して学習したい学生はAnnexを利用することで、MELTでの話し声や笑い声によって気が散ることがなくなった。

◉英語の掲示物とウォールテキスト

MELTとAnnexの至る所に英文が掲示されている。Annexのデザインにおいてこれは特に重要な要素になっている。どちらの学習スペースにおいても、掲示された英文にはいくつかの目的がある。まず初めに、学生は壁に書かれた英文を見るだけで、いくつかの英単語や英語表現を学ぶことができる。Bisson et al.（2013）は、外国語学習において初心者であっても、日常的に外国語の単語と出会うことで外国語を習得することができ、それは努力や学習の意図がなくても起こると述べている。二つ目の目的は、学習環境の中で英語を見ることで、ここは外国語のための空間であり、外国語を使うべきであることを学生に気づかせることだ。崇城大学のSILCや神田外語大学のKUIS8などの言語学習施設でも同様な理由で英語を使用しているようだ【図3】。神田外語大学のKUIS8では【図3右】のように階段に英文が掲示されている。Imamura（2018, pp. 203–04）によれば、これは入室する際に学生の頭を英語モードに切り替えるためのものであると同時にKUIS8の言語ポリシーを再度確認させる役割がある。しかし、崇城大学のSILCも神田外語大学のKUIS8も、英文の内容を

【図3】崇城大学SILCの階段上のウォールテキスト（左）
神田外語大学KUIS8の階段（右）

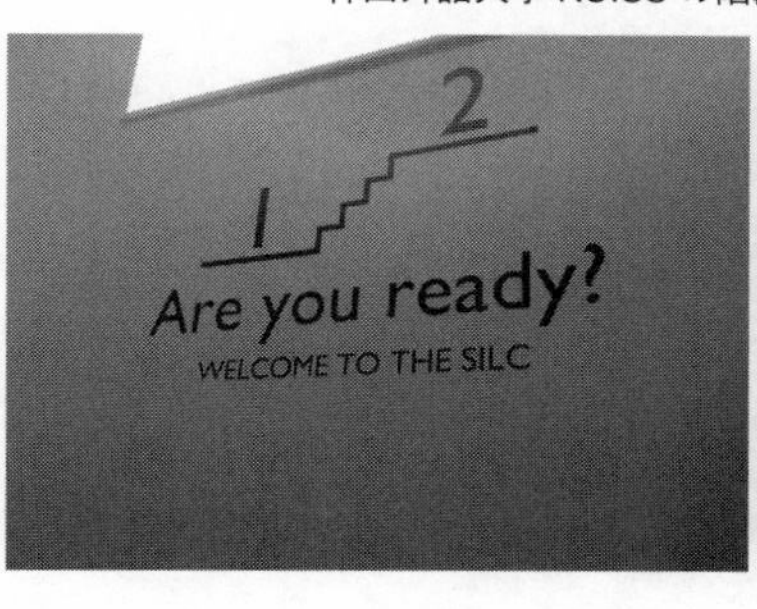

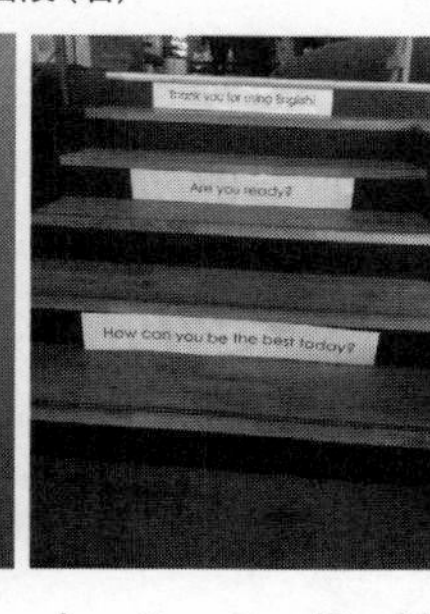

見ると、役割はそれだけではないことがわかる。"Are you ready?"（準備はいい？）や"How can you be the best today?"（どうすれば今日一番の自分になれる？）といった文は心理的な作用があると考えらえる。これにより、学生の心理状態を万全で前向きなものに切り替えることができるのだ。これはある種の心理的介入とも解釈できる。これらの確立された実践を参考に、実務的、生理的だけではなく、心理的にも学習をサポートできるようにテキストをAnnexのデザインに組み込んだ。

Annexでは各ブースの入り口にブースの名称とスローガンを英語で記している。そして共同学習スペースとそれぞれのブースの壁には世界の偉人が残した格言や誓言（せいごん）を大きな文字でデコレートしている（以後これを「ウォールテキスト」と呼ぶ）。ウォールテキストはそれぞれのブースの使用目的に合ったものを選んでおり、学習に対するポジティヴな考え方を誘発することができる【表2】。プレゼン

テーションブースでは、正面の壁に大きく記された "I can and I will"（私はできる、私はやる）というウォールテキストを目にする。Hallett & Hoffman（2014）は、こういった誓言がセルフトーク（自己教示）をコントロールし、自信を高め、注意力を持続させ、最大限のパフォーマンスを成し遂げるマインドセットを持つ手助けをすると述べている。また、プレゼンテーションなどの発表前に、ルーティーンとして誓言を口ずさむことにも効果があるとも述べている。Murphey（2014）は "We talk a lot, we learn a lot"（たくさん話し、たくさん学ぼう。）や "It's in your mind [...] you can say it now"（思い浮かんだことを口に出してみよう。）といった誓言を歌にして学生に歌わせることで、ポジティヴな結果が得られたことを報告している(p. 210)。"I can and I will"(私はできる、私はやる)というウォールテキストは、学生がプレゼンテーションやレシテーション（暗唱）の発表へ向けての士気を高め、不安を軽減するのだ。

その他のウォールテキストにも目的がある。まず目的の一つに、外国語の学習は生まれつきの才能に左右されるという誤った固定観念を払拭し、外国語の学習は努力やストラテジーなどの可鍛的な要素に基づくという成長思考を促進するというのがある。Mercer & Ryan（2010）は、固定的な考え方を持つ学習者はすぐに落胆し、挑戦を避け、低い目標を設定するのに対し、成長的な考え方を持つ学習者は向上心が強く、回復力があり、フィードバックや失敗から学ぶことができると述べている。さらに、Leung（2018）は、心理学的介入によって外国語学習者のマインドセットを変えることができると主張している。「成長マインドセットを促進する的確な心理的介入は、既存の固定されたマインドセットを打破し、モチベーションと学習に持続的な変化をもたらすことがで

【表2】Annexにあるそれぞれの部屋の特徴と掲示されている英文

ブース・部屋の名称	部屋の特徴と備品	スローガン	ウォールテキスト
－	共同学習スペース。 備品：椅子、テーブル、本棚、語学テストの対策本などの学習資料	－	"We are what we repeatedly do. Excellence, then, is not an act but a habit."—Durant ［繰り返し行なうことが自分の姿になる。卓越性とは、行為ではなく習慣である。（デュラント）］
Customizable Study Booth （カスタマイズ可能なスタディブース）	ドア付きのブース。 備品：スタンディングデスクにもなる昇降デスクと椅子、観葉植物	To your liking （お好みに合わせて）	"Genius is 1% talent and 99% hard work."—Einstein ［天才とは1%の才能と99%の努力である。（アインシュタイン）］
Presentation Booth （プレゼンテーションブース）	入り口にカーテン付きのブース。 備品：鏡、スマートフォン用三脚。	Practice makes perfect （練習すれば完璧になる）	I can and I will （私はできる、私はやる）
Deskless Study Booth （机なしスタディブース）	入り口にカーテン付きのブース。 備品：リクライニングチェア。	Comfy chair （座り心地のいい椅子）	"A new language is a new life" —Persian Proverb ［新しい言語は新しい人生だ（ペルシャのことわざ）］
Advising Room （アドバイスルーム）	ドア付きの部屋。 備品：椅子２脚、テーブル、iMac（デスクトップパソコン）	Side-by-side （隣同士）	"You're braver than you believe, stronger than you seem and smarter than you think." —Milne ［あなたはあなたが信じているよりも勇敢で、見かけよりも強く、あなたが思っているよりも賢い（ミルン）］

きる」（Leung, 2018, p. 15）と述べている。頻繁に目にする成長的なフレーズやメッセージは、強力な心理的介入になる。ある研究では、数学の学習システムにログインするたびにパソコン画面の上部に“When you learn a new math problem, you grow your math brain!”（新しい数学の問題を学ぶと、数学脳が成長します！）というメッセージが三ヶ月間表示されていた学習者は、表示されていなかった学習者に比べて、数学の問題を解く能力が勝っていたという報告がある（Paunesku et al, 2013, as cited in Leung, 2018）。この研究結果は、わずかな心理的介入であっても大規模な成長的マインドセットの構築につながる可能性があることを示している。学習環境に掲示された成長的マインドセットのメッセージを目にすることによる心理的介入は、「学校に存在する学習機会をよりよく活用できるようにし、既存の再帰的プロセスを活用して長期的な効果を生み出す」ため、「長期的な達成度の向上」につながるのだ（Yeager & Walton, 2011, p. 293）。Yeager & Walton（2011）は、学習者が信念を形成し、学習目標、努力、戦略を支持することで、粘り強くなり、助けを求めるようになり、より多くのことを学ぶことができるようになり、勢いを増してポジティヴな結果につながることで学習の軌道が上向きになるという上昇スパイラルを形成することができると述べている。

Annex にある掲示物やウォールテキストは、基本的なデザイン原則に従った。「フォントには声がある」（Kasperek, 2014, p. 50）ということを念頭に置き、Comic Sans などの子供じみたイメージのフォントは避け、大文字ばかりのフォントは読みにくい（Williams, 2008）という理由で避けた。また、「コントラストは掲示物の文に注意を向けさせ、メッセージを注目させる」（Williams, 2008）という原則に従い、壁の色と文字の色の明暗の差を大きくし、文字を大きくし、読みやすくスタイリッシュなフォントを選んだ【図4上&中】。また同じフォントと色を繰り返し使うことで、「ブランドを構築し、強化することができる」（Kasperek, 2014, p. 54）ため、掲示物にはすべてSkia, black condensedに統一し、ウォールテキストはすべてSkia, condensedに統一した。

掲示物とウォールテキストを掲示する高さも重要だ。人はポジティヴな感情を視覚空間の高い位置にあるものと自動的に関連付ける（Meier & Robinson, 2004）。このような理由から、刺激的で心理的介入としての役割を担うウォールテキストは、利用者が見上げた時に目に入るように、頭の高さよりも高い位置に掲示した。

◉Annexのオープニング

Annexの改修工事が完了したのは、新型コロナウイルスのパンデミックが発生した二〇二〇年の半ばであった。授業の大部分は遠隔で行なわれ、キャンパスに学生はほとんどいなかった。そのためAnnexは密やかなソフトオープンとなった。少々残念な滑り出しではあったが、学生の反応を探り、使用パターンを観察する良い機会となった。初めに観察できたのは、学生が初めてAnnexに入った際に何を感じ取るかということだ。オープンキャンパスのイベントの一環として、学生たちがキャンパスのあらゆる場所で、頭に浮かんだキーワードをボードに書き撮影していた。AnnexのCustomizable Study Booth（カスタマイズ可能なスタディブース）では、キーワードとしてMotivationを【図4上】、Annexの共同学習スペースではInspirationを【図4中】、MELTでは、Relaxを選んでいた【図4下】。それぞれの空間を独自に解釈し、定義し、オープンキャンパスに参加した高校生に伝えていた。

また、初めてAnnexに入る学生は、決まってすべてのウォールテキストを読んで周っていた。ブースの入り口で立ち止まり、ウォールテキストをじっと見つめていたかと思うと、別のブースの入り口に移動し、またウォールテキストをじっと見つめるという動作を繰り返していた。そして、お気に入りのウォールテキストを見つけると「これ私！」と公言していた。Annexにデコレートされたウォールテキストの中から外国語学習者としての自分に最も響くものを探していたのだ。

【図4】本学の2020年オープンキャンパスPRキャンペーンの写真
（上）AnnexのCustomizable Study Booth
（中）Annexの共同学習スペース
（下）MELT

3　学生の所感と将来の展望

初めてAnnexの中に入る学生は、そこから何を感じ取り、今後どのように活用したいと思うのだろうか。本稿ではインタビュー調査を行ない、Annexにある掲示物やウォールテキスト、Annexという学習スペースそのものが、どのように外国語学習を促進させるのかを明らかにした。

◉調査方法と参加者

本調査では、二〇二〇年九月に初めてAnnexに入る四名の学生を対象にインタビューを実施した。さまざまな回答を得るために、異なる学年と性別の学生を招待した。

インフォームド・コンセントを得た上で、インタビューを録音し、文字に起こした。その後録音は消去し、文字に起こした回答は匿名化した。インタビューは学生の希望する言語で行なった。三名は日本語で話し、一名は英語で話すことを選択し必要に応じて日本語を入り混ぜた。

インタビューでは、初めにブース名とスローガン、ウォールテキストをそれぞれ声に出して読んでもらい、それぞれの意味とそれに対してどのように感じたか説明してもらった。また、Annexのそれぞれの部屋に対する感想と、今後どのように活用したいかを尋ねた。

◉結果1〜空間を読み取る

インタビューの回答から、初めて訪れた学生でも、それぞれの部屋がどのような意図で設計されているかを即座に理解していることがわかった。学生がPresentation Boothの入り口に立つと「うん、カメラを置いて自分で見ることによって客観的に自分を見ることができると思う」と答えていた。

家具の種類やレイアウトも、学生が空間を「読み取る」手助けとなっていた。Annexの共同学習スペースでは、長方形のテーブルに四脚のオフィススタイルの椅子が置かれているのを見て、学生の一人が「〔ここは〕ディスカッション、うーんスタディ、なんか一つの問題に対してみんなでやったり、グループワークを課題で出された時とかに集まってやる場所」と答えていた。さらに、Annexの配色についても、Annexの基調色が青色であることに対して「冷静になる」というコメントをしていた。

インタビューに応じた学生は、AnnexとMELTのデザインの違いを「読み取る」ことができており、二つの学習スペースの使い方の違いを即座に理解していた。また、部屋の配色や照明についても次のように述べていた。

色とかですかね、私は。こっち（MELT）は明るい感じがするので、なんていうんでしょう、楽しくやるっていう部屋？　こっち（Annex）は基本的に白とか青とか集中できる色とか使われているので集中して勉強ができる部屋っていう〔……〕

また、MELTとAnnexのデザインの違いが、それぞれ異なる雰囲気を作り出していることを明確に説明していた。

> 雰囲気が全然違う。こっち（Annex）はシックというか。あっち（MELT）はあったかい。〔……〕こっちは、何だろうな。なんて言ったらいいかな。〔Annexは〕「静か」っていうイメージ。あっち（MELT）は、なんか団らんっていうイメージ。こっち（Annex）は、凛とした空気の、シーンとした感じの、落ち着いた雰囲気の場所かな。
>
> 〔MELTは〕外国語がすごい飛び交っているイメージ。こっち（Annex）は一人の空間かもしんないイメージ。〔……〕ああ、こっち（Annex）が寒色であっち（MELT）が暖色になってる。

また、それぞれの空間に対する感じ方の違いを述べるだけでなく、それぞれの空間に適したアクティビティについても言及していた。

> あー、リラックスできることは共通して言えることですけど、談笑したりだとか軽いコミニケーションを取るためならラウンジ（MELT）の方を使うといいなと思うんですけど、この部屋（Annex）はえーっとしっかり一人で考えられる時間が持てるのかなあと。

〔MELTは〕私はしゃべりたいとか、こう、楽しいイメージがあるんですけど、こっち（Annex）は真面目なイメージがあります。〔……〕一人で集中して、テスト前とか。

たとえ初めて訪れた学生であっても、自分がAnnexを今後どう使いたいかというイメージはすぐに湧くようであった。

会話したりとか、あと何だろう、まあ、人と喋りたい時とか、コミュニケーション取りたい時はあっち（MELT）で、自分で勉強したい時とか、あとなんだろう、モチベーションあげたい時とかこっち（Annex）に来たいと思う。

また、MELTとAnnexを目的に応じて使用できることを認識していた。

雑音があった方がいい人は、たぶんこっち（MELT）の方がいいと思うんですけど、気が散っちゃうっていう人はこっち（Annex）に来て勉強したらいいんじゃないかなと。

また、他の学生が使っている様子を見て、学生が空間を「読み取る」こともあるようだった。

よく先輩方がここ（Annexの共同学習スペース）で勉強してらっしゃるのを見るんですけど、あのう、仲間の人と、あのう、意見交流をしながら勉強を進めたりとか、あのう、なんていうんでしょう、交流の場として使える？ 交流しながら勉強できるスペース？ って感じてますね。

以上、インタビューの回答から、Annexという新しい学習スペースに込められた意図を学生たちが瞬時に理解し、今後の活用方法を思い描く様子がうかがえた。

◉結果2～ウォールテキストと多様な反応

インタビューの回答から、学生はウォールテキストに気づき、反応し、そのテキストが刺激的であると感じていることがわかった。ある学生はAnnexには「周りに刺激的な言葉が書いてある」とコメントしている。また、ウォールテキストの中に理解するのに苦労するものもあることがわかった。四人のうち三人が、"We are what we repeatedly do. Excellence, then, is not an act but a habit." という英文を理解するには補助が必要であった。このことからも、学生がウォールテキストの意味を理解し心理的介入の恩恵を受けることができるよう、今後何らかの工夫が必要であることが示された。

ウォールテキストに対する学生の反応は実にさまざまであった。学生によって心に響くものは違っており、学生たちは特定のウォールテキストに共感し、時には自分の過去の経験と関連付けることもあった。"A new language is a new life" というウォールテキストに対して、ある学生は「英語喋っている時は違う自分になれる気がする……だから海外行くと違うね」とコメントしていた。

"We are what we repeatedly do. Excellence then is not an act but a habit." というウォールテキストを見

て、学習を支える強い習慣を築いた自分の経験を次のように振り返る学生もいた。

最初留学に行ったというかワーホリでカナダに行った時に〔……〕最初それこそ英語を話せるようになって帰らないとっていう使命感もあって、一週間、もうとりあえず日本人の人と喋らずとにかく英語だけに縛ってやってたんですけど〔……〕あー私だったら洋楽を聴くのがすごく大好きで、毎日のように同じ曲を聴いたりとかして、あのなんていうんでしょう、その英語圏の人の生の発音じゃないですけれど、を聞いて自分自分で言うのもあれなんですけど、周りの子よりかは発音がいいのかなって言う。そういう習慣があったからこそ発音が良くなったのかなって思います。

また、これまでに経験した挫折や挑戦を思い出して、ウォールテキストを現在の自分のニーズに関連付ける学生もいた。"I can and I will" というウォールテキストを見て、学生の一人（女性）は「私にはこの I can and I will が就活に必要だと思います」と答えた。アドバイスルームの "You're braver than you believe, stronger than you seem and smarter than you think." というウォールテキストに対しては、同じ学生が次のように語っていた。

Yeah, I think all women should read this [...] Yeah, because some people do not have much confidence, so I think they need a quote like this.

［すべての女性に読んでもらいたいですね。そうですね、自信のない人もいますから、そういう人にはこのような言葉が必要だと思います。］

この学生は、応募した仕事で性別を理由に不採用になったばかりで、このような性差別に直面している自分の将来に挫折感を覚えていた。この言葉が自分や他の差別を受けている女性たちの支えになると考えたのだろう。

また、ウォールテキストを自分にとって価値のある情報であると考え、自分のモチベーションや自信を高めるためのリソースとして利用しようとしていることもわかった。

（"Genius is 1% talent and 99% hard work."—Einstein を読んで）

アインシュタイン、なんか、うーん、比べちゃうとなんか、いくらでも上手い人いるから、そこで落ち込む時にこれを見ると、努力すれば何とかなるなって感じる。

（"You're braver than you believe, stronger than you seem and smarter than you think" —Milne を読んで）

今まで自分はすごい、自分に対してそこまで自信を持っていないし、こうやって思うことがなかったのですごい励みになる言葉ですね。

おわりに——次のステップに向けて

Annexのウォールテキストに学生は刺激を受け、インスピレーションを得ていた。しかし、ウォールテキストの中には意味を理解するのが難しいものもあった。長い文章を読むのが苦手な学生がAnnexを初めて利用する時のために、すべてのウォールテキストを読んで理解できるためのサポートが必要だろう。スタッフや英語が得意な学生がウォールテキストを読み上げて翻訳する動画を作成するのも一つの方法だ。QRコードやAR（拡張現実）の技術を使って、スマートフォンから日本語訳にアクセスできるようにするのも良いだろう。

新型コロナウイルスが収束すれば、大学が従来の対面式の教育に戻るため多くの学生がAnnexとMELTを訪れることになる。オープンキャンパスや新入生向けにAnnexのツアーを企画する際に、今回の調査で得られた回答を参考にすることができる。インタビュー調査から得られた証言から、Annexを利用すれば、やる気が湧き、自信を取り戻すことができると宣伝することができるだろう。また、Annexで熱心に勉強している学生と共に勉強したり、交流したりすることが、学生の学習意欲や持続力を高めることにつながることを伝えることもできるだろう。

インタビューの回答から、学生とウォールテキストとを結びつけるアイデアがいくつか考えられる。英語の授業の中でAnnexを紹介する一環として、"We are what we repeatedly do. Excellence, then, is not an act but a habit."という格言について考えるというアクティビティも面白いだろう。自分の学習習慣について英語で作文したり、話し合ったりすることができれば、この格言をより身近に感じることだろう。同様に、“A new language is a new life.”という格言について考えるアクティビティも良いだろう。自分が英語でどんな新しい生活をしてきたのか、あるいはしたいと思っているのかを英語で話したり書いたりすることができれば、この格言が学生の心に強く響くのではないだろうか。

Kushida（2020）は、自身が働くSLLSでの外国語学習者について次のように述べている。“As the students engaged with the space, they were shaping the space and the space was shaping them.”［学生がスペースに関わることで、彼らはスペースを形成し、スペースは彼らを形成していた。］本稿のインタビュー調査により、新しく開設されたAnnexという学習スペースをどのように宣伝し、どのようにしてより多くの利用者を獲得するかを考える上での有益なアイデアを得ることができた。Annexが開設してから間もない現時点でもすでにAnnexを最大限に活用する学生の姿がある。今後は、Annexを頻繁に利用する学生を長期的に調査することで、空間が学習者の経験、習慣、アイデンティティ、ラーニング・コミュニティをどのように形成しているか明らかにしていきたい。

◉引用文献

Barrett, P., & Barrett, L. (2010). The potential of positive places: Senses, brain and spaces. *Intelligent Buildings International, 2* (3), 218–28. https://doi.org/10.3763/inbi.2010.0042

Barrett, P., Davies, F., Zhang,Y., & Barrett, L. (2015). The impact of classroom design on pupils' learning: Final results of a holistic, multi-level analysis. *Building and Environment 89*, 118–33. https://doi.org/10.1016/j.buildenv.2015.02.013

Beckers, R., van der Voordt, T., & Dewulf, G. (2016). *Learning space preferences of higher education students. Building and Environment, 104*, 243–52. https://doi.org/10.1016/j.buildenv.2016.05.013

Bisson, M., van Heuven, W. J. B., Conklin, K., & Tunney, R. J. (2013). Incidental acquisition of foreign language vocabulary through brief multi-modal exposure. *PLoS ONE 8* (4). https://doi.org/10.1371/journal.pone.0060912

Casciani, D., & Musante, F. (2016). What does light do? Reflecting on the active social effects of lighting design and technology. In S. Crabu, P. Giardullo, F. Miele, & M. Turrini (Eds.), *Sociotechnical Environments* (pp. 693–710). STS Italia Publishing. https://re.public.polimi.it/retrieve/handle/11311/1038484/243658/STS-Trento-Proceedings-DCASCIANI_FMUSANTE.pdf

Chou, P. T. (2010). Attention drainage effect: How background music affects concentration in Taiwanese college students. *Journal of the Scholarship of Teaching and Learning 10* (1) 36–46.

Cooker, L. (2018). Some self-access principles. In C. J. Everhard and J. Mynard (Eds.) *Autonomy in language learning: Opening a can of worms*. (pp. 139–43). Candlin and Mynard. (Original work published 2011)

Degrave, P. (2019). Music in the foreign language classroom: How and why? *Journal of Language Teaching and Research 10* (3), 412–20. http://dx.doi.org/10.17507/jltr.1003.02

Gee, L. (2006). Human centered design principles. In D. G. Oblinger (Ed.) *Learning spaces* (pp. 10.1–10.13).

Educause. https://www.educause.edu/ir/library/pdf/PUB7102j.pdf

Hallett, M. G., & Hoffman, B. (2014). Performing under pressure: Cultivating the peak performance mindset for workplace excellence. *Consulting Psychology Journal: Practice and Research, 66* (3), 212–30. https://doi.org/10.1037/cpb0000009

Imamura, Y. (2018). Adopting and adapting to new language policies in a self-access centre in Japan. *Relay Journal, 1* (1), 197–208. https://doi.org/10.37237/relay/010120

Kasperek, S. (2014). Sign redesign: Applying design principles to improve signage in an academic library. *Pennsylvania Libraries: Research & Practice, 2* (1), 48–63. https://doi.org/10.5195/palrap.2014.54

Kopec, D. (2012). *Environmental psychology for design* (2nd ed.). Fairchild Books.

Kushida, B. (2020). Social Learning Spaces. In J. Mynard, M. Burke, D. Hooper, B. Kushida, P. Lyon, R. Sampan, & P. Taw (Eds.) *Dynamics of social learning community: Beliefs, membership, and identity*. Multilingual Matters. https://doi.org/10.21832/9781788928915-005

Leung, R. C. L. (2018). Psychological interventions to foster growth mindsets among Japanese university EFL learners. *Bulletin of Jissen Women's University (Faculty of Letters) 60*, 10–18. https://doi.org/10.34388/1157.00001875

Meier, B. P., & Robinson, M. D. (2004). Why the sunny side is up: Associations between affect and vertical position. *Psychological Science 14* (4). https://doi.org/10.1111/j.0956-7976.2004.00659.x

Mercer, S., & Ryan, S. (2010). A mindset for EFL: Learners' beliefs about the role of natural talent. *ELTJournal*, 64, 436–44. https://doi.org/10.1093/elt/ccp083

Miwa, Y., & Hanyu, K. (2006). The effects of interior design on communication and impressions of a counselor in a counseling room. *Environment and Behavior. 38* (4), 484–502. doi:10.1177/0013916505280084

Murphey, T. (2014). Singing well-becoming: Student musical therapy case studies. *Studies in Second Language Learning and Teaching 2*, 205–35.

Murray, G., & Fujishima, N. (2013). Social language learning spaces: Affordances in a community of learners. *Chinese Journal of Applied Linguistics, 36* (1), 141–57. https://doi.org/10.1515/cjal-2013-0009

Murray, G., Fujishima, N., & Uzuka, M. (2014). The semiotics of place: Autonomy and space. In G. Murray (Ed.) *Social dimensions of autonomy in language learning* (pp. 81–99). Palgrave Macmillan.

Oldenburg, R., & Brissett, D. (1982). The Third Place. *Qualitative Sociology, 5* (4), 265–84. https://doi.org/10.1007/BF00986754

Paunesku, D., Yeager, D., Romero, C., & Walton, G., (2013). Brief social-psychological interventions are a scalable solution for academic underperformance. *Unpublished Manuscript*, Stanford University.

Scott Webber, L. (2009). *In sync: Environmental behavior research and the design of learning spaces* [Digital version]. Society for College and University Planning. http://www.scup.org/page/pubs/books/is-ebrdls

Strange, C., & Banning, J. (2001). *Educating by design: Creating campus learning environments that work*. Jossey-Bass.

Sullivan, M. (2002). The impact of pitch, volume and tempo on the atmospheric effects of music. *International Journal of Retail & Distribution Management 30* (6), 323–30.

Taylor, C. (2014). The transformation of a foreign language conversation lounge: An action research project. *Bulletin of Shotoku Gakuen University (Faculty of Foreign Languages), 53*, 1–16.

Taylor, C. (2016, Dec. 10). *Developing a social learning space step by step: An action research project* [Poster presentation]. JASAL2016, Kobe. https://jasalorg.com/conferences/jasal-2016-annual-conference-kobe-presentation

Van Note Chism, N. (2002). A tale of two classrooms. *New Directions for Teaching and Learning, 2002*(92), 5–12. https://doi.org/10.1002/tl.74

Wardono, P., Hibino, H., & Koyama, S. (2012). Effects of interior colors, lighting and decors on perceived sociability, emotion and behavior related to social dining. *Procedia Soc. Behav. Sci*. 38, 362–72. https://doi.org/10.1016/j.sbspro.2012.03.358

Williams, R. (2008). *The non-designer's design book: Design and typographic principles for the visual novice* (3rd ed.). Peachpit Press.

Yeager, D. S., & Walton, G. M. (2011). Social-psychological interventions in education: They're not magic. *Review of Educational Research 81*(2), 267–301. https://doi.org/10.3102/0034654311405999

教育におけるＩＣＴ（情報通信技術）の活用と考え方

長谷川 信

はじめに

近年の学校教育では情報活用能力の育成が重要視されている。二〇二〇年度から始まる新学習指導要領では、情報活用能力を言語能力と同様に「学習の基盤となる資質・能力」と位置付けている。ただし、現在の教育現場におけるＩＣＴ（Information and Communication Technology：情報通信技術）の活用は限られており、日本は他国と比較しても遅れているとされる。そこで本稿では、教育のＩＣＴ活用が目指すものを確認し、今後の課題と必要な取り組みについて論じる。

ここでは、ＯＥＣＤ（Organisation for Economic Co-operation and Developmen：経済協力開発機構）が実施する、ＰＩＳＡ（The Programme for International Student Assessment：学習到達度調査）[1] および

TALIS（Teaching and Learning International Survey：国際教員指導環境調査）[2]、IEA（The International Association for the Evaluation of Educational Achievement：国際教育到達度評価学会）が実施するTIMSS（Trends in International Mathematics and Science Study：国際数学・理科教育動向調査）[3]の調査結果を参照する。PISAは、十五歳を対象とした国際的な学習到達度調査で、読解力、数学的リテラシ、科学的リテラシの三分野を中心に扱い、「基礎知識・技能を活用できるか」を評価する。また、学習環境や学習者の背景などもアンケート集計される。TIMSSは、算数・数学および理科について「基礎知識が定着しているか」を国際的な尺度で評価する。また、学習環境などもアンケート集計される。TALISは、学校の学習環境と教員の勤務環境などの調査で、国際比較可能なデータとしてまとめられている。

1　日本のICT環境と活用度

文部科学省の「教育のICT化に向けた環境整備五か年計画（二〇一八～二〇二二年度）[4]」によると、学校のICT環境は以下のように整備が計画されている。

・学習者用コンピュータ……三クラスに一クラス分程度整備
　※一日一コマ分程度、児童生徒が一人一台環境で学習できる環境の実現
・指導者用コンピュータ……授業を担任する教師一人一台

・大型提示装置・実物投影機……一〇〇％整備
・超高速インターネットおよび無線ＬＡＮ……一〇〇％整備
・統合型校務支援システム……一〇〇％整備
・ＩＣＴ支援員……四校に一人配置
・学習用ツール、各種サーバ、校務用コンピュータ、セキュリティソフトウェア

ＰＩＳＡの二〇一二年調査によると、日本の教育用コンピュータ一台当たりの生徒数は三・六人に一台であるが、文部科学省の整備計画が完了する二〇二二年度には三・〇人に一台が達成され、多少の改善が見込める。二〇一二年調査において日本はＯＥＣＤ三十一か国平均（四・七人に一台）を上回っているものの、オーストラリアの〇・九人に一台、イギリスの一・四人に一台、アメリカの一・八人に一台、シンガポールの二・〇人に一台、香港の二・二人に一台には及ばない**【グラフ1】**。

ＩＣＴ利用環境の差は、学校でＩＣＴを活用する頻度に

【グラフ1】学校のコンピュータ1台当たりの生徒数（2012年調査[1]）

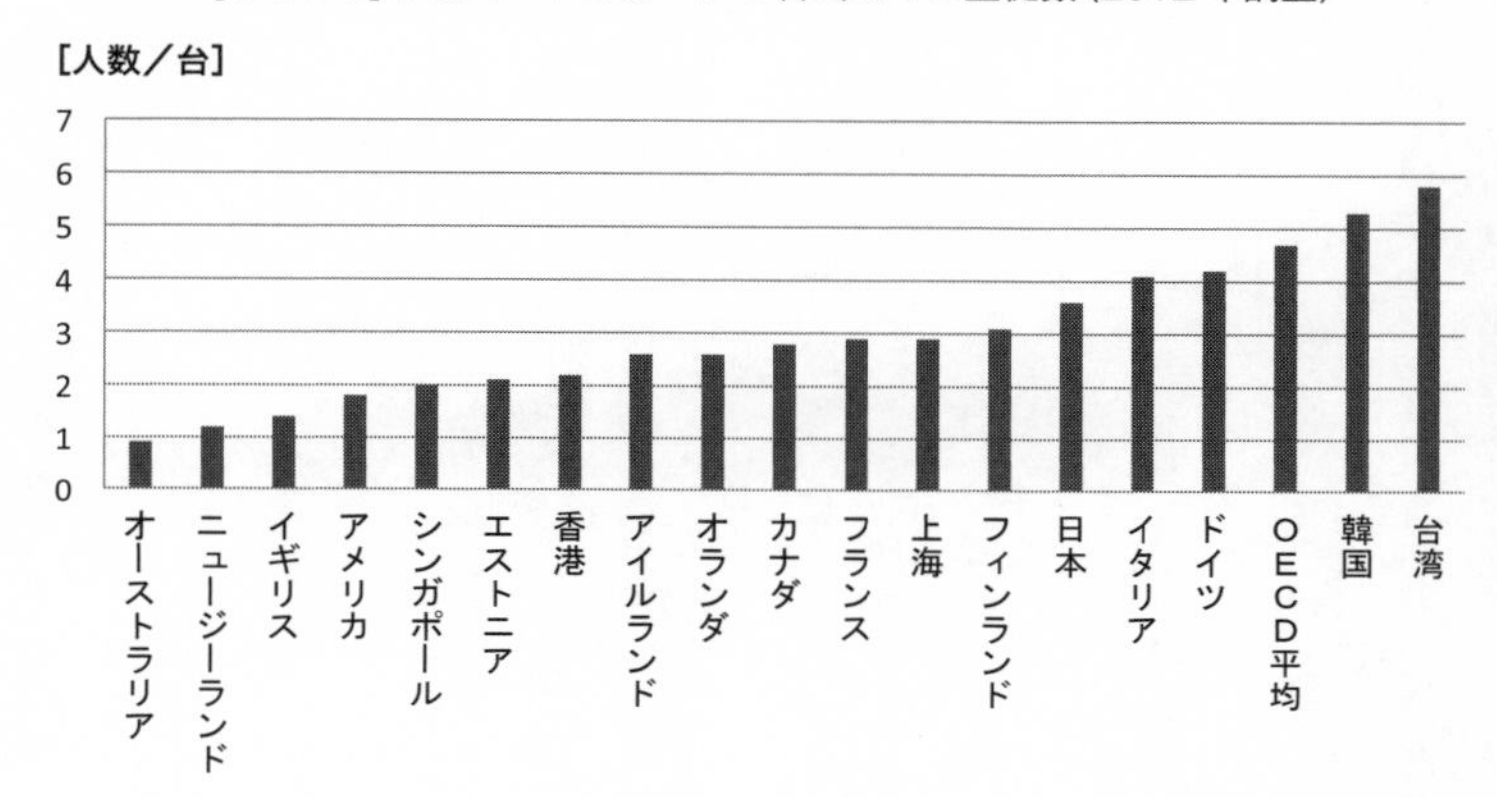

【グラフ2】「しばしば」「いつも」生徒に課題や学級での活動にICTを活用させる教員の割合(2)

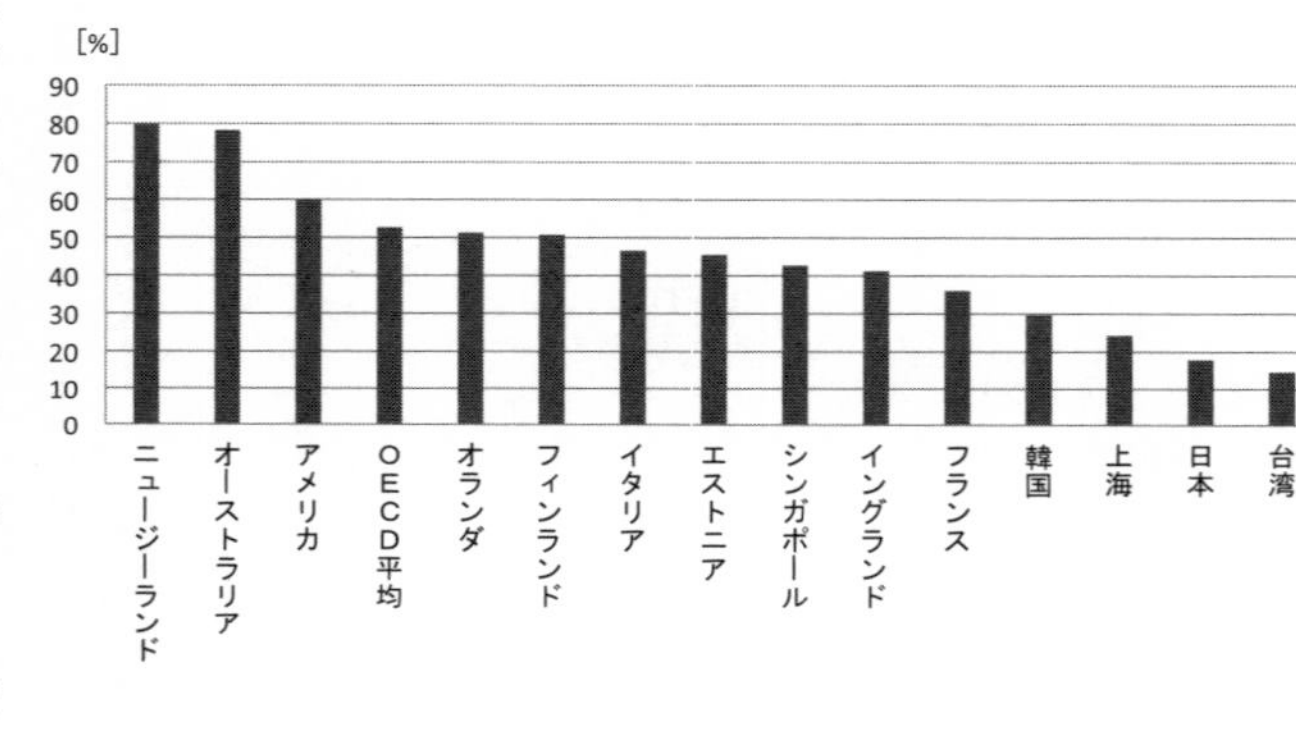

も影響がある。TALISの二〇一八年調査では、教員自らの授業において生徒に課題や学級での活動にICTを活用させる頻度が質問されている。「しばしば」または「いつも」と回答した教員の割合は、日本が一七・九%である。他国では、オーストラリアは七八・二%、イングランド（イギリス）は四一・三%、アメリカは六〇・一%、シンガポールは四二・八%で、OECD三十一か国平均は五二・七%である。TALIS参加四十八か国中、日本のICT活用度は下から二番目となる【グラフ2】。

PISAの二〇一八年調査では、学校外における学習のためのICT利用が質問されている。その中で、学校の勉強のためにインターネット上のサイトを見るかを尋ねている。質問の回答に、「ほぼ毎日」「毎日」と回答した生徒の割合が、日本は六・〇%である。他国では、オーストラリアは三六・二%、イギリスは三一・六%、アメリカは三六・八%、シンガポールは三一・八%で、OECD三十一か国平均は二三・〇%である【グラフ3】。同じく、コンピュータを使って宿題をするかを尋ねた質問の回答に、「ほぼ毎日」「毎日」と回答した割合が、日本は三・〇%である。他国では、オーストラリアは四四・〇％、イギリスは三五・七％、アメリカは四三・八％、シンガポールは二一・七％で、OECD三十一か国平均は二二・二％である【グラフ4】。いずれも顕著に低く、日本では学校外でのICT活用が進んでいない。

【グラフ3】学校の勉強のために
インターネット上のサイトを見る生徒の割合[1]

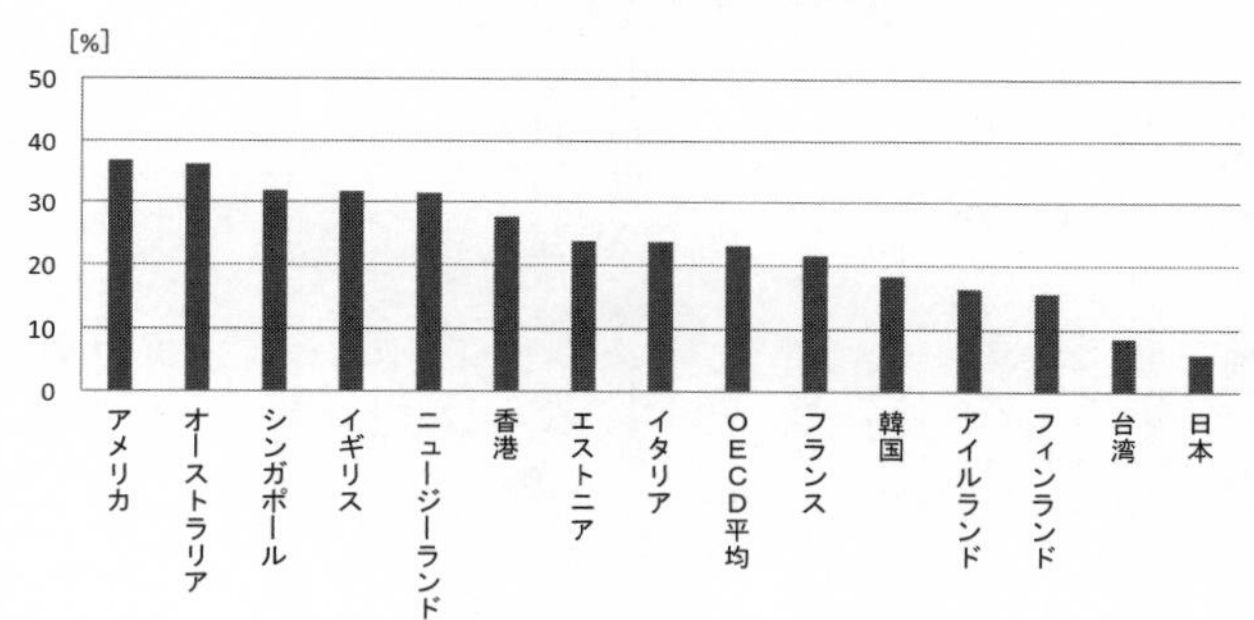

【グラフ4】コンピュータを使って宿題をする生徒の割合[1]

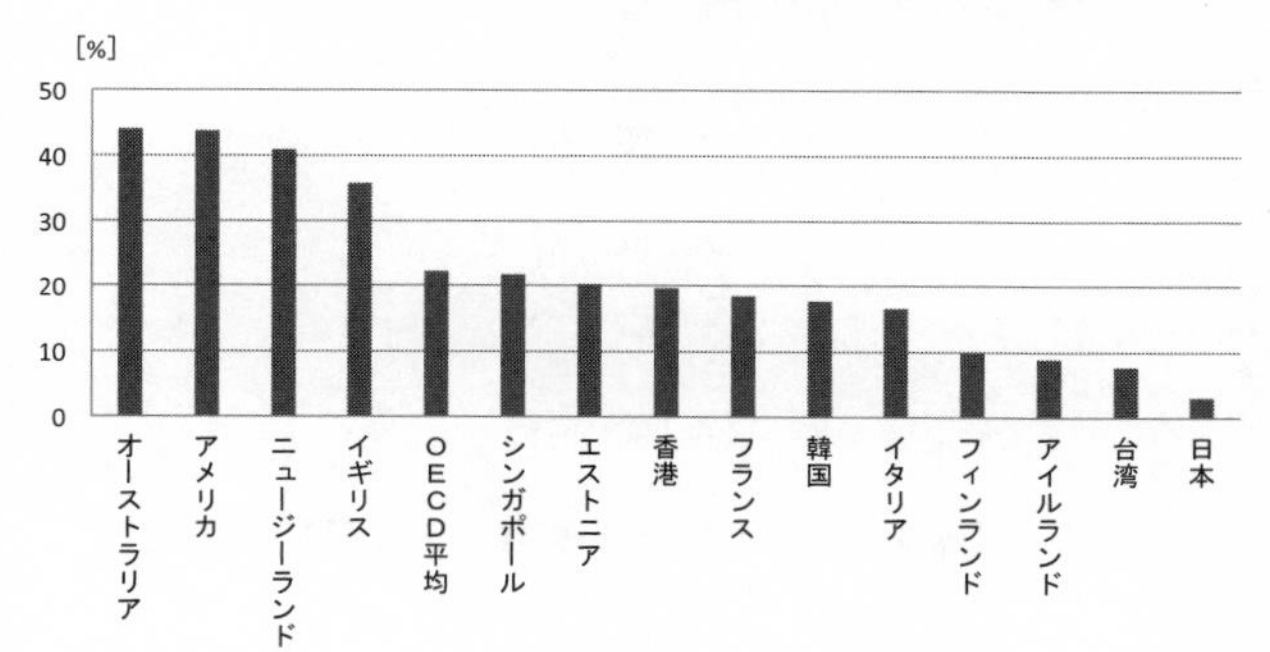

2　教員のICT活用度

日本でも学校の情報化は進められており、学習用コンピュータや高速インターネット接続環境などを整備して、これらを活用した授業が実践されている。

日本では、育成すべきICT活用能力の検討が重ねられ、情報活用能力は社会で生きていくために必要な資質・能力とし、ICTを活用して問題の発見や解決、自分の考えをまとめられるようになる指導が学習指導要領等に盛り込まれている[5]。このため、教員は授業計画や授業研究の中に、効果的なICT活用を考えなければならない。効果的な活用を考える上で、まずは従来型の指導の上に、学習への効果等を検討したうえでICT活用型指導への置き換えを計画することになる。しかしながら日本における教員のICT習熟度は依然として高くなく、従来型の指導に加えてICT活用の授業を計画することは負担が大きい[6]。

新しい試みの導入に負荷が掛かることは避けられないが、日本は他国と比較して教員の仕事時

【グラフ5】通常の一週間における教員の仕事時間の合計[2]

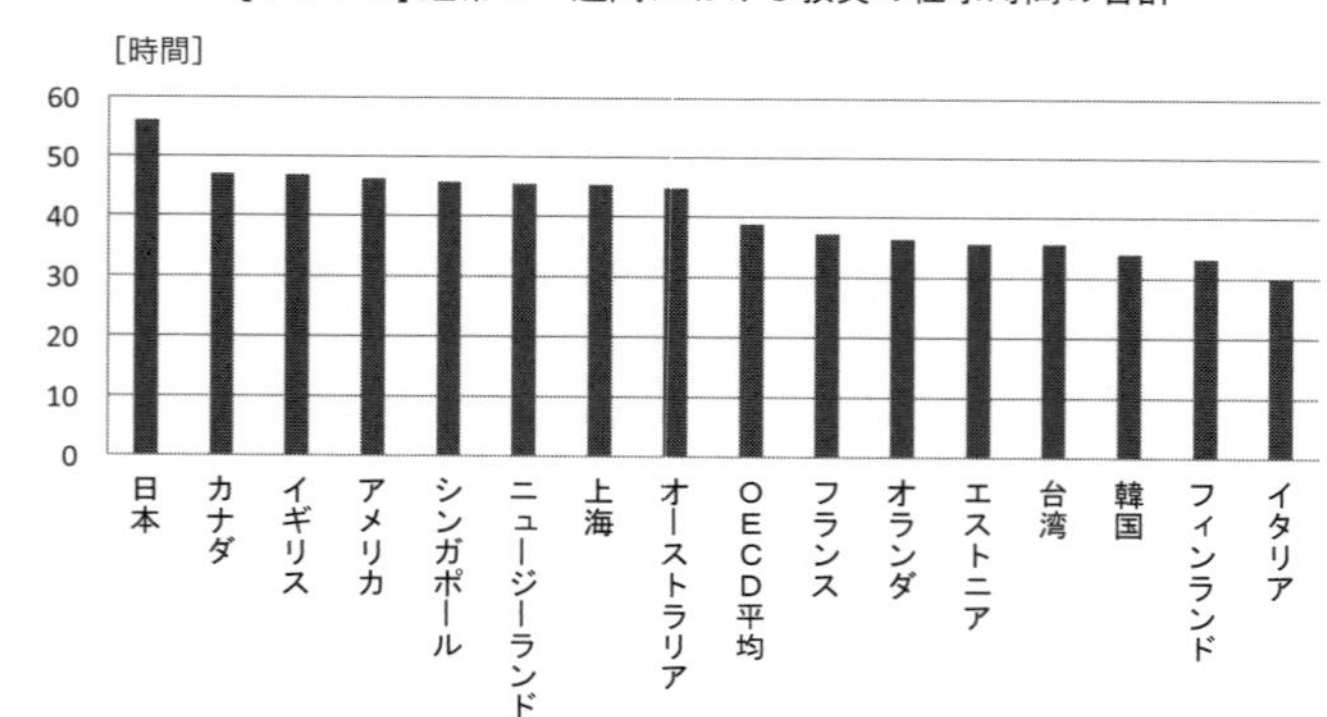

間が突出して長い【グラフ5】。一方で教員の職能開発ニーズも突出して高く、高い目標を持ち勉強熱心な様子がうかがえる。(2)

3 学校外でのICT活用

現在は、自宅でICT環境も整い多くの世帯にコンピュータが普及してきた。情報通信白書によれば、スマートフォンの世帯保有率八三・四%、パソコンは六九・一%である【グラフ6】。また、個人のインターネット利用率は八九・八%であり【グラフ7】、スマートフォンやパソコンを保有していれば、ほぼインターネットへのアクセスをしていると考えられる。

このようにコンピュータやインターネットアクセス環境は十分に普及しているが、学校外において学習への利用は少ない【グラフ8】。教員が積極的に授業でICTを活用し、生徒による活用も指導しなければ、学校外での学習にICT利用も進まない様子がうかがえる。余暇の時間にはインターネットへのアクセスは利用しているため【グラフ9】、自学自習へのICT活用は学校から準備する必要がある。

学校単位や自治体単位でのICT環境整備の取り組みは見られ、いくつかの事例は報告される。(6)たとえば、佐賀県武雄(たけお)市では、すべての中学校において一人一台のタブレットPCを運用している。(8)教員が準備した予習教材で自宅学習を行ない、アンケートや確認テストを受ける手順で、学校と自宅との学習をつないでいる。学習効果よりも、まずは学校と自宅とで利用することを目指して

【グラフ6】情報通信機器の世帯保有率の推移(7)

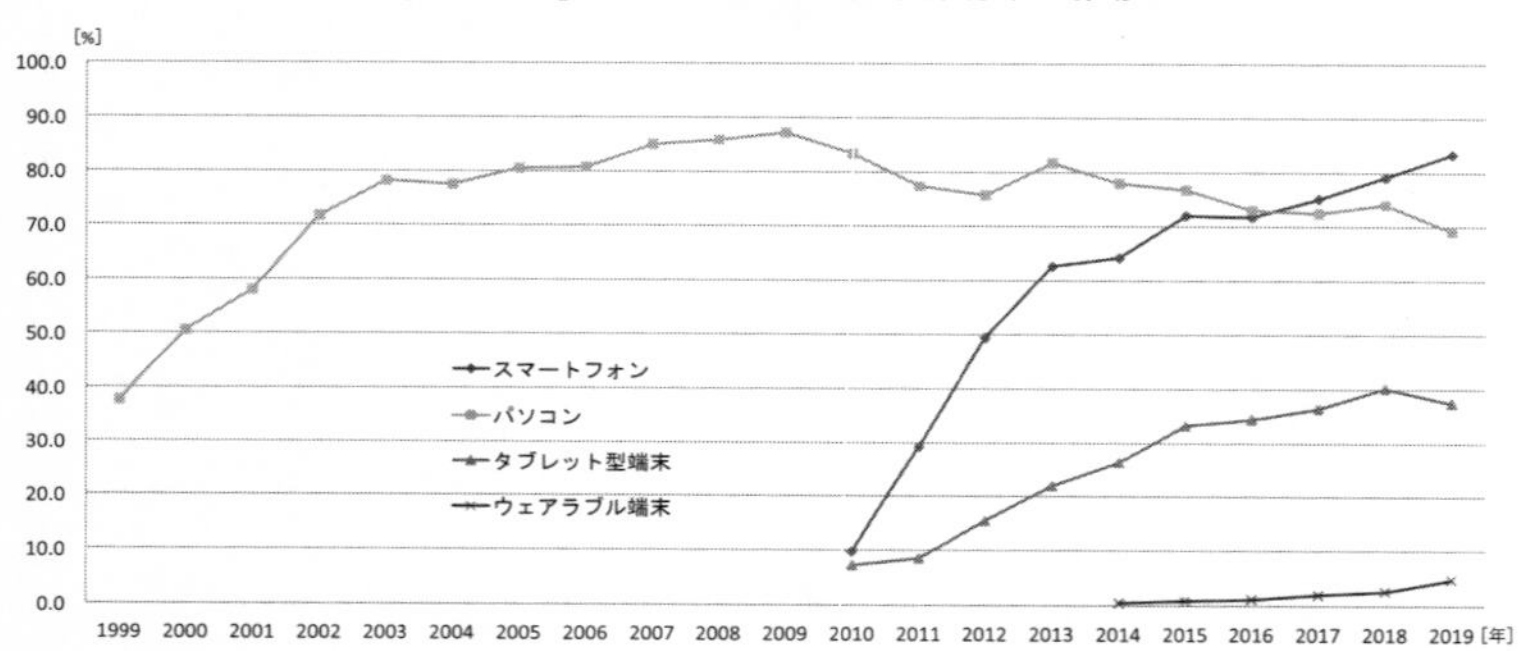

【グラフ7】インターネット利用率の推移(7)

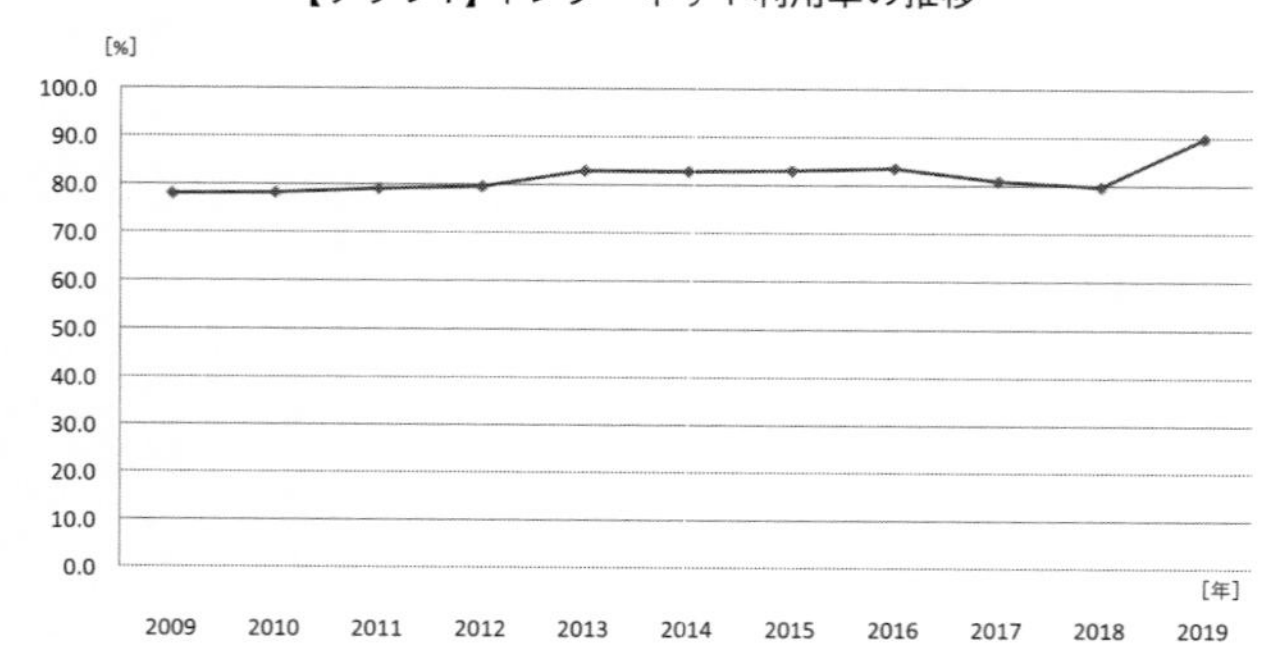

【グラフ8】授業と学校外でのICT活用(1)(2)

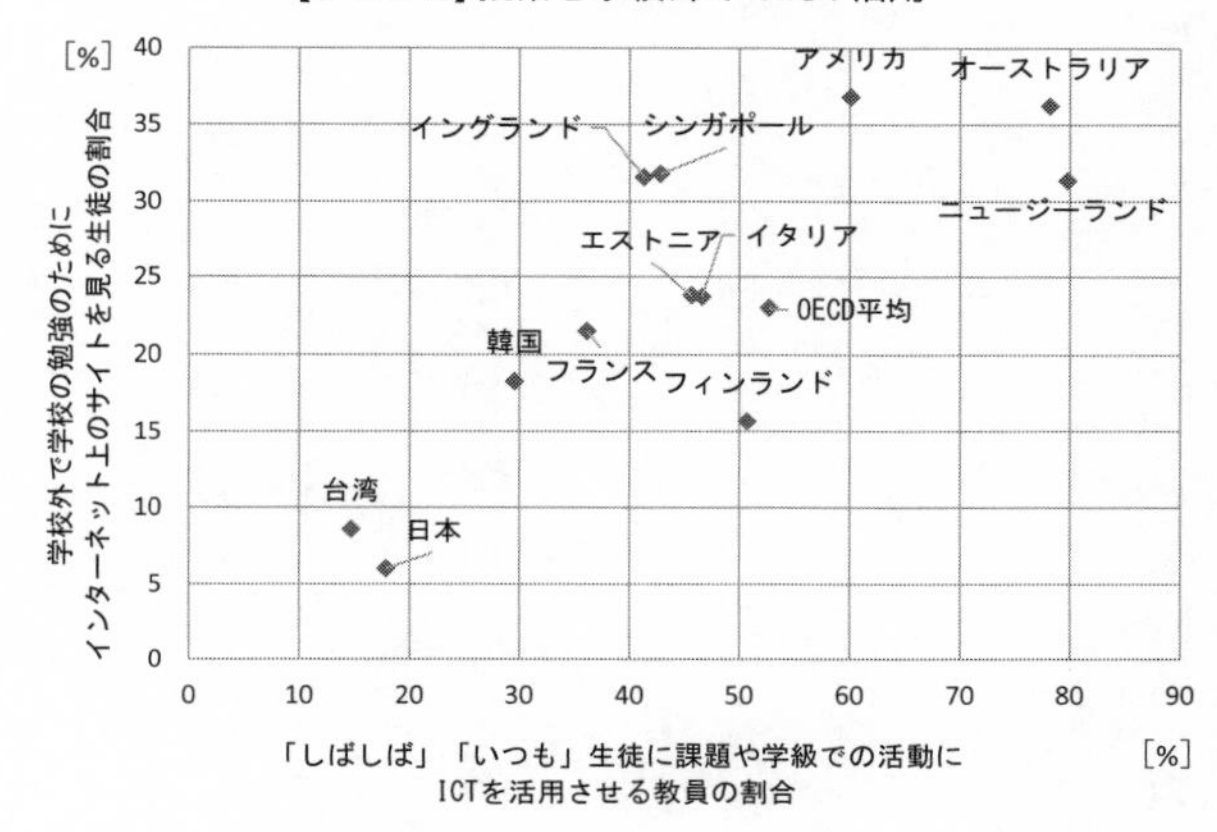

【グラフ9】「毎日」「ほぼ毎日」余暇にインターネットを見て楽しむ生徒の割合(1)

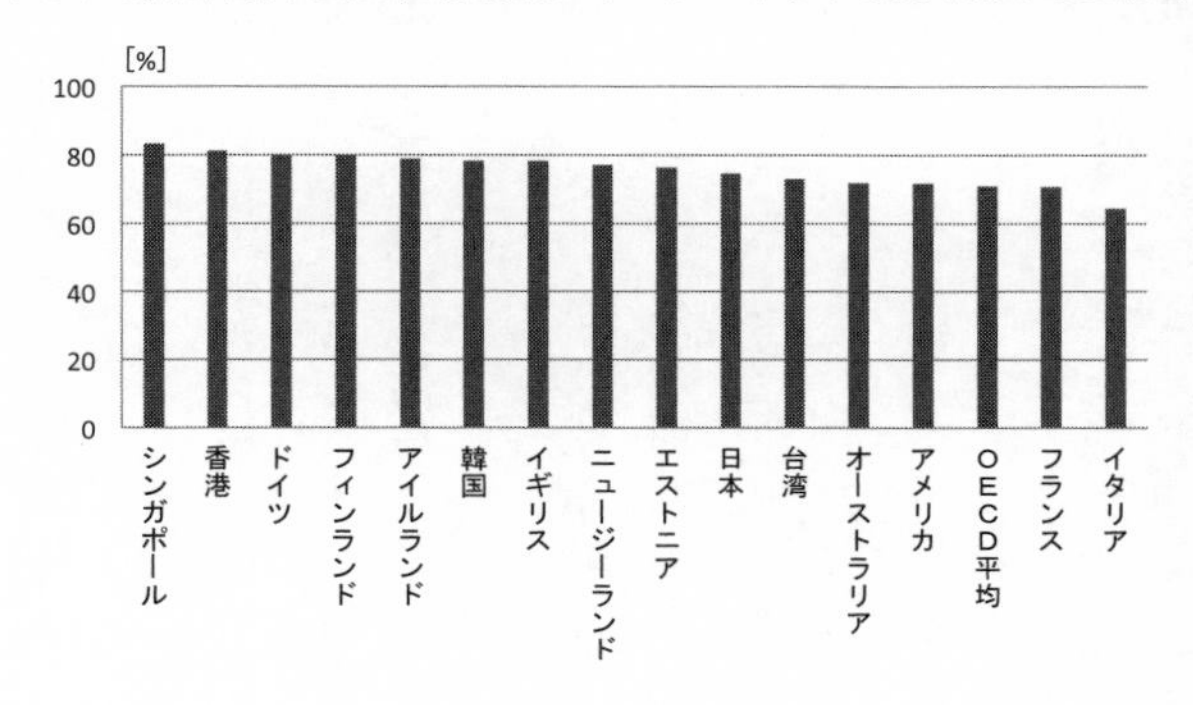

いて、学習時間を増やしながら、ＩＣＴ機器の活用スキルが期待できる。

４　ＩＣＴ活用と学習効果

文部科学省では、教科指導におけるＩＣＴ活用として、教科の学習目標を達成するために教師や児童生徒がＩＣＴを活用することとしている。学習指導要領解説で例示される、ＩＣＴ活用は、①学習指導の準備と評価のための教師によるＩＣＴ活用、②授業での教師によるＩＣＴ活用、③児童生徒によるＩＣＴ活用の三つに分けられる。

授業でＩＣＴを活用した場合の学習への効果についてはいくつかの報告がある。[9] たとえば、「ＩＣＴを活用した授業の効果等の調査報告書[10]」では、教員から、学習者の関心・意欲・態度などの観点において評価されており、知識・理解、思考判断の観点でも効果が得られるとしている。また、児童生徒からは、学習に対する積極性や意欲、学習の達成感が高まるとの評価が得られている。さらに、客観テストによる調査においては、知識・理解、技能表現の観点で高い効果が認められたとしている。

「ＩＣＴを活用した教育の推進に資する実証事業：ＩＣＴを活用した教育効果の検証方法の開発[11]」では、ＩＣＴを活用した授業において数学と理科で効果があるとしている。また、問題解決型の学習においても理解の定着に効果があるとしている。

一方で、ＰＩＳＡの報告ではＩＣＴの活用と学習到達度調査の結果は弱い相関、または負の相関となる。データからは、読解力、数学的リテラシ、科学的リテラシにおける生徒の習熟度レベルの改善に結びついておらず、読解力の得点は学校でインターネットを利用しない国で向上がみられた。

5 ICT活用の実現

日本の教員は非常に忙しいと言われるが、TALISの調査はこれを裏付けている。授業へのICT活用の実証研究では、常に教員への負担が課題に上がる。[12] 授業でのICT活用度を上げるならば、ICT環境の充実とともに、人的資源も充実させる必要がある。ICT環境については、整備が進んでいるものの諸外国と比較して低いため、一層の充実が求められる。人的資源の要求に対しては、ITサポータなど非教員を備え、ICT環境の維持管理と合わせて、利用相談に応対することで教員への負担を軽減する。現在の計画でも四校に一人のICT支援員配置を目指しているが、これがICTの運用や学習が中断することなく維持できる配置であるかは検討の必要がある。もうひとつは、教員の仕事配分に対する支援である。他国と比べて仕事時間が長いため、これがICT教育の導入に対する最初のハードルとなりがちである。ICTの導入では仕事の効率化も示されるが、準備や評価など、その範囲は教室外の仕事に限られる。授業でのICT活用においても、従来の授業と同じ研究・計画・改善のサイクルが必要となる。これが従来型と並行して行なわれると、ICTの利用に熟達していない教員は、利用に躊躇(ちゅうちょ)することは想像に難くない。日本の実証実験では、多くの場合、教員負担の課題が指摘され続けているが、その負担に対する教員支援は対応が進んでいるとはいえない。

学習者のＩＣＴ活用については、学校だけでなく、家でもＩＣＴ機器を扱うことが望ましい。コンピュータやネットワーク、必要なソフトウェアを使い学習することが期待される。しかし、ＰＩＳＡの調査によると、日本では自宅学習にＩＣＴ機器を利用することは少ない。コンピュータやインターネットの普及率や余暇での利用率からは、「コンピュータがない」、「利用方法が分からない」などの理由はうかがえない。自宅学習にＩＣＴ機器の利用度が上がらない理由として考えられる一つは、ＩＣＴの活用方法が分からない点である。非ＩＣＴの自学自習でも学習方法が分からないことはある。ＩＣＴの活用度が高まり、より深く考える宿題では、一定程度はこのような層が含まれると考える。二つ目は、ＩＣＴを学校外で学習に利用する必要がない点である、利用しなくても解決できる自学自習が多ければ、ＩＣＴの利用度は上がらない。そもそも家庭での学習時間が短く、従来型の学習時間との比率を考えると、ＩＣＴ利用の自学自習は時間が限られるのかもしれない。いずれにしても文科省が目指すＩＣＴを活用した「深い学び」にはつなげられない。

ＩＣＴ利用と学習の効果は否定するものではない。一方で、ＰＩＳＡの報告ではＩＣＴの活用と学習到達度調査の結果は弱い相関、または負の相関となる。また、授業で限定的にＩＣＴを利用する場合は利用しない場合より効果が認められるが、ＯＥＣＤ平均程度を超えた時間でＩＣＴを利用する場合は、負の相関となる。

他国と比べて教育へのＩＣＴ導入が遅れていることから、すべての学習をＩＣＴに置き換える論調も見受けられるが、すべてを置き換えたときの効果は検証されていない。また、ＩＣＴ活用が少ないアジア諸国の方がＩＣＴ先進国と言われる欧米・豪州よりＰＩＳＡの得点は高いことに対する検証も不十分である。

まとめ

新しい学習指導要領には各教科等でコンピュータ等を活用した学習活動の充実が明記され、教育のＩＣＴ化に向けた環境整備が進む。学習評価や学習環境の検証も重ねられている。物的資源だけでなく、人的資源にも目を向けて、教員への過度な負担に配慮することが望まれる。ＰＩＳＡの調査によると、日本の教員は仕事時間が長く、向上心が認められ、結果を出しているものの、自己肯定感は低い。早い段階から優秀な教員を育成して、次世代の教育提供につなげたい。

さらに、ＩＣＴ環境整備が進めば、一人一台のモバイルコンピュータが利用できるようになる。自治体レベルでは、一人一台の利用が施行されている。自宅などで余暇にインターネットを利用していることから、コンピュータやインターネットの利用スキルは獲得できる。さらに活用するためには、授業の設計において自宅学習も含めたＩＣＴ活用を提示すべきである。その際は、利用時間に配慮し、情報モラルなどの指導も合わせて行なうことになる。

現在のＩＣＴ活用は教員の力量に頼るところが多く、実証研究を除けば導入の研究は教員に委ねられている。そのなかで、効果を考えながら導入すると、ＩＣＴを導入できる単元は限られている。また、提供されるＩＣＴ教材の利用を望んだ場合も、すべての単元でコンテンツが揃っているわけではなく置き換えは難しい。ＩＣＴの活用度が上がるほど従来型との併用や効果について研究が必要である。

◉引用文献

（1）ＰＩＳＡ　https://www.oecd.org/pisa/
（2）ＴＡＬＩＳ　https://www.oecd.org/education/talis/
（3）ＴＩＭＳＳ　https://www.iea.nl/studies/iea/timss
（4）文部科学省、学校におけるＩＣＴ環境の整備について（教育のＩＣＴ化に向けた環境整備五か年計画（二〇一八（平成三〇）～二〇二二年度））、二〇一八
（5）文部科学省、幼稚園、小学校、中学校、高等学校及び特別支援学校の学習指導要領等の改善及び必要な方策等について（答申）（中教審第一九七号）、二〇一六
（6）総務省、教育ＩＣＴガイドブック Ver.1、二〇一七
（7）総務省、令和二年版情報通信白書、二〇二〇
（8）東洋大学 現代社会総合研究所、武雄市「ＩＣＴを活用した教育」第三次検証報告――新しい学力観を求めて、二〇一七
（9）文部科学省、学びのイノベーション事業実証研究報告書、二〇一七
（10）財団法人コンピュータ教育開発センター、ＩＣＴを活用した授業の効果等の調査報告書、二〇〇八
（11）ＮＴＴラーニングシステムズ、ＩＣＴを活用した教育の推進に資する実証事業――ＩＣＴを活用した

教育効果の検証方法の開発、二〇一五

（12）ＮＴＴラーニングシステムズ、ＩＣＴを活用した教育の推進に資する実証事業——教員のＩＣＴ活用指導力向上方法の開発、二〇一五

分裂と統合の Twitter
——コロナ禍におけるトレンドの特性

宮原 淳

はじめに

二〇二〇年の新型コロナウイルスによる「コロナ禍(か)」では、感染拡大防止という目的のもとに社会が団結した行動が求められ、さまざまな自粛が社会的課題となった。緊急事態宣言下、ＳＮＳ空間では、何が起こったのだろうか。

メディア学の視座では、「今日の新たなメディアは、徹底して個人的な利用形態が中心になっている」（辻、二〇一八：九）として、「個人化」というキーワードの下、ＳＮＳの特徴が議論されてきた。必要な情報しか見ないという個人化が進めば社会の分裂につながり、共通のトピックが議論される社会的統合は起こりにくい。分裂か、統合かというメディア学の議論から検証すると、コロナ禍におけるツイッター（Twitter）は、個人的な情報や意見が脈絡なく溢れていたのだろうか。それとも、社会で共通で重要な問題が議論される場所であったのだろうか。

メディア学は二十世紀前半の戦時中におけるプロパガンダ研究から発展したように、メディア再考は特殊な時勢でこそ行なわれてきた。特殊な状況だからこそメディアを巡る問題が浮き彫りになることもある。本稿は、コロナ禍という状況でこそ、これまで議論が分かれてきたツイッターの特徴が炙り出されるのではないかという問題意識に基づく。

そのために注目するのは、ツイッターの「トレンド」である。トレンドは注目されているトピックが常時ランキングとして表示されていて、エンターテインメントの最新情報や企業の期間限定キャンペーン、時事問題など一見、ランダムに見えるテーマが多岐にわたって並んでいる。そこで、メディア学の理論的枠組みを使うことによって、これらのトピックを整理し、トレンドの特徴を明らかにしていきたい。本稿の構成は最初にSNSの特徴についての理論的背景を整理する。キーワードは「ネット世論」と「ゲートキーパー」で、どちらについても相反する立場、すなわち、分裂（個人化）と統合が議論の軸になる。続いて、「トレンド」上位に入ったトピックについて、コロナ禍の一年のうち、三期間九十日分、計九〇〇本のトレンドトピックを抽出し、内容分析の手法で分析する。

1　SNSの特徴をめぐる理論的背景

◉言説空間は共有されるのか、個人化されるのか

目新しいSNSでも、人々の発言が行き交う公的な場という概念としてメディア史に照らせば、多くの議論の蓄積がある。ユルゲン・ハーバーマスはそのような場を「公共圏」と呼び、その定義として、市民が、マスメディアをはじめとしたコミュニケーション手段を通じて、社会的諸問題について「発言し議論し世論を形成して、議会や行政の政策決定・遂行過程に影響を及ぼす社会的領域」とした（Habermas, 1990=1994; 遠藤、二〇一六：一九）。このハーバーマスの議論はさまざまな批判がなされてきた。遠藤（二〇一六：三六）はハーバーマスの想定する公共圏が「社会全体で一元的（unitary）」として、「それは、現代のメディア環境においては無効」とする。公共圏は一元的でなく、複層的な小〈公共〉空間に多元的に帰属する。人々は個々の立場や価値観に沿った議論の〈場〉を選択しており、現代のネットワーク上に開かれたコミュニケーションの〈場〉は、そこに集う人びとが集合離散し、つねに流動的である。このような多元的な公共圏という視座をツイッターに当てはめれば、異なる意見をもつ個人が集う多元的、多様な場所という見方につながる（Park & Kaye, 2017）。

一元的か、多元的かという議論でのキーワードとなるのが、個人化である。人々は自らの先入観や思い込みと衝突するような情報は避ける傾向があり（Gainous & Wagner, 2013）、位置情報や過去

のクリックの傾向、履歴などから表示されるサイト上の「おすすめ」が積み重なっていくにつれ、自らと異なるタイプの情報から遠ざかっていく（Chakraborty et al., 2015）。こうして、ＳＮＳは「その人にとって興味関心がありそうな情報ばかりがやってくる環境」となり、その環境は「フィルターバブル」と呼ばれている（笹原、二〇一八：九九）。この傾向は受け手の態度に関する調査にも現われている。二〇一八年のＮＨＫ放送文化研究所の調査では、「自分が知りたいことだけ知っておけばいい」が全体で三一％だったが、男性二十代では四五％、女性二十代が四四％とＳＮＳに親しむことの多い若年層でより高いという結果が報告されている（保高、二〇一九）。

ＳＮＳ登場以前も、メディアや情報に接触するにあたって自らの既存の態度や意見と整合するものを選ぶという傾向は、「選択的接触」として知られていた（大石、二〇〇六：一〇五）が、ＳＮＳ上では個人の傾向に止まらず、選択的接触の結果、同じ意見を持つ人たちのネットワークが形成されていく（Gainous & Wagner, 2013; Klinger & Svensson, 2015）。こうして、意見をＳＮＳで発信すると、自分とそっくりな意見ばかりが返ってくる状況に陥り、これを「エコーチェンバー」と呼ぶ（笹原、二〇一八：八二）。

自らと異なる意見に目が届かなくなる分裂した環境では、もはや統合された「社会」が成立しがたくなることを意味するとも示唆されている（辻、二〇一八：一一）。津田（二〇一七：三）は、個人が好みに応じて多様なメディア・コンテンツを消費するようになることで、「誰しもが共有する社会的知識」が損なわれ、「民主主義的な合意形成が困難になってしまうという可能性は存在しないのだろうか」と問題提起をした。

◉ネット世論と従来の世論は同じか、異なるか

個人化という分裂が指摘される中で、ネット上の声を集約して「ネット世論」と言うべきものは存在するのだろうか。存在するならば、従来の「世論」とネット上の「世論」は同じだろうか。この点も先行研究では見解が割れている。

木村（二〇一八）はネット世論が従来の世論とは異なるという立場で、「ネット世論」とは、「世情（public sentiment）」としての「世論」が煽情的に増幅された言説空間であり、社会一般の世論とはかけ離れた偏ったものと評する。実際、「ネット炎上」を引き起こし、フェイクニュースが流布、拡散、世論操作が跋扈（ばっこ）する空間ではないかと懸念されている。

逆に、ネット世論が従来の世論と類似するという指摘もある。Davis（2017）は、二〇一六年の米国の大統領選において、ツイッターのユーザーが重視する論点と従来の世論調査の結果が概ね一致することを明らかにした。これを根拠に、ネット世論と従来の世論が同一だとまで結論を飛躍すべきではないが、ツイッター上でも民主主義的な合意形成が可能であることを示唆している。

ネット世論の定義づけが困難である要因として、ネット上の何を見て世論と判断するかという議論がある。木村（二〇一八）は、言説・感情・行動の複合体を「ネット世論」として捉えることを提案している。つまり、ネット上のコメント集積から一つ一つを精査し、そこにはさまざまな意見や感情があることに着目し、リツイートや「いいね」にさまざまな意見や感情があることに着目することになる。

ネット上の書き込みだけでなく、リツイートや「いいね」などの反応まで考慮に入れると、そ

もそも、SNSでは世論の前に、何が議論なのか、そもそも議論自体が生まれているかどうか、懐疑的な捉え方にもつながる。林ほか（二〇二〇：一七四）は、大阪都構想に関する投稿を分析し、ツイッターは「議論する場ではなく、各種メディアの記事を参照して自分の意見を補強する場及び流布する場となっていた」と結論づけた。SNSのコンテンツは、ユーザーが作り出したものとは限らず、マスメディアを参照していることも多いという **Klinger & Svensson**（2015）も同様の指摘である。

◉情報の流れを握るのはマスメディアか、ユーザーか

メディア学で世論に関する研究は、マスメディアがどのように人々の意見形成に影響してきたかが議論の中心的な命題となってきた。「ネット世論」も、マスメディアがユーザーに対して与える影響力を再考することが手がかりとなる。

ネット世論に大きな影響力を持っているのはマスメディアであるとする報告事例は複数ある。**Kwak et al.**（2010）の分析では、ツイッターでリツイートが多かったトピック上位二十項目のうち、マスメディア発信のニュースでない情報は二本だけであるなど、ツイートの大部分はマスメディアによる報道関連のトピックであった。また、マスメディアによるツイートは、リンクを掲載して自社サイトへ誘導するなど、情報の流れをコントロールしている（**Kozman & Cozma, 2021**）。つまり、マスメディアは情報の流れをコントロールする「ゲートキーパー」としての役割を担い続けているという見方である。

以上とは逆に、メディアはもはや影響力を持たないと結論づけた先行研究もある。SNSによる

メディアの弱体化についての主な論点は、前述のエコーチェンバーとして議論されるように、自分の欲しがる情報しか見ないユーザーにとっては、マスメディアはもはやゲートキーパーではない（Gainous & Wagner, 2013）という点にある。マスメディアの弱体化の傾向は、特にシンガポールのように表現の自由、メディアによる自由な討論が統制されてきた国家で見られるという指摘もある（Ahmed et al., 2019）。そもそもメディアが真実を伝えているかどうか、ユーザーからの信頼が失われていれば、ＳＮＳでゲートキーパーとしての力を持たない。

では、ツイッターの「ゲートキーパー」は誰なのか。伝統的なマスメディアが弱体化したとするならば、誰がとって変わったのか。「ゲートには新しい力がある。アクティヴユーザーである」と論じるのは、Adornato（2017）である。ユーザーが興味のある記事をリツイートしたり、「いいね」で反応を示したりするトピックは、報道機関にとってリアルタイムのニーズを示す数字として捉えられる。報道機関が何をより重視して報道するかという情報選択は、ユーザーの需要に基づくことになる。

ゆえに、新しいゲートキーパー、伝統的なマスメディア（新聞や放送の報道機関）に変わる影響力は、「人気度」である（Klinger & Svensson, 2015）。しかし、ネット上の「人気」を媒介にしたしくみは、閉域性につながると危惧される。フラットなはずのウェブの世界に一極集中的な現象をもたらし、ウェブという大海を「人気投票の上位グループ」ばかりが集中的に脚光を浴びて閉域に縮減していく（土橋、二〇一三）。

◉危機的状況でマスメディアは見直されるのか、弱体化するのか

以上で見たツイッターのゲートキーパーはユーザーなのか、メディアなのかという議論は、特に有事の際に注視されてきた。マスメディアの影響力が強化されるのか、逆に、マスメディアにとってかわる存在としてツイッターの影響力が発揮される局面なのか。これも、議論が分かれている。二〇一一年の東日本大震災はツイッターの力が広く認識されるきっかけになった。山腰（二〇一三：一五七）は、当日のツイートは震災前の一・八倍になったことなどを踏まえ、「災害時においてマスメディアが伝えない情報を収集・発信する上で有用」と指摘している。

一方で、ユーザーは危機的状況においては、伝統的なメディアをソースとした報道を重視しているという調査もある（Takahashi et al., 2015）。つまり、伝統的なマスメディアが社会的統合の役割を担う側面が改めて注目される。新聞通信調査会の「第四回メディアに関する全国世論調査（二〇一一年）」では、「地震・津波や原発事故に関する情報のうち、どのメディアで入手した情報を信頼しているか」という質問（震災発生半年後時点）に対して、伝統的なメディアを挙げる人が次のように多かった。

・ＮＨＫテレビ（被災地の岩手・宮城・福島で六八・二％）

・新聞（同六〇・二％）

これはインターネット（パソコン、同九・九％）、インターネット（携帯電話、同七・三％）と大差が

あり、伝統的なマスメディアの報道機関が災害時に信頼性の高い情報源と認識されていたことがわかった。情報の信頼性という点では、インターネット上のデマ拡散という視点も重要である。この点が、マスメディアの情報の信頼性が見直され、影響力が増すことにもつながる。東日本大震災ではコスモ石油のガスタンクが爆発した直後、「有害物質を含んだ雨が降る」という流言(りゅうげん)が広がった事例などがある(小笠原ほか、二〇一八)。

◉先行研究まとめ

以上のように、SNSの言説空間の特徴は、分裂(個人化)と統合(マスメディアによるコントロール)の相反する立場が議論の軸となってきた。個人化という分裂が進む中では、「ネット世論」をどう捉えるのかという論点が浮上する。この手がかりは、従来、世論に影響を与えてきたマスメディアである。つまり、マスメディアが伝統的に担ってきたゲートキーパーの役割は、未だ健在であって社会的団結に向かわせるとする立場と、逆の立場、つまり、アクティヴユーザーがメディアにとってかわり、個人化、分断化が進むという立場がある。特に情報が氾濫する有事の際にこの議論が注視されてきた。

そこで本稿は、分裂と統合の狭間で未解決になっているツイッターの言説空間の特徴を明らかにしていきたい。特に、議論の鍵として、「ゲートキーパー」と「ネット世論」をキーワードとして、マスメディアの影響力に焦点を当てる。

2　調査

◉調査方法

二〇二〇年、コロナ禍におけるツイッターの言説空間の特徴を明らかにするため、ツイッターの情報の流れを示唆する指標として、「トレンド」に着目する。Twitter社によると、トレンドはアルゴリズムによって決定されており、「ここ数日や今日一日で話題になったトピックではなく、今まさに注目されているトピック」が選び出される。調査対象は、ユーザーによってカスタマイズされたトレンドではなく、「日本のトレンド」ランキング十位以内に入ったトピックとする。

調査期間は、一回目の緊急事態宣言が発出中の一ヵ月間（三十日間）と、二回目の緊急事態宣言の一ヵ月間、さらに比較のためにコロナ感染者数が比較的落ち着いていた一ヵ月間で以下のとおりである。

一期……二〇二〇年四月九日―五月八日（一回目の緊急事態宣言中）
二期……二〇二〇年十一月九日―十二月八日（感染状況が比較的落ち着いていた時期から徐々に再拡大）
三期……二〇二一年一月十六日十二月十四日（二回目の緊急事態宣言中）

以上のように三期に分けて、「日本のトレンド」上位十位までを収集、保存した。ツイートは時間帯によって特徴が異なることがすでに指摘されているため（Chakraborty et al., 2015）、調査対象の時間は午前八時台とした。以上の計九十日間で、合計九〇〇本のトピックを分析対象として、内容分析を行なう。内容分析は、因果関係や相関関係を明らかにすることを目的とすることが多いが、本稿ではコンテンツ（ツイート）の特性の記述が主な目的になる。Riffe et al.（2014=2018: 39）は、記述的な内容分析について、「コミュニケーション研究においては、コンテンツを単に記述することにも一定の意味がある。事実、内容分析の研究は記述的なものであることも多い」と意義を認めている。

Riffe et al.（2014=2018: 41）は記述的な内容分析の長所としてさらに、前例のない予期せぬ出来事では通常では見られない分析結果が期待でき、「記述的な研究に意義が生じる」としている。この長所はコロナ禍という特殊な状況に適合するものと期待できる。

ツイートを内容分析した調査事例はコンピュータサイエンス分野など本稿の目的とは異なるが複数あり、本稿では、トレンドトピックのすべてを四種類に分類することに成功したZubiaga et al.（2011）を参照する（詳しくは後述する）。これは四種類に絞り込む点で「概念をシンプルで扱いやすいものにすれば、信頼性を得るのは容易である」とする考えに基づく（Riffe et al., 2014=2018: 145）。また、本調査はトレンドの一定期間における全数調査であり、ツイッター上の全ツイートを母集団として推測するものではない。「特定の出来事や一連の出来事を検証する研究にとっては、全数調査がもっとも有意義な方法であることが多い」（Riffe et al., 2014=2018: 110）とする立場であり、ゆえに、サンプル抽出に伴う統計処理等は不要である。

調査項目は次の三点となる。

（1）トレンドにおける四カテゴリー別割合。これにより、伝統的マスメディアの影響力が示唆される。ただし、順序尺度では扱いにくいためランキングの差異を無視する。

（2）トレンドにおける伝統的マスメディアによる報道カテゴリーの特徴。各期での比較。特にコロナ関連ニュースとそのほかのニュースの比較をする。

（3）注目すべき事例の発見。上述の内容分析プロセスで、「ゲートキーパー」と「ネット世論」に関する先行研究の指摘に合致する事例として特に注目すべき事例を発見する。

◉調査結果

ここで検証するすべてのトレンドトピック九〇〇本は、次の四カテゴリーに分類された。

▼「報道」（News）

・報道に基づくツイートで、具体的に特定できる記事に対する反応。報道内容は、一般紙が扱うもの。芸能などエンターテインメントは除く。

▼「最新の出来事」（Current event）

・実況。テレビ・ラジオ番組など、進行中のイベント。（例：＃サンデーモーニング、＃めざましテレビ）

・エンターテインメント。ゲーム・アニメ・アイドル・芸能人などの最新情報、新作発表。（例：＃鬼滅の刃一番くじ、＃仮面ライダーセイバー、あっちゃん離婚）

・スポーツ。実況中継やファンコミュニティの性質が強いため一括して「報道」カテゴリーには入れない。（例：内川ヤクルト、カディス）

・企業によるキャンペーン。期間限定でリツイートすれば商品が当たる、など。（例：＃ローソン公共料金で最高5万ポイント、＃からあげクン博多明太マヨ味）

・交通情報。運行情報。（例：人身事故）

▼「ミーム」（Meme）

・「拡散するアイディア」を意味する。個人的な言葉のコミュニケーションを楽しむツイート。（例：＃世界一役に立たない旦那の行動、＃みんな嫌いな食べ物晒そうぜ、＃せと打ってクリスマスにもらえるもの、＃ありそうなイオンモールの名前選手権）

・ウェブサイト「診断メーカー」等によるランダムな結果表示を楽しむツイート。（例：＃本命チョコの数、＃異性にモテない原因一覧表、＃ガチギレした時の危険度）

▼「記念」（Commemorative）

・周年や記念日を祝うもの。芸能人の「生誕祭」は、その芸能人にちなんだトピックを含める。（例：#SexyZoneデビュー9周年、＃大野智誕生祭、＃お母さんいつも産んでくれてありがとう）

・前もってわかっている話題。「連休初日」など行事や、挨拶のやりとり。13日の金曜日を意味する「ジェイソン」など広義を含む。（例：＃ポッキーの日、土曜出勤、連休最終日）

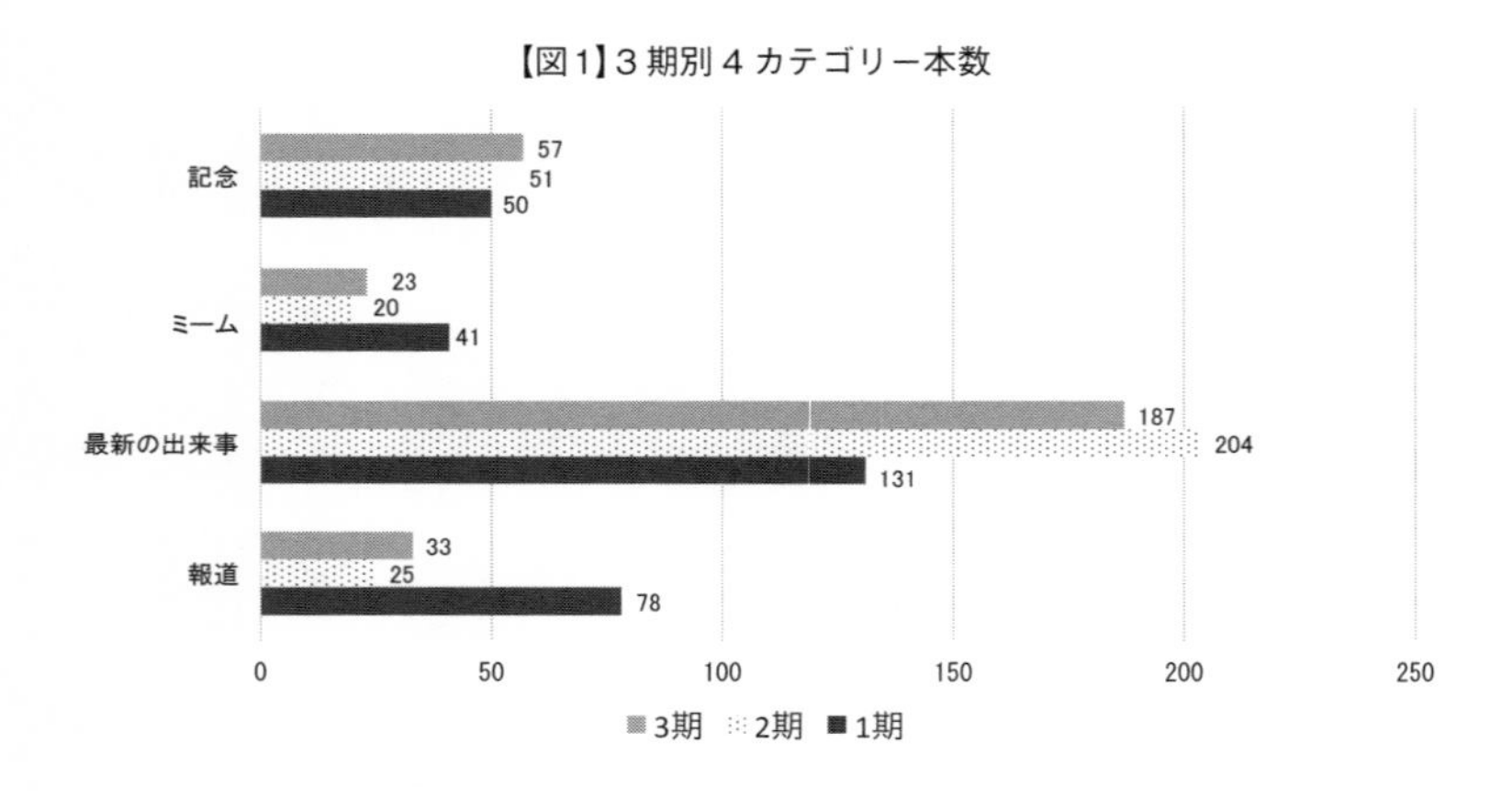

【図1】3期別4カテゴリー本数

三期別の四カテゴリーの本数は、【図1】で示した。三期すべてで最も高い割合を占めていたカテゴリーはエンターテインメントを中心とする「最新の出来事」で、特に二期で二〇四本（六八・〇％に相当）と最も高かった。二番目に多かったのが、一期（最初の緊急事態宣言中）でのみ「報道」カテゴリーで、二期と三期はともに「記念」であった。「記念」は三期とも五〇本台で数が安定していて、コロナ禍の状況次第で変動したとは見られない。逆に、「報道」の本数は明確な変化があった。最も多かった一期で七八本（四カテゴリー中二六・〇％）を占めたが、二期では二五本（八・三％）に急落した。新聞各紙、テレビの報道番組などでは年間を通じ一貫してコロナ関連のニュースが報道されていたにもかかわらず、報道カテゴリーはトレンドから外れていった。ゆえに、伝統的なマスメディアの影響力は変動するものだと言える。

なお、先行研究の四分類を参照すると、「最新の出来事」（五九・五％）、「報道」（一三・七％）で、本分析の三期（「最新

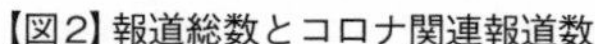
【図2】報道総数とコロナ関連報道数

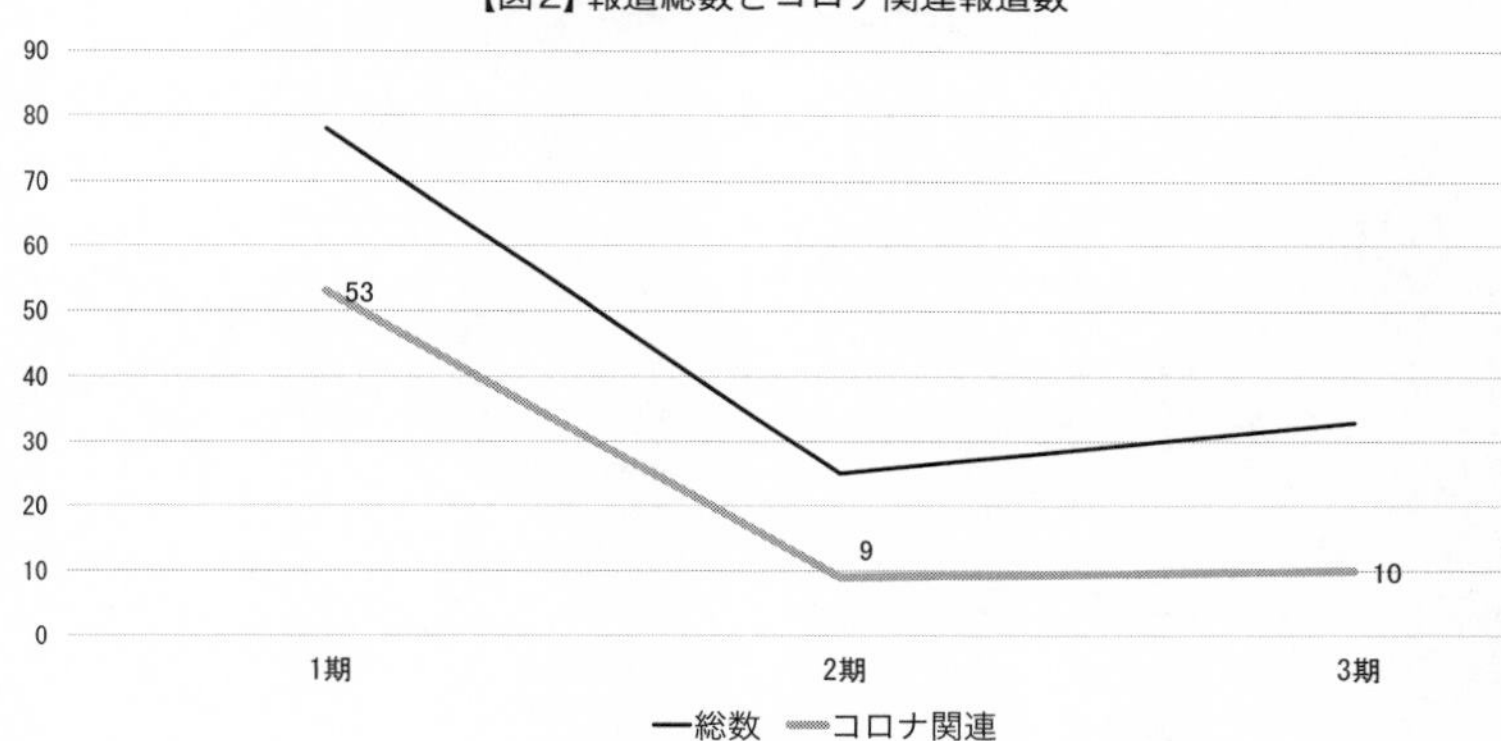

の出来事」六二・三％、「報道」一一・〇％）と類似している。そのため、三期は二回目の緊急事態宣言下であったが特殊な偏りが生まれていないと推察することができる。

続いて、「報道」カテゴリーに焦点を絞る。総計本数とそのうちコロナ関連ニュースの本数を、【図2】で示す。コロナ関連ニュースは、第一回の緊急事態宣言下で最も多く（一期の報道関連七八本中、五三本）、二回目の緊急事態宣言では第一回ほどの注目を集めず（三期が三三本中、一〇本）、一期の五分の一以下にまで急落している。緊急事態宣言ではない二期は二五本中、九本にすぎない。「報道」カテゴリーの三期間での変動は、コロナ関連ニュースが影響していることがわかる。

その他特に注目すべき事例として、ユーザーが生み出すコンテンツで、ハッシュタグを使った動きがトレンド入りする事象が六本見られた。具体的には、次のとおり。

・＃安倍はやめろ（一期）
・＃外国籍・無国籍市民にも一律給付を（一期）

・＃現金一律支給がなければ二度と自民党には投票……（一期）
・＃吉村寝ろ（一期）
・＃自民が消えればコロナも消える（三期）
・＃森喜朗氏は引退してください（三期）

以上はどれも政治的な主張であり、大阪府知事に賛同する声、与党に反対する声などがネット上の動きとしてトレンド入りした。六本はいずれも緊急事態宣言中で、コロナ関連報道と直接的な関係がある。「＃森喜朗氏は引退してください」は、東京オリンピック・パラリンピック組織委員会の森喜朗会長（当時）による日本オリンピック委員会（ＪＯＣ）の評議員会での女性蔑視発言が契機となっているが、これも五輪開催の是非（ぜひ）がコロナ感染状況と密接に関連している点では広義にコロナ関連である。

さらに別の注目すべき事例として、真偽の定かでない情報がトレンド入りするケースが二本あった。五月六日の「南海トラフ」「人工地震」「巨大地震」は、地震の予言というデマに関連するツイートである。四月二十五日の「金正恩（キムジョンウン）死亡」と「植物状態」は、韓国や香港からの速報とされる情報などによるものである。

3　議論・多様性を基盤とした統合へ

本稿の結果を先行研究で着目した二つのキーワードから議論したい。第一に、ゲートキーパーの議論に照らし合わせると、ネット世論に大きな影響力を持っているのは依然マスメディアであるとする先行研究とは異なり、マスメディアはトレンドの動きをコントロールするゲートキーパーと言うことはできない。その根拠として、トレンドで報道が占める割合が一貫して三割以下と低く止まったことがあげられる。確かに、緊急事態宣言時においてはコロナ関連の報道への注目が高まったが、宣言が解除されて感染状況が比較的落ち着いてくると、報道が占める割合も下がっていく。なお、緊急事態宣言下で高く、その後低下した変動の要因は、緊急時にはマスメディアへの信頼が高まることを指摘した先行研究によって説明できるかもしれない。ただし、留意点として、トレンドの中での報道が占める割合（報道への注目）は、本稿の分析対象外にさまざまな影響（変数）が考えられる。変数とはたとえば、コロナ関連で情報が必要とされる状況下においても、大きなスポーツイベントや人気芸能人の誕生日などがあった場合、コロナ関連報道がトレンドでは外れてしまうことがある。そのような要因を考慮に入れても、「報道」カテゴリーの結果から、トレンドでのマスメディアへの影響力は一定ではないことは明らかである。

マスメディアがコントロールする「報道」カテゴリー以外の情報の流れでトレンド入りしたのは、フィルターバブルやエコーチェンバーをはじめ「個人化」という文脈で議論されてきたような趣味のトピック（アニメやゲーム、芸能人のファンコミュニティなど一部のユーザーでは注目を集める一方で興味を持たないユーザーにはまったく無関係であるような話題）が最も多かった。しかし、ユーザーは個人化された空間（一定のトピック）だけに止まるとは限らない。ユーザーはマスメディアの情報のような共通トピックに発言することもあり、ユーザーの関心は遠藤（二〇一六）が指摘したように「流動的」であることがトレンドカテゴリーの変動から推察される。つまり、緊急事態宣言下から解除後に至るコロナ禍のトレンド傾向から導出できるツイッターの特徴は、ユーザーが統合と分裂（個人化）の間を必要に合わせて行き来可能な流動的な空間だと言えるであろう。換言すれば、ツイッターの言説空間の特徴という議論は、分裂か統合かの二択で捉えるべきではなく、併存する特徴であると思われる。

第二に、「ネット世論」に関して、ゲートキーパー不在で個人化の流動の中では、従来のような「世論」をネット上で切り出すことも困難だと言うべきであろう。しかし、ネット上の声を集約する形として、新たな可能性に着目しておきたい。ハッシュタグを効果的に使って政治的な意見発信がトレンド入りする事象である。この現象の六事例は、コロナ関連報道と密接に関連した動きであり、主にコロナ禍でこそ生まれたトレンドであった。このようなトレンドの数は限定的であるが、アクティヴユーザーこそがゲートキーパーであるとした先行研究ほどの影響力を持つこともあるのか、また、ユーザーによるマスメディアが伝えない情報の収集・発信という可能性があるのか、今後の言説空間のあり方の可能性を示唆する事例かもしれない。

このような動きを「緩やかな連帯」として見ることもできる。辻（二〇一三）は、「トピックの共有だけに特化した連帯の例」として、廃線に反対するオンラインでの鉄道ファンコミュニティの運動に着目した。これはかつて、オフラインでの連帯が時間や空間を共有していたのとは異なる連帯であり、新たな統合の方向性を示す現象である。

オンラインでの統合は一部の極端な思想の暴走やデマ拡散の危険を伴うことは留意しなければならないが、その上で、緩やかな連帯は、誰もが参加できる場であり、「真の公共圏は誰もが参加できる社会でのみ実現する」(Fuchs, 2014)。誰もが流動的に出入りしやすい「緩やかさ」のある空間でこそ、多様な声による議論が生まれ、時には連帯という新たな統合が生まれる可能性がある。端的に言えば、ツイッターの現段階の特徴は流動性にあるが、多様性を基盤とした緩やかな統合という可能性を秘めているのではないだろうか。

以上、ツイッターの特徴について考察してきたが、本論の冒頭で、また、内容分析の記述における意義で、コロナ禍という特殊な状況だからこそメディアを巡る問題が浮き彫りになることもあると言及したことに立ち返りたい。ゲートキーパーに関しては「報道」カテゴリーの三期間の変動において、また、ネット世論に関しては、政治的な意見発信をするハッシュタグの事例が主にコロナ禍関連で見られたように、流動性は、コロナ禍だからこそより明確に現出したと思われる。

4　今後の調査課題

最後に、本稿では迫ることができなかった残された課題として三点を挙げておきたい。第一にユーザーがマスメディアにとってかわるゲートキーパーであるかどうかの検証である。本稿ではマスメディアが従来のようにゲートキーパーと言う立場に常駐していないと結論づけた。では、ユーザーがゲートキーパーと言えるのかという点は未解決である。特に、先行研究が示したユーザーの選択と需要が報道機関の情報選択に影響を与えているという点についてさらにアクティヴユーザーに迫る分析が必要である。そのためには、本稿の量的な分析だけでなく、トレンド入りしたトピックや、それに関するツイートの一つ一つの質的調査が必要である。具体的にどのようなトピックについて、ユーザーはどのような立場でどのような議論をしてきたのかなど、質的調査によって明らかにすることが可能であろう。

第二に、トレンドがツイッターの言説空間の全体像をどれほど反映しているのか、さらに検証が必要である。本稿では、一部のサンプル（トレンド）から母集団（ツイッターの全体像）を推測する量的分析は行なっていないが、言説空間の全体像に関してはネット上の声を集約する一つの指標として「ネット世論」をめぐる議論に言及した。結論として、流動化で新たな連帯の可能性を捉えつつも、流動的であるからこそ「ネット世論」を切り出すことは困難だとした。本稿ではこのように、ツイッターの言説空間の特徴を「流動性」と提示した時点で止まっており、「流動」の定義をさらに精査する分析が必要である。たとえば、流動的な環境ではありながら、流動しないことを選ぶユーザーを分析すべきである。緊急事態宣言下の文脈で考えると、「自粛」と「経済」の両立は、「自粛警察」という言葉を生み、賛否両論の発言が行き交った。その中で、あえて衝突を生むような発言を控えるユーザーも少なくないと推測される。個人的なコミュニケーションの道具としてツイッターを使うユーザーは、自らのアカウントで政治的な意見を表明するとは限らない。

第三に、トレンド、すなわち「人気度」こそがツイッターの情報の流れを変えるゲートキーパーであるのかという点の検証である。トレンドのランキングが表示されることによって、ユーザーはどのような影響を受けるのか。ネット上の人気を媒介にしたしくみは、閉域性につながるとの指摘があったように、トレンドこそがユーザーに影響を与えて情報の流れをコントロールし、ツイッターの本来自由な情報の流れを閉域としてしまう可能性がある。トレンドの影響力を精査することが必要である。

以上のような課題に取り組む上で、ゲートキーパーと世論というメディア学の理論的枠組みは、ツイッターや変化し続けているその他のＳＮＳの特性を把握する上で有用であることが期待できる。

◉引用文献

Adornato, A. (2017). *Mobile and social media journalism: A practical guide*. CQ Press.

Ahmed, S., Cho, J., & Jaidka, K. (2019). *Framing social conflicts in news coverage and social media: A multicountry comparative study. International Communication Gazette*, 81(4), 346–71.

Chakraborty, A., Ghosh, S., Ganguly, N., & Gummadi, K. P. (2015). *Can trending news stories create coverage bias? On the impact of high content churn in online news media. Computation and Journalism Symposium.*

Davis, D. H. (2017). *Is Twitter a generalizable public sphere? A comparison of 2016 presidential campaign issue importance among general and Twitter publics. Proceedings of the 8th International Conference on Social Media & Society*, 1–5.

Fuchs, C. (2014). *Social media: A critical introduction*. SAGE Publications Limited.

Gainous, J., & Wagner, K. M. (2013). *Tweeting to power: The social media revolution in American politics*. Oxford University Press.

Habermas, J. (1990=1994). *Strukturwandel der Öffentlichkeit, Untersuchungen zu einer Kategorie der bürgerlichen Gesellschaft*. Suhrkamp.（細谷貞雄・山田正行訳『公共性の構造転換——市民社会の一カテゴリーについての探究』未來社）

Klinger, U., & Svensson, J. (2015). *The emergence of network media logic in political communication: A theoretical approach. New Media & Society*, 17 (8), 1241–57.

Kozman, C., & Cozma, R. (2021). *Keeping the gates on Twitter: Interactivity and sourcing habits of Lebanese traditional media. International Journal of Communication*, 15, 21.

Kwak, H., Lee, C., Park, H., & Moon, S. (2010). *What is Twitter, a social network or a news media? Proceedings of the 19th International Conference on World Wide Web*, 591–600.

Park, C. S., & Kaye, B. K. (2017). *Twitter and encountering diversity: The moderating role of network diversity and age in the relationship between Twitter use and crosscutting exposure. Social Media+ Society*, 3 (3).

Riffe, D., Lacy, S. and Fico, F. (2014=2018). *Analyzing Media Messages: Using Quantitative Content Analysis in Re-*

search. Routledge.（日野愛郎監訳／千葉涼・永井健太郎訳『内容分析の進め方――メディア・メッセージを読み解く』勁草書房）

Takahashi, B., Tandoc Jr., E. C., & Carmichael, C. (2015). *Communicating on Twitter during a disaster: An analysis of tweets during Typhoon Haiyan in the Philippines. Computers in Human Behavior*, 50, 392–98.

Zubiaga, A., Spina, D., Fresno, V., & Martínez, R. (2011). *Classifying trending topics: a typology of conversation triggers on twitter. Proceedings of the 20th ACM International Conference on Information and knowledge Management*, 2461–64.

遠藤薫 編著（二〇一六）『ソーシャルメディアと〈世論〉形成』東京電機大学出版局

大石裕（二〇〇六）『コミュニケーション研究――社会の中のメディア』慶應義塾大学出版会

小笠原盛浩・川島浩誉・藤代裕之（二〇一八）「マスメディア報道はTwitter上の災害時流言を抑制できたか？――二〇一一年東日本大震災におけるコスモ石油流言の定性的分析」『関西大学社会学部紀要』、第四九巻第二号、一二一―四〇頁

木村忠正（二〇一八）「「ネット世論」研究から見る「ハイブリッド・エスノグラフィー」の必要性」『マス・コミュニケーション研究』、第九三巻、四三―六〇頁

笹原和俊（二〇一八）『フェイクニュースを科学する――拡散するデマ、陰謀論、プロパガンダのしくみ』化学同人

「第四回「メディアに関する全国世論調査」（二〇一一年）結果の概要」中央調査社<https://www.crs.or.jp/backno/No655/6551.htm>

辻泉（二〇一三）「オンラインで連帯する」土橋臣吾・南田勝也・辻泉編著『デジタルメディアの社会学――問題を発見し、可能性を探る〔改訂版〕』一一四―一二九頁　北樹出版
辻泉（二〇一八）「メディア社会論のために」辻泉・南田勝也・土橋臣吾編『メディア社会論』一―一五頁　有斐閣
津田正太郎（二〇一七）「大衆なき社会の脅威――大衆とメディアに関する理論の変遷とその背景」『慶應義塾大学メディア・コミュニケーション研究所紀要』、第六七巻、一―一七頁
土橋臣吾（二〇一三）「ウェブは本当に情報の大海か」土橋臣吾・南田勝也・辻泉編著『デジタルメディアの社会学――問題を発見し、可能性を探る〔改訂版〕』二四―三六頁　北樹出版
林浩輝・梅原英一・小川祐樹（二〇二〇）「否決された大阪都構想の Twitter 投稿における世論形成理論成立の考察」『社会情報学』、第八巻第三号、一六五―七五頁
保高隆之（二〇一九）「情報過多時代の人々のメディア選択～「情報とメディア利用」世論調査の結果から」『放送研究と調査』、第六八巻第一二号、二〇―四五頁
山腰修三（二〇一三）「デジタルメディアと政治参加」大石裕編『デジタルメディアと日本社会』一五一―六五頁　学文社

功利主義と義務論
――社会科学の視点を進化理論から考える

蔵 研也

はじめに

西洋の社会哲学、あるいは倫理学の展開を見るなら、功利主義的な論理に基づいた議論と、それに対抗する形で、古典時代から続いてきたような義務論を重視する流れがある。たとえば、児玉（二〇一〇）は、「現代英米の倫理学では、功利主義と義務論という二つの理論が大きく対立していると言われる。功利主義とは、行為や政策が人々に与える結果を重視する立場であり、最大多数の最大幸福に役立つ行為が倫理的に正しいとする考え方である。一方、義務論は、そのような結果の良し悪しにかかわらず、世の中には守るべき義務や倫理原則があるという考え方である」（ⅰ頁）という記述から、その論述を展開している。

実際、前者は主に経済学の分野の理論的な基礎を提供してきたと考えられ、また後者はどちらかというと伝統的な法律学や政治学の原則として利用されてきた。そして、これまでに多くの倫理学・道徳社会哲学者たちがそうした原則に基づいて、それぞれに説得的な議論を提出してきた。

さて小論の目的は、こうした哲学的な対立を解消する、あるいはそれらに決着をつけるという壮大なものではない。むしろ、「そうした哲学を我々がなぜ支持するのか？」という進化心理的な基盤、つまりそうした道徳哲学の自然科学的な理解を試みる。これについては参考になる論考がすでに数多く存在するため、それらを筆者なりの視点からまとめるという形を採る。また、ここでは功利主義や義務論などの伝統的な哲学的理論を、ひじょうに単純化して扱う。ある種、特徴を戯画化することによって争点が明確になり、またその説明もシンプルになるからである。これまでの現実の哲学者の論争には、さらにさまざまな彩りが加わっているが、そうした詳細な論考との関係については未来の学者に委ねたい。

第一節では、功利主義と義務論をひじょうに簡単に概説し、第二節ではそれらが経済学や法学、政治学などにどう影響してきたかを説明する。第三節では、進化心理学を使って、これら二種類の人間の価値観がどのように進化してきたのかを考察する。最後に第四節では、人間心理のパターンとこれらの価値観が共鳴して政治的な力学を形成していることを説明し、そしてそれが、より大きくは人類史になってきたことを示唆する。

1　功利主義と義務論・徳倫理学

◉功利主義

まず功利主義について説明する。功利主義とは、行為や制度の望ましさをその結果として生じる効用（utility）によって評価するという考えである。行為や制度そのものから派生する結果を基準とするため、帰結主義の一つである。そして効用とは幸福、満足、快感、快楽といった、個人あるいは個体の心理的な利益を指している。

これは十八世紀イギリスの哲学者ジェレミー・ベンサムによって最初に定式化された思想であり、その後、一八六三年にＪ・Ｓ・ミルがそれを拡張してまとめた『功利主義』を発表したことで一般的に支持されるようになった。その後は、現代に至るまで、リチャード・マーヴィン・ヘアやピーター・シンガーといった倫理学者へと受け継がれてきた。またベンサム自身の功利主義は、きわめて単純には「最大多数の最大幸福」というスローガンで表現されてきた。これは各人の感じる快楽は量的に測ることが可能であり、それを足し合わせることも可能であるという、現代的な視点からはかなりナイーヴなものであるが、それゆえに直感的にも理解しやすく、説得力を持ち続けてきたと考えられる。たとえば、ある行為がどれほど望ましいのかを考えるには、その行為によって生じる関係者の快楽の総量から、彼らの苦痛の総量を引くことで計算できる。

こうした判断基準は、直感的には当然のようにも思われる。しかし、たとえば望ましくない行為の典型として「人を殺す」という行為について検討してみよう。功利主義的には、人を殺すことで得られる利益が、殺さないことよりも関係者に大きな効用をもたらすなら、殺人は正当化されるだろう。しかし、ある特定の殺人という個別的な行為に関してこうした基準を当てはめること（行為功利主義）は、現実にはとても難しい。多くの場合に、関係者が多すぎ、計量化は不可能に近いからである。

こうした個別の行為に対する判断という不都合を考慮して、特定の殺人という個別の行為ではなく、「殺人をする」という抽象的な規則に対して功利的な基準で判断を下すという規則功利主義が提唱されてきた。この場合、「人を殺してはいけない」という規則は、普通は関係者に望ましい結果をもたらすため、一般的にそうした規則が肯定されることになる。

◉義務論

功利主義は十九世紀以降に急速に普及した考えである。それ以前の道徳理論は、功利主義のような個人にとっての合理的な計算に基づくものではなく、もっと「道徳的な直感」そのものに基づいていた。たとえば、典型的な考えには、カントの提唱した義務論がある。

カントの義務論では、理性に基づいた普遍的な道徳規則というものが存在しており、行為はそうした基準によって行為自体として評価されるべきだということになる。行為の「義務」に従うことは、倫理的な行為であるためには不可欠である。これは行為の結果を評価する功利主義とは、まったく異なった基準である。

「人を殺さない」、「嘘をつかない」などについては、それ自体が価値とされることに異論はないと思われる。だが、典型的な例として、「友人が暴力団に命を狙われており、暴力団員から友人の居場所を聞かれた際に、彼を守るために嘘の場所を教えた」というような状況を考えよう。この場合、「人を殺さない」と「嘘をつかない」は背反する行為命題になっている。結局、こうした場合には、規則に優先順位を付ける必要があり、そうした判断は実際には規則功利主義に接近したものになる。しかし、規則の優先順位などの基準は、功利主義の場合よりも曖昧(あいまい)なままに残される。

◉徳倫理学

義務論とかなり近接した道徳理論に、徳倫理学がある。各種の行為の社会的な望ましさを議論するのが社会哲学であるとするなら、徳倫理学は人間の望ましさや人生の目的についての哲学であると言えるだろう。プラトンやアリストテレスの古典古代では、人生の目的として、有徳な人間になることは当然視されていた。しかし、近代以降は次第に社会の共通基盤としての道徳は多様化してきた。それにつれて、個別の社会に特有の道徳・価値観はむしろ否定されるようになった。結果、次第に民主主義や自由主義と相性のよい普遍的な命題が重要視され、徳倫理学は衰退してきた。

とはいえ、近年はアラスデア・マッキンタイアの『美徳なき時代』(MacIntyre 1981)やマイケル・J・サンデルの『これからの「正義」の話をしよう――いまを生き延びるための哲学』(Sandel 2009)などのように、むしろ共同体(community)を中心とした古典道徳的な生き方を称揚する倫理学者も現われている。

徳倫理学の専門家は否定すると考えられるが、筆者の個人的な見解では、徳倫理学はむしろ義務論者に近い価値観をもっている。両者ともに行為の結果よりも、それ行為自体やその目的を重視している。またその評価基準もまた、評者の個人的な価値観に大きく依存する点で、ひじょうに主観的だからである。

2　経済学と法学

◉経済学

前節で概観した道徳哲学は、そのまま社会科学の学問的な領域における代表的な視座を提供している。功利主義が最大化するのは効用であるが、これを言い換えるならそれは快楽である。この考えはそのまま現代の経済学の基礎となっている。

アダム・スミス以前の経済学は、個人の行為というよりも政治経済学的な視点から、経済活動の原則を理解することが中心であった。たとえばフランソワ・ケネーのような重農派のように、経済活動を政治的な視点から思索すると言った視点である。つまり個人的な効用の追求という発想というミクロ的な発想と、社会的な善や望ましさという概念とはほとんど関係していなかった。

オランダの思想家バーナード・デ・マンデヴィルの『蜂の寓話』（一七一四）によって、「私的な利益の追求という、当時は悪徳と考えられた活動が集合することで、経済社会はむしろ活性化している」という逆説が提示された。そしてスミスの『諸国民の富』（一七七六）では、明確に「人々が肉屋に行って肉を買えるのは、肉屋の善意に支えられているのではなく、肉屋の個人的な利益追求に支えられている」という、個人レベルの幸福の追求と社会厚生が一致するというテーマが確立したのである。

その後デイヴィッド・リカードなどの古典派時代を経て、レオン・ワルラス、カール・メンガー、ウィリアム・スタンレー・ジェヴォンズなどのいわゆる新古典派の台頭以降の経済学は、功利主義的のテーゼである「効用の最大化」という概念を中心に再構築されてきた。十九世紀の終わりにイギリス新古典派を完成させたアルフレッド・マーシャルを経て、アーサー・セシル・ピグーは厚生経済学の概念を提唱する。これは、市場での取引によって得られる社会全体の効用量を計算するという考え方である。こうして二十世紀以降の経済学では、個人は自らの効用を最大化するために各種の活動を遂行し、市場機構を通じて、それらの行為が社会全体の効用も最大化することにつながると考えてきた。

しかし、善や快楽の総量、悪や不快の総量は、現実に物理的には計測できない。そのため、多くの経済学者は、善・快楽の全体の近似値として潜在的に得られる金銭的な利益の総和を利用し、また悪・不快の近似値として損失の総和によって代替してきた。たとえば一ドルの与える快楽の量は、個人によってまったく異なる可能性があり、また個人がどれほど裕福であるかによっても大きく異なるだろう。しかし、あくまで「近似値」としては、金銭に換算された総量に意味はあるだろうと考えるのである。

大恐慌を経た後、現在のほとんどの経済学者は市場万能主義には懐疑的になっている。それでも、通常「政治制度、法制度の設計基準となるのは、個人の効用の総和でなければならない」という前提を否定することはない。もしそうした効用計算を完全に否定するなら、そもそも経済学という学問の最初の前提を否定しているのであり、そうした思想を持つ学者が経済学者になることはないからである。

◉法学

西洋の伝統的な法律学には、根本原則となるような抽象的な基準は存在していない。むしろ現実に生じた各種の係争を解決するために、次第に各種の法理が承認されてきたというのがローマ法以来の法律体系の形成の実際である。

たとえば、「禁反言の法理」という概念がある。これは「自らが言ったことと矛盾することを後に主張することはできない」という命題であるが、そうした行為がなぜ禁止されるのかという理由については、「明らかに反倫理的であるから」という論理が付される。つまり、「それがもたらす混乱が人々に害を与えるから」というような功利主義的な主張は当然に正しくもあるのだろうが、寡聞(かぶん)にして見かけない。

実際、どの国においても民事法・刑事法における多様な条文が制定されているが、それらの規定の背後にある理由付けは、ほとんどがその社会に固有の伝統的な倫理観であり、個別の行為のもたらす「善の総量から悪の総量を引いたもの」を計算した結果ではないようだ。

やや脱線するが、こうして法制度の評価に際して、規制や制度それ自体の倫理的な判断を行なうのが伝統的な法学であるとするなら、戦後のアメリカで次第に隆盛してきた法学は「法と経済学」である。これは「法の経済分析」とも呼ばれ、その説明のとおり、法律制度を経済学的な視点から分析するというものである。つまり、法制度それ自体やその目的を倫理的に評価するのではなく、その結果として生じる各種の社会的な影響を金銭的な利益と不利益に換算し、そうした計算を通じて望ましさを議論するのである（たとえばShavell 2009などが標準的な教科書としてロー・スクールで用いられている）。

これは日本では、まったく存在していなかった視点である。たとえば、日本の戦後の借地借家法の実践をみると、所有者は借地借家人との契約解除が事実上不可能になっていた。これは所有者が社会的な強者であって保護する必要性が薄い反面、借地人は弱者であって保護されるべきであるという道徳的な価値判断に基づいていた。こうした制度が維持され続けた結果、これまでに日本では土地や家を一般の居住者向けに貸し出す所有者はいなくなった。なぜならいったん貸し出した場合には、賃借人の都合が優先的に保護されるために、自分で利用しようとしても認められないからである。

こうした制度は、裁判官や弁護士などの法律家からは、総じて支持されてきた。その目的が、社会の不公正の是正という理由だったからである。反面、多くの経済学者は、こうした判例と実務的な運用に強く反対してきた。なぜなら、そうした法制度は、現実には借地借家市場を消滅させてきたため、本来ならば借地借家市場を利用することで得られたであろう、潜在的な借り手や貸し手の利益をも消滅させてきたからである。

この例にはっきりとしているように、伝統的な法学では、法制度の目的やその設立・立法意図の善悪を直接に判断する。これに対して、法の経済分析では、個別の法制度の意図は完全に無視し、そのもたらす結果を判断する（功利主義的な）視点において、新しかったのである。

◉政治学など

政治学がどちらの社会思想とより親和的なのかを考える際には、そもそも政治学というものが政治の歴史についての実証的・記述的な学問なのか、それとも規範的・理念的な概念を含むのかを考える必要がある。かつての政治学や政治経済学は規範的な概念を大量に含んでいた。こうした規範概念を含む学問体系から、その前提としての功利主義を明確にすることで、十九世紀の経済科学は政治経済学から独立した。実際、政治学に含まれることの多い規範的な基準は、個人に特有の価値観から独立することができない。経済学が実証性・記述性を追求する科学であろうとするなら、政治的な理念とは距離を置く必要があったからである。

この点、社会的な価値観から距離をおいて、有権者などの政治活動・投票行動などをゲーム理論的に分析する政治学、あるいは統計を使って実証的に検証する計量政治学は日本ではあまり人気がない。しかし価値観が多様化しているアメリカでは、政治学は政治科学（political science）のことであり、学会では主流になっている。これは、アメリカの政治学は、集団的な規範よりも、むしろ経済学的な功利主義に近づいていることを意味している。おそらくこれは、規範理論から離れた客観的な分析こそが科学足り得るという考えが、アメリカでは強いからだろう。

翻って、日本の政治評論、あるいはそれに近い俗的な政治学では、あまり個人ベースの分析をしない。たとえば、国際政治学で多用される概念に、「国益」という概念がある。これは国民集団としての利益という意味だが、国際政治の枠組みでは、それが個体に還元される、つまり個人の利益の総和であるという使い方はされていない。これはたとえば、「尖閣諸島を失うことは国益に反するので、自衛戦争もやむを得ない」という命題について功利主義的に考えてみれば、よく分かるだろう。尖閣諸島の政治支配権を失うことによって、未来の日本人全体が失うだろう幸福の総量を考えて金額に置き換え、それを中国軍との軍事衝突の費用と比較している政治学者や評論家を見かけることはない。明らかに、「尖閣を失うべきではない」という命題は、その費用と比較考量していない。こうして一般に、国際政治学の視点では地政学的なリスクや戦争などについて、研究者の持つ個人的な価値観から一方的に論じているのがほとんどである。

さて、これとはまったく別の方向から、学者集団の価値観を明確に主張しているのは社会学や人類学である。多くの学者はリベラル・平等主義・平和主義的な価値観に従って、世界の認識それ自体の変更が望ましいと主張する。興味深いのは、法学者や法政治学者にはそれなりの割合が伝統を重視し、保守的な価値観をもっているのに対して、保守的な価値観を公然と望ましいと主張する社会学者を見かけないことである。だが私見ではあるが、どちらにおいても功利主義的な視点から議論を進めるような態度よりも、行為や制度自体の価値を直接に（主観的に）判断する傾向が強いように思われる。

3　進化心理学的な説明

◉進化心理学

二十一世紀の心理学の主流となっているのは、「人間の心理とは、ヒトという生物種が環境や、あるいは自らの集団的な環境に適応した結果として生まれた適応戦略である」という考えである。これは人間というものを哺乳類や霊長類の一種として連続的に捉えるという視点であり（生物種としてのヒト）、少なくとも学術的な心理学者の間では共通の認識となっている（Buss 2019; Workman & Reader 2021）。

ここでの進化とは、遺伝的な基盤を持った形態や行動の変化であり、そこにはあらかじめ想定されるような方向性は存在しない。集団内で偶然的に生じる遺伝的な変化（変異）が個体の繁殖に有利であれば広がり、有害であれば消滅する。有利であるものには優れた運動能力や知的能力を発達させる遺伝子があり、有害な遺伝子の典型例には各種の致死的な遺伝病を引き起こすものなどがある。

こうして人間、あるいは生物種としてのヒト集団には、ある遺伝子を持つことが有利であるという理由、つまり適応的であることから、そうした遺伝子は集団に広がる（同定）。そしてこうして拡散した遺伝子に基づく行動様式と、それを生み出すような心理のための神経回路が共有される。これが人間の心理である。

◉個体選択と集団選択

「特定の遺伝子が、それを持つ個体にとって有利である」という状況には多様性がある。もっとも直感的で単純なものは、より早く走ることを可能にする遺伝子、より寒い環境にも耐えることのできる遺伝子のようなものがあげられる。こうした環境適応型の、さらに個体を単純に有利にするような遺伝子が広がることは、直感的に明らかである。こうして特定の個人（個体）を直接に有利にする遺伝子は、個体選択（individual selection）の結果として集団に広がる。

これに対して、ダーウィンが「性選択」として提示した遺伝子の選択は、クジャクのメスがオスの尾羽根の美しさに応じて相手を選ぶというものである。これは社会的・間接的であり、そうした社会的な選択が存在するのかについては、長い間の論争が続いてきた。ここではこの議論には深入りしないが、社会の別の構成員に好まれるということ自体が選択圧を形成することは前提にする。性選択の存在を訝（いぶ）かしむ方は、現代社会の文脈においても、人々は外見の優れた芸能人やアイドルを好んでいるという事実を鑑みてもらいたい。クジャクの性選択は、それほど理解できない行動ではないだろう。

性選択の存在はさておき、本論で重要なのは個体選択とは異なった選択圧としての集団選択の存在である。個体選択は個人が周囲の人間よりも優れているというものだが、集団選択は、ある集団に属することが、別の集団に属するよりも有利になるという状況を指す。たとえば、歴史的に見れば、人間の歴史はそのまま戦争の歴史であり、集団間の戦争に勝った男は負けた集団の男を殺すか隷属させ、女は戦利品として妻や奴隷とすることが普通であった。こうした状況が長期間にわたって続けば、勝利集団に属する遺伝子は拡散し、敗北集団に属する遺伝子は次第に消滅する。

こうして主に戦争を通じて集団選択の圧力が歴史的に存在したとすれば、少なくとも集団内の男にはある程度の勇猛果敢さ、戦闘での無謀さ、自己犠牲の精神、排外的な感情などが進化するはずである。そして実際に現代世界でも、集団的な排外的愛国主義は男性に圧倒的に支持されている。

しかし集団選択の考えはダーウィンの時代から広く認められてきたものの、一九七〇年代以降はほとんど否定されていた。集団内の特定の個体が他の個体のために自らを犠牲にすることには明らかな不利益が伴う反面、集団として得られる利益がそうした不利益を上回る状況は、それほど単純には認められないからである。一九六六年のジョージ・ウィリアムズによる『適応と自然選択』（Williams 1966）では、当時広く信じられていた集団選択を強く否定している。

こうした状況は二十一世紀になって再び変化した。個体をつくり出す遺伝子は兄弟や親族にも含まれているため、個別の遺伝子が拡散するには、個体の直接的な子孫だけでなく、近親者集団を通じて広がることも可能だからである。こうした考えは包括適応価や血縁選択説と呼ばれ、ウィリアム・ハミルトンによって提唱された（Hamilton 1964a, b）。これをヒトに当てはめれば、近親者によって構成されることがほとんどの集団が相互にその勢力拡張のために戦争をすることになる。論争は続いているが、以下の議論では、人間は集団間で常にその支配領域を巡って争ってきたこと、つまり集団選択の圧力がかなり大きかったことを前提にする（Sober & Wilson 1999; Wilson & Wilson 2007）。

近年、ヒト集団内と集団間の二つの淘汰圧（とうた）（複数レベルの自然選択：multi-level selection）を考えることで、人間の持つ自己犠牲や集団への献身、同一視などの心理を説明する著作が相次いでいる。ハートラー、フィゲレド、ペナヘレーラ・アギーレは部族間戦争や宗教心などを志向する人間心理は、集団間の選択から生じることを詳細に論じており（Hertler, Figueredo, & Penaherrera-Aguirre 2020）、またダットンとウドリーは集団間の自然選択は戦争がない時代には弱まるため、未来の人類の知能は急速に下がるだろうと予測している（Dutton & Woodley of Menie 2017）。後述する伊藤も同じように、進化心理から政治学を論じている（伊藤 二〇二〇）。

◉二つの判断様式

こうして人類は少なくとも二種類の淘汰圧に直面しつつ進化を続けてきた。一つ目は個体レベルでの生存と繁殖であり、二つ目は集団レベルでの生存と繁殖である。集団というのは国家形成以前の部族社会では部族のことであるが、それは歴史的に人類の活動域が広がるにつれて、原始的な国家へと変化していった。たとえば、古代の日本では「やまと」や「いずも」などのクニであり、さらに時代が下った戦国時代では、尾張や摂津などといった地域的な共同体になる。地域共同体は言語や神話などの文化を共有しつつ、次第に拡大してゆく。当然のことだが、いつの時代でも人間がもっとも重視するのは血縁者集団である。これに比べると、地域共同体はそうした血縁集団が緩やかに集まったものであるため、その団結力ははるかに弱い。大規模な集団になればなるほど戦闘には有利だが、その集団内の血縁関係の弱くなる。それを社会規範などの、何らかの文化「装置」で補うことができれば、その集団はそうでない集団よりも有利になるのである。

さて動物の個体には神経機構が備わっており、動物であれば個体、ヒトであれば個人としての意思決定を行なう。そのため、知的・合理的に思考した後に得られる結論の多くは、個人の利益を中心としたものになるだろう。そうした意思決定は、個人の利益と不利益を吟味するという合理性基準に適合したものであることが多い。つまり功利主義的な哲学と親和的なのである。

ベンサムは功利主義によって、早くも十八世紀の時点において、同性愛を禁止するのは不条理であると論じた。個人主義的な視点から見れば、同性愛者は自らの効用を追求している。それを他人がとやかく言う、さらには資源を投入して禁止、処罰することには、少なくとも個体レベルで見るなら合理性がないからである。こうした個人の幸福や快楽を基準にした論理に完全に賛成できる人は功利主義者であり、どこかで納得できない人は個人レベルでの快不快原則を超えた、集団的な道徳基準に依拠していると考えられる。

さてこうした功利主義的な判断には、同性愛者本人の立場に立ってその願望や効用を想像し、それを一般的な異性愛者の嫌悪感や不快＝不効用と比較するという知的な作業が必要になる。これは明らかに直感的・瞬間的に察知されるものではないため、義務論者はおそらく納得できないに違いない。また有徳な人生を重視する徳倫理学においても、議論の余地があるが、否定されるのではないかと思われる。

一九八〇年代から人間の意思決定を研究してきたダニエル・カーネマンとエイモス・トベルスキーは、人間の意思決定には「速い」ものと、「遅い」ものがあることを主張してきた。迅速な意思決定は経験則＝ヒューリスティックに基づいており、遅い意思決定は思考と計算に基づいている。道徳による判断は瞬間的で即座に行なわれ、判断に大きな精神的なエネルギーは必要とされないが、合理的な思考による判断には時間が必要であり、特段の精神的なエネルギーの投入が必要になる（Kahneman 2011）。

つまり義務論の本質は、古代から連綿と当然視されてきた経験則である。反面、功利主義が十八世紀に入るまで定式化されなかったことは、それが個人主義的であり、熟慮と計算を含むものだからである。こうした思考という活動は、必然的に個人・個体によって遂行される。そうした「打算的」な個人主義が社会倫理として提唱されることそのものが、直感的な集団主義的な道徳に反していたのである。また徳倫理という発想はプラトンやアリストテレスだけでなく、東洋の儒教の伝統においても説かれているが、その基準もまた社会全体の利益を追求するような道徳律に依存している。こうして功利主義と義務論という社会思想は、直感と思考という二つの意思決定システムの対立を反映したものなのである。

さらに具体的に、戦争時に人を殺すことはどう判断すべきかについて考えてみよう。個人主義と合理主義を徹底すれば、戦争はすべて否定されるべきだということになりそうである。また義務論からしても、カントのように普遍性を重視すれば戦争は否定されるかもしれない。しかし一般的には、より親しい仲間を守るために敵対集団を殺すことは肯定されてきた。この点について現代の徳倫理主義がどう判断するのかは判然としないが、少なくとも古代からの倫理学者たちは戦争を肯定してきた。アリストテレスの『ニコマコス倫理学』を見ても、戦闘行為は積極的な自民族や帰属集団への献身であり、すばらしい美徳だと考えられてきた。これは武士道や騎士道でも同じである。

個体合理的に考えるなら、自分の命を集団のために捧げることは望ましくない。我々のほぼ全員が戦争での死を恐れており、生き延びたいと望む。その反面、集団への献身と犠牲は、そうした個人の感じる恐怖を超えた超越的な道徳感覚によって肯定される。そして多くの人間は、実際にそうした道徳観によって自らを犠牲にしつつ、血族や仲間の繁栄を築いてきた。このことは規範理論の視点からはともかく、歴史的・実証的には間違いない。

4　政治心理学

◉道徳・政治心理学

前節の説明からは、個体レベルの選択は合理主義や功利主義、思考や計算による判断に従うことが予想されるのに対して、集団レベルの選択は権威主義や道徳的直観主義、集団的な価値観に基づく倫理を要求すると考えられる。そしてこうした対立は、現在でも進歩主義・リベラリズムと保守主義となって顕在化し続けている。

道徳心理学、あるいは政治心理学者であるジョナサン・ハイトは、政治を裏付ける道徳的な価値を統計分析した。そして人間の道徳感情には、共感、公平、自由、権威、忠誠心、神聖さ、の六つの次元が存在すると主張した（Haidt 2012）。リベラルは前三者である共感、公平、自由だけを価値として認めるが、保守主義者は後三者である権威、忠誠心、神聖さも価値として認める傾向があると指摘している。つまり政治的な対立は、個人の道徳感情、あるいは道徳心理に裏付けられたものであるというのである。

ここでは、ハイトの主張する価値の軸・次元についての論争には言及しない。注目してもらいたいのは、共感、公平、自由という考えは、すべてが個人に当てはまる個人主義的なものである反面、権威、忠誠心、神聖さ、などは集団によって共有されるという意味で集団主義の価値観に基づくことである。つまり、リベラリズムは個人主義的な思考であるのに対して、保守主義は個人主義的な価値観だけでなく、集団主義的な価値観も同等、あるいはそれ以上に重視しているのである。

◉宗教と神話、言語

十九世紀から主流になった民族国家では、主権国家を構成するのは民族であるべきだと考えられている。民族とは、通常は、ある程度の遺伝的な均質性を持ち、共通の宗教、あるいは神話、言語などを持つ集団のことである。さて日本人にとって、神道や仏教、古事記や日本語などはすべて共通の文化であると考えられるが、論理的に突き詰めて考えるなら、こうした共通の文化のほとんどが科学全般、あるいは科学的な人間理解とは矛盾している。

こうした矛盾は啓蒙時代のヨーロッパ人によって、もっとはっきりと認識・主張されている。スピノザは当時のキリスト教の説く人格を持った神の存在を否定しているし、その後の多くの思想家は、神の存在を物理法則の創出だけに求め（汎神論（はんしんろん））、その後の人格的な自然事象への神の関与を否定してきた。ダーウィンの進化論の提唱以降は、多くの自然科学者は神の存在自体を不要であるとして否定している（e.g., Dawkins 2006）。

だが、今でも地球上の多くの人間は、キリスト教、イスラム教、仏教などの現地固有の宗教を信じている。この理由を即断することは難しいが、宗教が集団の凝集力の強さに直結していたことを考えるなら、こうした状況もある程度は納得できる。人間の心理の多くの側面は、進化的に遺伝子に組み込まれている。人は幼少期から青年期までにだんだんと集団への帰属意識が高まり、成人する頃には集団の完全な成員となるが、それには共通了解としての宗教や神話などの共有が不可欠である。そういったものがなければ、各個人は集団の一構成員としてのアイデンティティを持ち得ないだろう。

ほぼすべての心理特性と同じように、宗教心には五〇％ほどの遺伝率があると推定されている（Knopik, et al. 2016）。宗教心が人間心理に組み込まれてきたことには大きな理由があると考えられ、それは集団への帰属意識の醸成であるに違いない。

このことはまた、なぜ人間の言語の習得に臨界期が存在するのかも説明する可能性がある。通常、幼小期（およそ十歳ほど）を過ぎると、人間は他集団の言語を完全に習得することはできなくなる。そもそもこうした限界がなぜ存在するのかについての理由は、単なる発達上の限界説が唱えられてきた。しかし、そうした脳神経学な至近の理由ではなく、進化的な究極理由としては、少年期を超えての学習が不可能になるように言語と神経回路の発達経路そのものが共進化してきたと考えることもできる。つまり固有の言語とは、よそ者を同定するため、あるいは効率的に味方と敵を区別するために進化してきた集団的なメカニズムである可能性が高い。

なお、ここで提示した進化理論的な人間心理の理解という背景を共通にした著作には、ジョシュア・グリーンによる『モラル・トライブズ』(Greene 2014) がある。グリーンはさらに功利主義の持つ普遍性だけが、人類全体として共有できる倫理観であると主張している。筆者は功利主義の考えに納得しているが、人間心理には、これまで連綿と続いてきた戦争によって形成された、排他主義的な発想が根深く埋め込まれている。それに基づく民主主義政治が普遍的な功利主義を受け入れることができるのかという問題に対しては、筆者ははっきりとした見通しを持っていない。この点、同じように進化心理学に立脚しつつ、現実的なリベラリズムを標榜(ひょうぼう)しようとする考えについては、伊藤隆太による『進化政治学と国際政治理論 人間の心と戦争をめぐる新たな分析アプローチ』(伊藤 二〇二〇) を参照してもらいたい。

おわりに

この小論では、功利主義と義務論の対立は、これまで経済学と法学や政治学との思考様式の違いを生み出して来ていること、そしてそうした認識の相違の原因は、究極的には個体選択と集団選択という異なる淘汰圧によることを、ひじょうに大雑把に論じてきた。

しかし実際には、法学者や実務法曹の多くは、たとえば人権派と呼ばれるようなリベラル・進歩主義的な思想の持ち主であり、実践者でもある。また経済学においても、むしろ集団主義的な道徳観や思想を持っている学者や実務家は多い。あくまで、ここでの議論はカリカチュアに過ぎず、読者に進化生物学と社会科学の関連性を示唆するにとどまる。そして今後は、もっと実証的・数量的な検証が必要である。こうした議論の検証や深化は将来への課題として残されているという認識をもって、この小論を終えたい。

◉引用文献

Buss, D. M. (2019). *Evolutionary Psychology: The New Science of the Mind*. Routledge.

Dawkins, R. (2006). *The God Delusion*. Black Swan. リチャード・ドーキンス『神は妄想である――宗教との決別』垂水雄二訳、早川書房、二〇〇七年

Dutton, E. & Woodley of Menie, M. A. (2017). *At Our Wits' End: Why We're Becoming Less Intelligent and What it Means for the Future*. Societas.

Greene, J. (2014). *Moral Tribes: Emotion, and the Gap between Us and Them*. The Penguin Press. ジョシュア・グリーン『モラル・トライブズ　共存の道徳哲学へ』竹田円訳、岩波書店、二〇一五年

Haidt, J. (2012). *The Righteous Mind: Why Good People are Divided By Politics and Religion*. Pantheon Books. ジョナサン・ハイト『社会はなぜ左と右にわかれるのか――対立を超えるための道徳』高橋洋訳、紀伊國屋書店、二〇一四年

Hamilton, W. C. (1964a). The genetical evolution of social behaviour. I. *Journal of Theoretical Biology*. 7 (1): 1–16. doi:10.1016/0022-5193(64)90038-4. PMID 5875341

―― (1964b). The genetical evolution of social behaviour. II. *Journal of Theoretical Biology*. 7 (1): 17–52.

doi:10.1016/0022-5193(64)90039-6. PMID 5875340

Hertler, S., Figueredo, A. J. & Penaherrera-Aguirre, M. (2020). *Multi-level Selection: Theoretical Foundations, Historical Examples, and Empirical Evidence*. Palgrave Macmillan.

Kahneman, D. (2011). *Thinking: Fast and Slow*. Farrar, Straus and Giroux. ダニエル・カーネマン『ファスト&スロー』村井章子訳、早川書房、二〇一二年

Knopik, V. S., Neiderhiser, J. M., DeFries, J. C., and Plomin, R. (2016). *Behavioral Genetics, 7th ed*. Worth.

MacIntyre, A. (1981). *After Virtue*. University of Notre Dame Press. アラスデア・マッキンタイア『美徳なき時代』篠崎栄訳、みすず書房、二〇〇四年

Sandel, M. J. (2009). *Justice: What's the Right Thing to Do?* Farrar, Straus and Giroux. マイケル・J・サンデル『これからの「正義」の話をしよう――いまを生き延びるための哲学』鬼澤忍訳、早川書房、二〇一〇年

Shavell, S. (2009). *Foundations of Economic Analysis of Law*. Harvard University Press. スティーブン・シャベル『法と経済学』田中亘・飯田高訳、日本経済新聞出版社、二〇一〇年

Sober, E. & Wilson, D. S. (1999). *Unto Others: The Evolution and Psychology of Unselfish Behavior*. Harvard University Press.

Williams, G. C. (1966). *Adaptation and Natural Selection*. Princeton University Press.

Wilson, D. S. & Wilson, E. O. (2007). Rethinking the Theoretical Foundation of Sociobiology, *The Quarterly Journal of Biology*, 82, 4. https://doi.org/10.1086/522809.

Workman, L. & Reader, W. (2021). *Evolutionary Psychology: An Introduction*. Cambridge University Press.

伊藤隆太『進化政治学と国際政治理論――人間の心と戦争をめぐる新たな分析アプローチ』芙蓉書房出版、二〇二〇年
児玉聡『功利と直感』勁草書房、二〇一〇年

現代アメリカ英語における whom に関する一考察

丹羽 都美

はじめに

疑問詞・関係代名詞の中で「人」に関しての語彙のみ「格」があり、who は主格の場合に用いられ、whose は所有格、whom は目的格の場合であるという使い分けが一般に文法的な説明として与えられている。一方で、現在はこの中の who と whom の二語の実際の運用については、whom の使用される場面がきわめて少なくなってきたように見受けられる。本論文では、アメリカ英語においてこの二語の運用はどのような状況であるのかについてコーパスを用いて近年の状況を観察し、その変化があるとすればその背後にある原因について簡単な考察を試みる。

1　アメリカ英語における who と whom の出現の推移

ここで、まず現代のアメリカ英語における who と whom の扱いについてはアメリカ英語の辞書を参考に確認してみることにする。

New Oxford American Dictionary, Third Edition（以下 NOAD）の who の項目（p.1973）には USAGE の欄に「どの場合に who を使い、どの場合に whom を使うのかについては未だに議論が続いている」とした後で、「文法的には who は文の主語位置に、whom は文の目的語や前置詞の目的語に用い、この規則に従う者もいるが、そのような人たちよりも、whom を用いない人の方がはるかに多い。もちろんフォーマルな文書においては who と whom の区別を維持するのが最適である」という主旨の記載がある。[1] その中で次のような例文を示して、

（1）a　Whom do you think we should support?
　　b　Who do you think we should support?
（2）a　To whom do you wish to speak?
　　b　Who do you wish to speak to?　（NOAD（2010: 1973））

（1a）（2a）にあるような whom のかわりに who を用いた（1b）（2b）のような用法が現代

英語では標準的であるとしている。

The American Heritage Dictionary of the English Language, Fifth Edition（以下AHD）ではwhoのUSAGE NOTE（p. 1977）[2]で、NOADと同様の内容の文法的な用法の説明とともに、（3）（4）にあるような例文でwhomの代わりとなる用法を示している。

（3）The electrician that the school hired has rewired four rooms so far.

（4）a　Whom did you give your books to?

　　b　Who did you give your books to?（AHD（2015: 1977））

（3）にあるように、関係代名詞の場合は、whomの代わりにthatを用い、（4a）のように、本来の前置詞句であったものからwhomだけが疑問詞として文頭に来る前置詞句のような場合、すなわち同じ句を構成していた前置詞とwhomが分離した状態になるのは"awkward"（ぎこちない）として、（4b）のようにwhoを用いるとしている。

また、AHDではさらに詳しく、（5）に示すように、「文頭に前置詞とともに疑問詞が現れる場合、インフォーマルな場面であっても多くの場合は、whomを使わなくてはいけない」としている。

（5）Interestingly, if both the preposition and *who/whom* are moved to the front of the clause, the form used must be *whom*, even in many informal contexts: *To whom* (not *to who*) *should we address these packages?*　（AHD（2015: 1977））

したがって、これらのことから、文法的には前置詞の直後にはwhomを用いるとは理解されており、よりフォーマルな状況ではこの規則に従うことが好ましいが、可能な方策があるのであれば、できればwhomの利用を避けるというのが現状のようである。

2　近年のwho・whomの出現の推移

そこで、本論文では、Corpus of Contemporary American English（COCA）[3]を利用して、whoとwhomの出現頻度とこれらの二語が前置詞の後に現われる場合の頻度の変化を検証してみることにする。最初に【表1】に示すのが、COCAに基づいた一九九〇年から二〇一九年までの一年ごとのwhoとwhomの出現数の推移である。

【表1】からわかるように、who自体の出現数がwhomに対して圧倒的に多く、推移を見ていくとwhoについては目に見える変化が特にないといえるが、whomについては、二〇〇〇年代に入ってから漸減していることがわかる。

それでは、次にwhoとwhomが前置詞の後に現われる場合について目を向けてみることにする。前置詞は非常に多様であり、本来ならばすべての前置詞を網羅して変化を見るべきであるが、すべてに目を向ける前に、who・whomと共起しやすい前置詞とそうでないものがある可能性からみて

【表1】whoとwhomの出現数の推移

who

1990	1991	1992	1993	1994	1995	1996	1997	1998	1999
57049	58426	59747	61067	62126	64087	61209	60504	61503	62009
2000	**2001**	**2002**	**2003**	**2004**	**2005**	**2006**	**2007**	**2008**	**2009**
61585	59392	62334	61711	63310	62726	64052	61925	59422	59231
2010	**2011**	**2012**	**2013**	**2014**	**2015**	**2016**	**2017**	**2018**	**2019**
58356	61110	60726	59076	59565	59208	60104	61323	61053	58629

whom

1990	1991	1992	1993	1994	1995	1996	1997	1998	1999
2245	2209	2174	2167	2209	2182	2018	2054	2148	2025
2000	**2001**	**2002**	**2003**	**2004**	**2005**	**2006**	**2007**	**2008**	**2009**
2122	2008	1951	1953	1975	1905	1915	1902	1912	1832
2010	**2011**	**2012**	**2013**	**2014**	**2015**	**2016**	**2017**	**2018**	**2019**
1705	1755	1744	1789	1704	1795	1507	1734	1784	1416

みたい。たとえば、（6）のような場合を見てみよう。

（6）a　I gave a book to him.

b　The boys were raised by their grandparents.

c　Would you come with me?

（6a）のように「人」であることが比較的多い間接目的語とともに現われる前置詞to・forや、（6b）のように受動態で「人」が動作主となる場合などで「人」と共起するbyや、（6c）のような「〜と共に」という表現で「人」を伴う場合を表わすことも多いwithと、It's on you. やIt's on me. など人を表わす語とも共に用いられるが、どちらかと言えば「人」と共起することよりは位置・場所を表わすonとを見比べてみよう。次の【表2】が、この五つの前置詞とwho・whomが共起した出現数の推移である。

【表2】の中で、to, for, withの場合とby, onの場合とで出現数自体の差が大きいことがわかる。(4)

このように前置詞との共起の頻度差もあることから、本

【表2[5]】前置詞＋ who/whom の出現数

	1990	1991	1992	1993	1994	1995	1996	1997	1998	1999
to whom	116	229	207	227	262	186	164	155	235	175
to who	10	5	12	14	15	11	11	13	14	20
	2000	**2001**	**2002**	**2003**	**2004**	**2005**	**2006**	**2007**	**2008**	**2009**
to whom	179	165	184	186	144	128	162	172	175	163
to who	10	14	12	5	13	20	16	15	14	11
	2010	**2011**	**2012**	**2013**	**2014**	**2015**	**2016**	**2017**	**2018**	**2019**
to whom	118	142	2093	130	126	124	106	141	156	97
to who	9	19	59	15	10	13	23	13	11	13

	1990	1991	1992	1993	1994	1995	1996	1997	1998	1999
by whom	35	35	32	35	39	42	32	39	34	38
by who	4	8	8	8	13	15	12	17	8	15
	2000	**2001**	**2002**	**2003**	**2004**	**2005**	**2006**	**2007**	**2008**	**2009**
by whom	27	34	26	31	31	33	32	28	26	20
by who	14	11	10	11	8	15	17	17	11	9
	2010	**2011**	**2012**	**2013**	**2014**	**2015**	**2016**	**2017**	**2018**	**2019**
by whom	29	15	542	29	21	27	36	22	28	20
by who	16	8	23	16	12	15	20	17	15	10

	1990	1991	1992	1993	1994	1995	1996	1997	1998	1999
for whom	191	196	195	193	193	220	201	182	187	186
for who	3	8	5	10	8	15	8	7	12	8
	2000	**2001**	**2002**	**2003**	**2004**	**2005**	**2006**	**2007**	**2008**	**2009**
for whom	188	205	166	163	173	137	136	152	171	148
for who	6	12	9	10	13	7	7	7	17	11
	2010	**2011**	**2012**	**2013**	**2014**	**2015**	**2016**	**2017**	**2018**	**2019**
for whom	142	159	2157	175	154	235	128	129	148	107
for who	5	7	35	8	11	14	14	11	19	7

	1990	1991	1992	1993	1994	1995	1996	1997	1998	1999
with whom	266	257	280	258	254	245	234	240	254	217
with who	9	11	14	15	12	14	19	14	20	7
	2000	**2001**	**2002**	**2003**	**2004**	**2005**	**2006**	**2007**	**2008**	**2009**
with whom	279	243	261	243	229	225	223	223	250	251
with who	9	14	15	15	24	11	19	15	14	17
	2010	**2011**	**2012**	**2013**	**2014**	**2015**	**2016**	**2017**	**2018**	**2019**
with whom	219	209	2703	219	193	199	185	189	227	164
with who	15	16	12	9	14	14	11	8	12	14

	1990	1991	1992	1993	1994	1995	1996	1997	1998	1999
on whom	27	44	33	32	31	21	21	27	34	29
on who	0	0	2	0	1	3	4	1	2	2
	2000	**2001**	**2002**	**2003**	**2004**	**2005**	**2006**	**2007**	**2008**	**2009**
on whom	21	28	20	25	24	25	38	27	19	15
on who	2	1	2	3	0	1	2	0	2	0
	2010	**2011**	**2012**	**2013**	**2014**	**2015**	**2016**	**2017**	**2018**	**2019**
on whom	27	19	404	24	30	20	15	14	22	10
on who	1	2	4	3	0	1	0	1	2	0

論文では、アメリカ英語におけるwho・whomの出現の変化についての研究の第一歩として、ひとまずwho・whomと前置詞とが連続して現われる場合を、【表2】の中のto, for, withのデータを元に考察をしていくものとする。

【表3】「前置詞＋ who/whom」の出現割合（%）[6]

	1990	1991	1992	1993	1994	1995	1996	1997	1998	1999
to whom	92.1	97.9	94.5	94.2	94.6	94.4	93.7	92.3	94.3	89.7
to who	7.9	2.1	5.5	5.8	5.4	5.6	6.3	7.7	5.7	10.3
	2000	**2001**	**2002**	**2003**	**2004**	**2005**	**2006**	**2007**	**2008**	**2009**
to whom	94.7	92.2	93.9	97.4	91.7	86.5	91.0	92.0	92.6	93.7
to who	5.3	7.8	6.1	2.6	8.3	13.5	9.0	8.0	7.4	6.2
	2010	**2011**	**2012**	**2013**	**2014**	**2015**	**2016**	**2017**	**2018**	**2019**
to whom	93.0	88.2	93.9	92.6	92.6	90.5	82.2	91.6	94.5	88.2
to who	7.0	11.8	6.1	7.4	6.8	9.5	17.8	8.4	5.5	11.8

	1990	1991	1992	1993	1994	1995	1996	1997	1998	1999
for whom	98.5	96.1	97.5	95.1	96.0	93.6	98.6	96.3	94.0	95.9
for who	1.5	3.9	2.5	4.9	4.0	6.4	1.4	3.7	6.0	4.1
	2000	**2001**	**2002**	**2003**	**2004**	**2005**	**2006**	**2007**	**2008**	**2009**
for whom	96.9	94.5	94.9	94.2	93.0	95.1	95.1	95.6	91.0	93.1
for who	3.1	5.5	5.1	5.8	7.0	4.9	4.9	4.4	9.0	6.9
	2010	**2011**	**2012**	**2013**	**2014**	**2015**	**2016**	**2017**	**2018**	**2019**
for whom	96.6	95.8	98.4	95.6	93.3	94.4	90.1	92.1	88.6	93.9
for who	3.1	4.2	1.6	4.4	6.7	5.6	9.9	7.9	11.4	6.1

	1990	1991	1992	1993	1994	1995	1996	1997	1998	1999
with whom	96.7	95.9	95.2	94.5	95.5	94.6	92.5	94.5	92.7	96.9
with who	3.3	4.1	4.8	5.5	4.5	5.4	7.5	5.5	7.3	3.1
	2000	**2001**	**2002**	**2003**	**2004**	**2005**	**2006**	**2007**	**2008**	**2009**
with whom	96.9	94.6	94.6	94.2	90.5	95.3	92.1	93.7	94.7	93.7
with who	3.1	5.4	5.4	5.8	9.5	4.7	7.9	6.3	5.3	6.3
	2010	**2011**	**2012**	**2013**	**2014**	**2015**	**2016**	**2017**	**2018**	**2019**
with whom	93.6	92.9	99.4	96.1	93.2	93.4	94.4	95.9	95.0	92.1
with who	6.4	7.1	0.6	5.9	6.8	6.6	5.6	4.1	5.0	7.9

それでは次に、who・whomが前置詞to, for, withと連続して現われる場合の割合の推移について、【表2】の数値を元に見てみることとする。【表3】のデータは「前置詞＋who/whom」の総数に対して、「前置詞＋whom」「前置詞＋who」の割合を示したものである。

数値に揺れがあるが、to, for, withのいずれをとっても「前置詞＋who」の形式の出現割合は少しずつ増えていることがわかる。[7] 先に（5）で見たように、本来は前置詞と連続して現われる場合はインフォーマルでもwhomを用いなければいけない、ということに対して、このような変化には何が関係していると考えられるだろうか。

3　whom減少についての一考察

この変化の原因の一つには、言語使用者の意識というものがある。AHDではwhoのUSAGE NOTE（p. 1977）で、特にwhomの用いられる環境について、実際どのような意識で受け止められるかなどをより詳しく説明している。[8]「whomを用いると多くの場合 “forced or pretentiously correct”（わざとらしい、もしくは見栄をはって正確な用法を用いているような）と受け止められる」として（3）（4）に示したようにwhomの代わりに、疑問詞としては前置詞とは切り離してwhoを、関係代名詞ならthatを使うことを例示している。

The Columbia Guide to Standard American English（p.466）においても、同様の解説がされているが、ここでは（7）の例文を示して、

（7）a　I saw who you were talking to.

　　b　I saw to whom you were talking.（Wilson（1993: 466））

前置詞の後に現われる場合には目的格、すなわちwhomを用いる場合が多い可能性が高いが、この

ような区別をする用法は "much hypercorrction"（過剰修正）につながるとしている。この記述は先に見たAHDの（5）よりも言語使用者の意識がwhomの使用からさらに離れる方向に向かっていることを示している。

言語使用者にwhomの使用に対してこのような感覚があり、それとともにwhomの代わりに日常よく使用する別の単語が使えるのであれば、whomを用いない方向に話者の意識は向くこととなる。

このように、ある表現等の使用について社会の流れが変わってくることが言語規則に与える影響についてGrammaticalization（文法化）という考え方の中で次のようなことが示されている。Hopper and Traugott（2003）のGrammaticalizationでは、先行研究をもとに話者における規則の変化のモデルを提示している（p.41）。これを要約すると次のようなことになる。

（8）ある個人Aの発話はAが獲得したある言語の文法Aとする。このAの発話1を別の人Bが聞く。そうするとBは自分の持っている普遍的な言語能力と普遍的な推論とを用いて、今聞いた発話1をもとに、その発話に出てきた文に関連する一つの文法（規則）を推測で組み立てる。この組み立てられた規則はAの持っている文法Aとは異なる可能性もある。

そして、この推論は、Hopper and Traugott（2003）でのAbduction（仮説形成）という方法にあてはまる可能性がある。Abductionとは、Hopper and Traugott（2003）では次のように述べられている。

（９）Abductive reasoning is different, although it is confused with inductive reasoning: "Abduction proceeds from an observed result, invokes a law, and infers that something might be the case."

（Hopper and Traugott（2003: 42））

（９）に示したAbductionとは、少し言葉を加えて説明するとすれば、言語使用者は観察された現象に対して自らが下した結論から一つの法則を導き出し、「何かこういうことがここではあてはまるのではないか」と推論する、ということで、先述したようにwhomをあまり用いない、whomが用いられる場合にwhoなどで代用できればその方策をとる、ということを見聞するたびに聞いた側が「こういう場合にはwhoを用いる」という規則を推論しそれを自分の発話に適用する、それを聞いた人が同様なことを繰り返すうちに多くの人が認める一つの規則として定着していくということが起こっていると考えられる。

それでは、英語母語話者はwho・whomが用いられる文についてどのような文法規則を基本的に持っているかについて目を向けてみる。who･whomのＷＨ疑問･関係詞という特徴から見てみると、英語ではＷＨ語はその語が属する節（＝文）の先頭に現われることが規則となっている。この基本語順での本来ある位置からＷＨ語などの要素が異なる位置に現われる際に、本来の位置には実際に何も現われていないがそこに元々は要素があったように言語話者が無意識に感じていることが観察されている。このことがわかりやすい例としてwanna縮約で説明してみることにする。wanna縮約とは次の（10ｂ）のようにwant toをwannaとすることである。

（10） a I want to come with you.
　　 b I wanna come with you.

（10a）の want to は（10b）に示すように wanna と縮約することができる。この wanna 縮約と呼ばれる現象は（11）に示す例文の場合はいずれにも適用することはできない。

（11） a She wants to join us.
　　 b She wanted to join us.
　　 c I am wanting to talk to you.
　　 d I want very much to talk with you.

（11）でわかることは、want to が wanna になるには、want が語形変化をしていない（-s, -ed, -ing が付いていない）こと、want と to の間に何も要素が入っていないことが条件となるということである。したがって、She doesn't want to join us. や She didn't want to join us. となっていれば、She doesn't/didn't wanna join us. となることは可能である。それでは、（12a）の Bella にあたる部分を尋ねる疑問文である（12b）のような場合を考えてみよう。

（12） a　I want Bella to join us.

b　Who do you want to join us?

この場合、一見したところ（12b）では先に見たwannaになれる状態ができている。しかしながら、（12b）をWho do you wanna join us? とすると英語母語話者は非文法的だと判断する。すなわち、（12a）でBellaという語があった場所が（12b）ではwhoになっていて先頭に移動してWho do you want ＿＿ to join us? という目に見えない「スペース」のようなものが無意識下に存在するため縮約ができないと考えられている。

この「本来の位置」についての認識に加えてさらにwho・whom・whoseについては、疑問詞・関係詞who・whose・whomのいずれを用いるのかはその語が所属する節の中で元々あった位置において主格なのか、所有格なのか、目的格なのかということから決定される。

（13） The girl who/*whom I believed was my best friend told lies about me.

（13）では、他動詞believeの後にＷＨ語が現われるが、believeという他動詞に後続するにもかかわらず、whoでなくてはならずwhomでは非文法的となる。これは、（13）の文の中での関係代名詞whoと同じものを指すthe girlが、（14b）に示すように他動詞believeの目的語となっている節（＝文）の中で主語の役割をしているためであり、英語母語話者はこのことを無意識の知識として理解しているのでwhoを用いwhomは用いられないと判断していると考えられる。

(14) a The girl who I believed ＿＿ was my best friend] told lies about me.
b The girl [who I believed [＿＿ was my best friend]] told lies about me.
c I believed [the girl was my best friend], but she (=the girl) told lies about me.

who（もしくはwhoの先行詞にあたる語the girl）の元々の位置は、（14a）に示すようにbelieveの直後であり、一見したところ他動詞believeの目的語と捉えられる位置である。しかしながら英語母語話者はこの位置が（14b）に示すようにbelieveの目的語節の主語位置であると無意識に認識しているため、（13）でみたようにwhomでは非文法的で、必ずwhoでなくてはならないことがわかる。

このようにWH語が元の位置から離れても母語話者は元の位置との関係を無意識のうちに認識していることが観察できる。who・whomの場合は、元の節の中で主格だったのか、あるいは目的格であったのかということが無意識に認識されており、元の位置と節の先頭の位置とに一種の紐付けがなされているということである。

そこに、一方で現実には（15）に再度示した先に一度例として出した文のように、ここまで見た本来は目的語と紐付けされていてwhomであるべきところが、whoが現代英語では標準的であるとして頻繁に発話されるようになる。

（15）a　Who do you think we should support?（＝（1b））
b　Who do you wish to speak to?（＝（2b））

そうすると、無意識に感じる元々の位置との関係についてAbductionのような経過を経て話者の文法規則についての変化が生じることになる。それは、「他動詞や前置詞の後もwhoという形式が現われていた場所である」という考え方が導き出されることも可能であり、このような新しい法則が推論で導き出されればそこで一つの新しい規則として定着することも起こりうる。これがwhomの出現を減じる原因のうちの一つにあると考えることもできる。

who・whomの使い分けというのは、「格」に関係すると言及したが、「格」について考えてみると、英語には誕生当初は人称代名詞に残っている、I, me, myというような主格・目的格・所有格という格が普通名詞にも多様に存在していた。しかしながら現在では人称代名詞以外では普通名詞に所有格のみが残っているだけである。所有格は他の格と異なり、It's Mary's. やI stayed at my uncle's (place). というような後続の名詞を省略して成り立つ特殊な場合を除けば、必ず名詞を伴わないとならない点で独立した名詞とは言えず、その形式"-'s"を失えば所有格とは認識されない。その点では所有格が他の格と異なり現代まで残っていることは必要なことだったと考えられる。

人に関わる疑問詞who・whose・whomという区別の中でwhoseは同様に所有格で、先に述べたような場合を除いて名詞を伴わなくてはならないという特徴があるため消失するのは難しいが、

whom の使用が先に述べたような意識・感覚で受け止められるという理由で避けられ、who が代わりに現われることで元位置との関連に対する文法意識に変化が現われれば、また、もともと名詞の格がほとんど存在しない中で、格に関して二語を使い分けるよりは一語で済ますことができればより簡潔であることからも、疑問詞の目的格 whom も消えていく方向に向かっているのかもしれない。

おわりに

本論文では、前置詞の後に who・whom が現われる頻度の推移についてコーパスを元に観察し、whom の出現が減じていることとその背後にある原因について一つの考察を行なった。本来ならばあらゆる前置詞を用いて分析を行なうべきであるが、まず第一歩として、ここでは人と共起する前置詞の例を複数挙げて分析を行なった。

whom の出現が減っているのは、一つには母語話者の whom の使用に対する意識が作用していると考えられる。文法的には who と whom の使用区別は正確にされており、whom と who を厳密に区別することは公式の場面や文書という場合にはむしろ望ましいことであるが、日常的な場面での区別をすることが「わざとらしく見栄をはっている」など好印象を与えないとすれば自ずと使われなくなる。

この「使われなくなる」ということが、言語使用者間で推論を元に新しい文法規則を導き出すきっかけとなる。ＷＨ語についていえば、本来であればその語が属する節の中で主格（の位置の要素）だったのか目的格だったのかということが**who**か**whom**であるかの決め手になり、それは元の位置とのつながりが目に見えなくても無意識に認識されている事柄だということが、疑問文・関係節・縮約という事象から観察されている。そのような元位置との関係が無意識に認識されている状況で、本来目的格と結びつく位置と主格の**who**が結びついて現われる状況が頻出すれば、その言語使用者の中に「この場合は主格を用いる」という新しい規則が生まれることも可能であり、現在はその状況が進行していると考えてもいい。

また、英語は誕生当初に比べて名詞の「格」がほとんど消失したと言ってもよい状況になっている。**whom**という目的格も新たに消失する格なのかもしれない。

●注

（1）原文は以下のようになっている。

According to formal grammar, **who** forms the subjective case and should be used in subject position in a sentence, as in ***who*** *decided this?* The form **whom**, on the other hand, forms the objective case and so should be used in object position in a sentence, as in ***whom*** *do you think we should support?* or *to* ***whom*** *do you wish to speak?* Although there are some speakers who still use **who** and **whom** according to the rules of formal grammar as stated here, there are many more who rarely use **whom** at all;（中略）The normal practice in modern English is to use **who** instead of **whom** (***who*** *do you think we should support?*) and, where applicable, to put preposition at the end of the sentence (***who do you wish to speak to?***). Such uses are today broadly accepted in standard English, but in formal writing it is best to maintain the distinction. (NOAD (2010: 1973))

（2）原文では以下のようになっている。

When formality is not required, *who* generally replaces *whom*. Sentences such as *It was better when he knew who to pay attention to* and *who to ignore* sound perfectly natural, despite violating the traditional rules. (AHD (2015: 1977))

（3）Corpus of Contemporary American English（COCA）は口語・フィクション小説・雑誌・新聞・学術出版物・ＴＶや映画の字幕・ブログ・ネット上のページからの文・発話等をもとに作られた一億語以上の語彙を含むアメリカ英語のコーパスである。執筆時の最終アップデートは二〇二〇年三月とされていた。

（4）受動文を用いるということは受動文で主語になったものに焦点を当てるためであり、能動文の主語は、安井（一九七九：六）によれば、「この受動文の使用によって、その文の無標的テーマを担う位置から追われる羽目となる」、すなわち、能動文で動作主であったものが焦点の対象から外れることになる。このように受動文における by 動作主の部分は情報としての重要性が場合によって低いことでもあり、そのような場合省略・削除の対象になるとも考えられる。これが by と who・whom の出現数の少なさの原因と考えられる。

（5）COCA の二〇一二年の検索結果だけは、グラフに表示される数値と実際のテクストで現われる数値とが大きく異なっている。【表1】では出現数として出た数値を示したが、【表2】ではたとえば、to whom に関していえば、二〇一二年一年間の数値としては、to whom の出現数が一一六と表示されているのに対して、実際のテクスト例は三〇二六出てくる。これが重複によるものなのか不明であり、どの項目も二〇一二年のものは同様の結果になるため、二〇一二年の数値・割合はテクストの数をもとに表に示したもののここでの考察からは除外して論ずることとする。

また、検索時に

i）The reporters differ as to who they think might win the negotiation.

といったAHD（p.1977）に示されるような文も数値の中に含まれるが、このような文はas toの後が節であり、「前置詞＋who」という語の連続ではないため検索数値から除いてある。また、to whomの場合も、as to [whom SV 〜] となる場合も除いてある。

（6）割合の数値は小数点以下第二位で四捨五入したものである。

（7）byの場合も割合を検証してある【表4】。

このように、同様に割合は増加している。onの場合は数値自体で見てもわかる状況と考えて割合の表は提示しない。

（8）原文では次のようになっている。

In many contexts, *whom* sounds forced or pretentiously correct, as in *Whom do you*

【表4】by＋who/whomの出現割合（%）

	1990	1991	1992	1993	1994	1995	1996	1997	1998	1999
by whom	89.7	81.4	80.0	81.4	75.0	73.7	72.7	69.6	81.0	71.7
by who	10.3	18.6	20.0	18.6	25.0	26.3	27.3	30.4	19.0	28.3
	2000	**2001**	**2002**	**2003**	**2004**	**2005**	**2006**	**2007**	**2008**	**2009**
by whom	65.9	75.6	72.2	73.8	79.5	68.8	65.3	62.2	70.3	69.0
by who	34.1	24.4	27.8	26.2	20.5	31.2	34.7	37.8	29.7	31.0
	2010	**2011**	**2012**	**2013**	**2014**	**2015**	**2016**	**2017**	**2018**	**2019**
by whom	64.4	65.2	95.9	64.4	63.6	64.3	64.3	56.4	65.1	66.7
by who	35.6	34.8	4.1	35.6	36.4	35.7	35.7	43.6	34.9	33.3

think John's been dating? In sentences in which *whom* is a relative pronoun, *that* can often be used instead: *The electrician that the school hired has rewired four rooms so far. The players that the coach reprimanded stayed late to work on their conditioning*. Note that separating the word *whom* from the preposition of which it is the object is stylistically awkward. *Whom did you give your books to?* is more naturally expressed as *Who did you give your books to?* If the preposition and *whom* (or *who*) are not placed at the front of the clause, *who* is usually acceptable, at least, in informal contexts: *I need to know who lied to who*. (AHD (2015: 1977))

◉引用文献

Hopper, Paul J. and Elizabeth Closs Traugott (2003) *Grammaticalization*, Cambridge University Press, New York.

Pickett, Joseph P., Steven R. Kleinedler, Christopher Leonesio et.al (eds.) (2015) *The American Heritage Dictionary of the English Language, Fifth Edition*, Houghton Mifflin Harcourt, Boston.

Stevenson, Angus and Christina A. Lindberg (eds.) (2010) *New Oxford American Dictionary, Third Edition*, Oxford University Press, New York.

Wilson, Kenneth G (1993) *The Columbia Guide to Standard American English*, Columbia University Press, New York.

安井稔（一九七九）「英語の受動文について」『文藝言語研究 言語篇』巻三、筑波大学大学院社会科学研究科文芸・言語専攻、一—三〇頁。

●参考サイト

The Corpus of Contemporary American English https://www.english-corpora.org/coca/（最終アクセス日：二〇二一年四月十日）

中国語の自由会話におけるメタ言語否定のストラテジー

李嘉

はじめに

「否定」は人間のコミュニケーションに不可欠な要素の一つである。世界中のさまざまな言語において否定文が存在している。これらの否定を表わす文の中に、notのような明示的な否定辞を含む文もあるが、否定辞がなくとも語彙的な意味の中に否定の要素が含まれる非明示的な否定文もある。

意味論、語用論、認知言語学などの分野において、否定に関する先行研究は数多く存在している。たとえばHorn（1985）はその一種としてメタ言語的否定（metalinguistic negation）を提唱している。加藤（二〇〇九）は先行研究に基づいて、音韻、形態、統語、極性などの側面からメタ言語否定の（有標）

特性を十箇条[1]にまとめている。沈家煊（一九九三）は否定を「意味的否定（語義否定）」と「語用的否定（語用否定）」（本稿でいう「メタ言語否定」）に分け、「語用的否定」は文の「適宜条件（適宜条件 felicity conditions）」を否定するものとして、中国語の語用的否定の分類と共通点について考察した。その他には、個別の否定辞や否定を表わす談話標識に関する研究もある（劉麗艷 二〇〇五、王志英 二〇一九など）。しかし、自然会話の中には、上述の先行研究の中心から外れた、否定辞と否定を表わす談話標識を用いないメタ言語否定があることは無視できないと考えられる。なぜなら、コミュニケーションを行なう際、話し相手は自分の意見に対して同意するかを判断するために、聞き手はこれらの否定辞を伴わないメタ言語否定を理解することが必要だからである。

本研究の調査では、中国語の日常会話の録音と録画を分析データとして、中国語の自由会話の中にある否定辞を伴わない否定的な発話の組み立て方を詳しく検討し、語用論の観点から会話参加者はどのようなメタ言語否定のストラテジーを使用しているかを考察した。

その結果、否定辞や否定の意を表わす談話標識を伴わない否定をメタ言語否定として用いる際、発話者は言語行為を遂行するために「前置き＋否定的評価」のような発話の組み立て方、ジェスチャー、韻律特徴、付加情報を含む事実陳述文、自分の主張の念押しなどの言語・非言語的資源を利用していることが明らかになった。

1 メタ言語否定とは

メタ言語否定（metalinguistic negation）の概念について、Horn（1985）は論理学で定義される真理関数の中、「命題 *p* を命題 *not-p* にする演算子」を「記述的否定」（descriptive negation）と定義し、それに対して「私は *u* に反対する（I object to *u*）」という発話 *u* を否定する演算子をメタ言語否定（metalinguistic negation）と定義し、[2] さらに、メタ言語否定によって影響されるのは、発話と文の主張可能性（assertability）であると述べている。[3] また、Horn（1989/2001）は、メタ言語否定は、先行発話に潜在的に含まれる慣習的含意と会話の含意、形態、文体、使用域、音声表象などあらゆる側面を否定する装置だと見なしている。[4] その後、Van der Sandt（2003）はメタ言語否定には先行発話に対する否認（denial）という発語内行為が含まれていると論じている。近年、メタ言語否定に関する研究の発展と細分化が行なわれ、Davis（2016）はメタ言語否定に相当する否定は「不規則な否定」（Irregular Negation）と呼び、論理的・統語的不規則な否定を、a．限定的含意への否認（Limiting-Implicature Denial）、b．未知なことの含意への否認（Ignorance-Implicature Denial）、c．強化的含意への否認（Strengthening-Implicature Denial）、d．メタ言語的含意への否認（Metalinguistic-Implicature Denial）、e．評価的含意への否認（Evaluative-Implicature Denial）、f．前提を取り消すための否認（Presupposition-Cancelling Denial）、に分類している。[5]

加藤（二〇〇九）は先行研究に基づいて、メタ言語否定の（有標）特性をa．音韻：下降―上昇音調ないしは対比、強調強勢を伴う、b．形態：接頭辞として編入できない、c．統語：特定の構文や否定辞の位置に限定されない（日本語では外部否定構文が最も自然）、d．極性：肯定極性項目と共起し、否定極性項目を認可しない、e．意味：真理値ではなく断定性に関与、有標解釈、f．文脈の制限：先行発話を要求し、通常訂正表現を伴う、g．語用論的機能：発話の広義の適切性に関わる、h．情報構造：否定だけが新情報になる、i．獲得順序：幼児期において記述否定の獲得に先行する、j．言語処理：遡及的に二重処理される、という十箇条にまとめている。

中国語におけるメタ言語否定研究の発端は、沈家煊（一九九三）の研究だと広く知られている。彼は否定を「意味的否定（語義否定）」と「語用的否定（語用否定）」（本稿でいう「メタ言語否定」）に分け、「語用的否定」は文の「適宜条件（適宜条件 felicity conditions）」を否定すると提出し、a．尺度含意への否定、b．順序含意への否定、c．表現・修辞的含意への否定、d．前提の含意への否定、e．発音・統語の適宜条件への否定、という中国語の語用的否定を分類した上で、（1）すべての語用的否定はメタ言語否定である、（2）すべての語用的否定は弁解的な発話であり、単独で出現することがなく、後続発話が必要である、（3）語用的否定と後続発話によって一つの言語行為を成し遂げる、という共通点があると述べている。

上述先行研究の成果からみれば、メタ言語否定の中にはさまざまな言語現象として見いだされることからすれば、詳細にわたる観察と分析を行なう必要がある。特に、中国語の場合、「不」「不是」「不是……而是……」などの個別の否定辞や否定を表わす談話標識、接続詞に関する研究（劉麗艶二〇〇五、李先銀二〇一七、王志英二〇一九などを参照）は盛んだが、否定辞と否定を表わす談話標識を用いないメタ言語否定に対する考察はまだ不十分と考えられる。そこで、本研究では、中国語の日常会話の録音と録画を分析データとして、中国語の自由会話の中にある否定辞を伴わない否定的な意味を持つ発話の組み立て方を詳しく検討し、語用論の観点から会話参加者はどのようなメタ言語否定のストラテジーを使用しているかを明らかにする。

2　調査資料

本研究では筆者が二〇一九年に北京で収集した中国語母語話者の自由会話録音と動画をデータとして分析した。マルチモーダル情報を分析する際には、会話参加者の発話（speech）、視線（gaze）、ジェスチャー（gesture）という三つの側面から観察し、映像・音声分析用多機能ソフトウェアElanで記録した。録音データを文字化する際、Jefferson（2004）の転記記号を使用した。

メタ言語否定に関わる言語行為の多くは否認（denial）、拒絶（rejection）、拒否（refusal）などであるため、今回の調査に使用するデータは、上述言語行為が比較的によく見られる対等な関係を持つ友人同士の女性二人による一時間の自由会話である。中国北京出身の会話参加者ＬＩＡとＷＡＳは、データ収録現在ともに三十六歳、学部時代からの友人同士であり、異なる銀行で仕事をしている同業者でもある。

3　結果と分析

◉本研究における「否定」の分類

調査資料に出現した「否定」を分類する際、否定辞、否定の意を表わす談話標識などの言語形式の面にも焦点を当てるが、会話分析の手法を用いてデータを文字化して、各発話がより大きな会話連鎖構造とどのように結びついて、その一部となるかも観察する。

結果として、否定に関わる発話は八十五例が見られた。その中に「不是」のような否定辞、否定を表わす談話標識は三十五例があり、否定辞を伴わない否定的な発話五十例もあることが明らかになった。さらに、言語形式に基づいた否定辞や否定の意を表わす談話標識の分類および出現回数は【表1】に示すとおりである。

これらの否定辞と否定の意を表わす談話標識の中に、記述的否定の機能を果たすものも、メタ言語否定の機能を果たすものもある。（1）は記述的否定の機能、（2）はメタ言語否定の機能、の例である。

（1）はWASとLIAの共通の知り合いBについての会話から抽出したものである。WASはLIAの記憶を喚起するために、01行目でBと三人で参加した結婚式のことを言う。LIAは誰の結婚式かを思い出そうとしている。02行目でAという答え

【表1】否定辞や否定の意を表わす談話標識の分類と出現回数

不（＋是、知道、一样など） ～ではない（注6）	没（有） ない	不行 だめ、いけない	不对 違う、間違いである	没法儿 仕方ない、しようがない	记不住 覚えられない	合計
26	4	2	1	1	1	35

の候補を提示した直後、Aではないと意識し、自分の先行発話を否定した。

（1）

01　WAS　就那次参加那婚礼
（昔あの結婚式に参加した（あの人））
02　LIA　↓.h 好像有-诶是不（是）A-哦不是A
（あったようだね、Aさん（の結婚式）だっけ？　いやAさんじゃない。）
03　WAS　是谁的婚礼我忘了
（誰の結婚式だったか忘れたけど。）

（2）はWASとLIAの、どのカバンを買うべきかについての会話から抽出したものである。WASは03行目のLIAの先行発話は02行目の自分の確認要求への返答だと理解し、LIAがこれまで言及したカバンはspeedyというタイプのものだと思い、04行目でspeedyについてコメントをしたが、LIAは05行目の発話でWASのコメント（speedyはあまりにも大衆的だ）を否定しているのではなく、WASの理解（話題としたspeedyというタイプのカバン）について否定している。

（2）

01　LIA　就那个，就，不是，邮差你别买，[到时候我还得买呢．

（その、いや、ポスターバッグはだめ、機会があれば私が買いたいの。）

02　WAS　　　　　　　　　　　　　　　[speedy.

（speedy？）

03　LIA　啊：[就那个，还有那个：

（うん、あれ、あとそれ。）

04　WAS　　　[speedy speedy 太俗了呀

（speedy、speedy はあまりにも大衆的よ。）

05　LIA →.hhh 不是 speedy

（speedy じゃないわ。）

上述（1）と（2）に示すように、たとえまったく同じ否定辞と文型であっても、会話連鎖の中の位置によって、異なる種類の否定だと理解することができる。この観点から見れば、メタ言語否定について議論する際、自然会話データを詳しく分析することは非常に重要であると言えよう。

出現回数の多い「不～」の分類の中に、「不是」や「不＋形容詞」の他、「不知道」（知らない）、「不一样」（違う）という高頻度語も見られたが、『小学館 中日辞典 第3版』を参照し、すべて「不～」に分類した。なお、「不是」を含む「不是……吗？」（～ではないか）文は疑問文の形をしているため、別の種類として考え、別稿で論じることとしたい。次節でデータの中に出現した否定辞や否定の意を表わす談話標識を伴わない否定的な発話の組み立て方について詳しく考察する。

◉否定辞などを伴わない否定

▼評価の含意へのメタ言語否定

（3）は（2）と同じトピックの会話から抽出した内容である。WASは01行目の発話によって、黒いカバンが良いという自分の考えを述べたが、LIAは03行目で「黒のも悪くない」と評価した後、「とても暗い」というマイナスなコメントを加えた。この発話は01行目の評価の含意への否定というメタ言語否定の役割を果たしている。またそれだけではなく、LIAは03行目の発話によってWASに「黒いカバンを買わない方が良い」という説得・助言の言語行為を遂行した。WASは主観的でありLIAの助言をすべて受け入れことはないが、04行目で「買えない可能性」を示すことで、LIAが望んでいる結果になる可能性を示し妥協した。

（3）

01　WAS　对（.）对对对，有粉的，嗯，我想要黑的．
（そう、そうそうそう、ピンクのはあるけど、うん、私は黒のが欲しいのよ。）
02　WAS　看着也［不一定有，我跟你说吧．
（在庫があるとは限らないね、たぶん。）
03　LIA↓　［黑的也还行，但是就特别暗，那［颜色．
（黒のも悪くはないけど、でもとても暗いね、あの色。）
04　WAS　［你想要人家没准儿那儿还没有货呢．

（欲しくても、在庫がないかもしれないね。）

05　ＬＩＡ　那倒也是

（そうだよね。）

上述「前置き＋否定的評価」という形の評価の含意へのメタ言語否定以外、（４）のような否定も見られた。（４）はＷＡＳがつい最近買ったブラシについての会話である。この中にある評価的含意への否定の特徴として、（３）と同じく否定辞を伴わないという隠密性の他に、複数の発話によって構成されていることに注目すべきである。02行目から、ＬＩＡはＷＡＳが買ったブラシの用途、効果、価格に対して一連の質問をした後、「嚯↑↓」という驚きを表わす感嘆詞で、ブラシとしては値段が高いというその価値を否定するような発話にまとめた。

なぜこのような複合的な否定が組み立てられたかを考える時、無論（４）自身の会話連鎖に対する分析が必要であるものの、（３）と比較することによっても、重要なヒントが得られる。（３）の場合、ＷＡＳはカバンを買っていない状態であるので、ＬＩＡの否定はあくまでも一種の「助言」として捉えることができる。一方、（４）の中の否定は「助言」というよりはむしろ、ＷＡＳがすでに購入したものへの「批判」としてしか捉えられないため、ＬＩＡは最初から明白な否定を示しておらず、録音と録画データを参照しなければ、単なる質問だと理解される恐れがある疑問文を組み立てた。しかし、会話現場のＬＩＡの02行目の発話に応じて、ＷＡＳが自分の携帯でそのブラシの情報を探しているが、ＬＩＡが別途自分の携帯電話を両手で持ち、その画面を見ているというジェスチャーと視線を観察すれば、彼女が会話の話題であるブラシにはさほど関心を持っていないということが分かるだろう【図1】。韻律の面から見れば、06行目の発話にイントネーションの極端な上がり下がりおよび発音の引き伸ばしがあることが分かる【図2】。さらに、13行目の発話について、イントネーションの極端な上がり下がりおよび発音の引き伸ばしの他、イントネーションが変化する途中、音質上の変化——きしみ音も聞こえた【図3】。中国語のきしみ音は第三声の声調や低いピッチと共起することが多い（Davison 1991, Kuang 2017など）が、驚嘆を表わす感嘆詞「嚯」の標準音は第四声であるから、標準音で発音すれば、きしみ音の出現場所は発音途中の代わりに、末尾であったほうが妥当である。中国語母語話者ＬＩＡは韻律の操作を通して、より強い感情を表わしたと考

【図1】LIA（左）とWAS（右）の動作

【図2】「直↑发梳？」と発音する時のイントネーション曲線

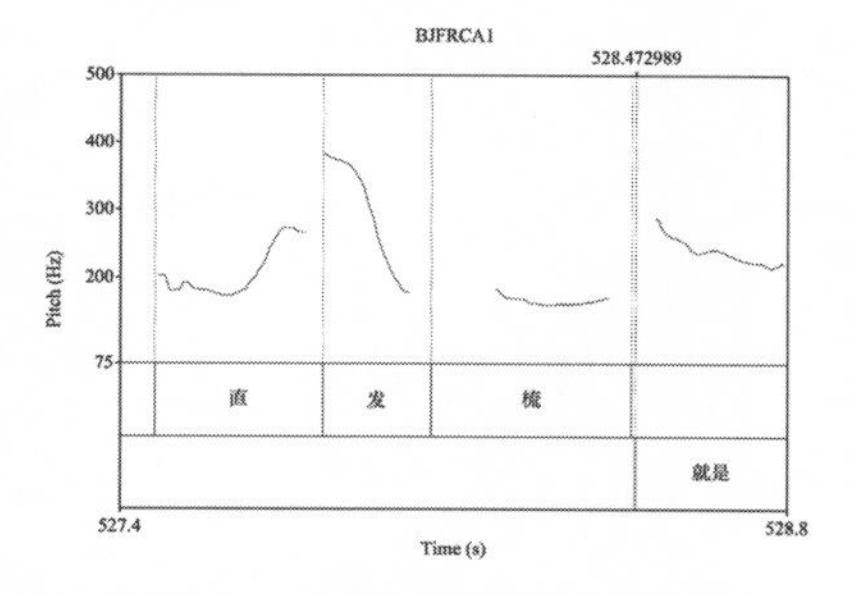

【図3】「「嚯↑↓」と発音する時のイントネーション曲線とスペクトログラム

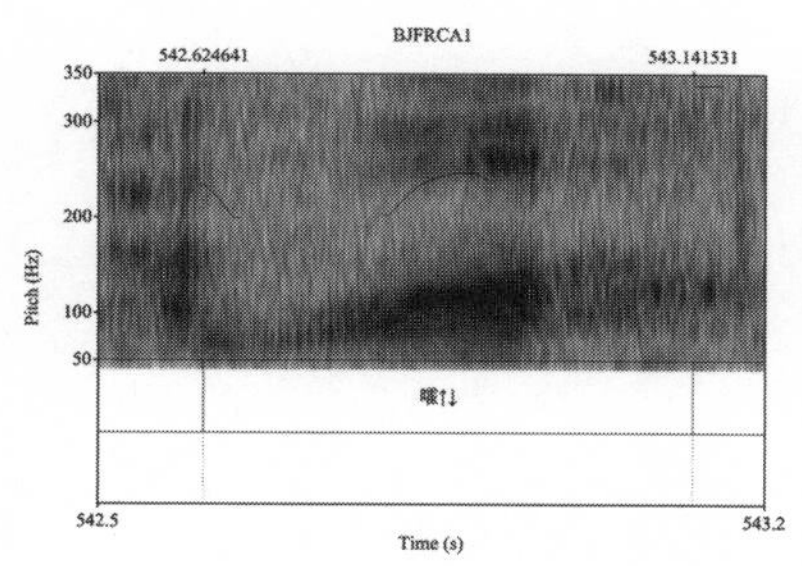

えられる。

　一方、ＬＩＡの否定に対して、有名人が薦めていることを言及し（03行目）、ネット動画などの外部資源を証拠として提供する（05-08行目）など、最後の12行目までＷＡＳの継続的な抵抗が見られた。（４）は会話の話題であるブラシに対するＬＩＡの低評価とＷＡＳの高評価の論争だと言えるが、二人とも否定辞以外の資源を利用して否定の意を表わした。

（４）

01　ＷＡＳ　我昨天看那个直播（0.6）又买了一个那个：那个直发梳，就是那梳子．
（私は昨日ライブを見て、そのストレートヒートブラシを買っちゃった。）
02　ＬＩＡ　↓直发梳干嘛使的 [啊
（ストレートヒートブラシって何に使うの？）
03　ＷＡＳ　　　　　　　　[click(.)　就杨幂代言的那个
（（舌打ち）楊幂〈女優の名前〉が宣伝しているその（ブラシ）。）
04　ＬＩＡ　↓什么东西啊
（何それ。）
05　ＷＡＳ　这个就这个（（スマートフォンをＬＩＡに見せる））
（これ、これよ。）
06　ＬＩＡ　↓直→：发梳？

（ストレート？　ヒートブラシ？）

07　WAS　就这，你-你（（スマートフォンで動画を流し始めた））

（これ。）

08　WAS　这就这个（0.4）就这么一梳（0.5）那头发特顺（0.3）买了这么一梳子．

（こうやって髪をすくと、髪の毛がサラサラになるの。こんなブラシを買ったのよ。）

09　LIA↓管事儿么？

（本当に効くの？）

10　WAS　不知道啊＝

（さあ……）

11　LIA↓＝多少钱？

（いくら？）

12　WAS　一↑百多．它-你想它＝

（一〇〇元くらい……）

13　LIA↓＝嚯↑↓

（ほお……）

14　WAS　它这个是二百零九（0.2）佳琦直播间一百-一百五十九好像是．

（もともとは二〇九元だったけど、佳琦（Youtuber）のライブで一五九元になったよ。）

▼発話の前提へのメタ言語否定

（5）はWASとLIAの共通の知り合いCについての会話である。昔WASと同じ部署だったCが他の支店に出向し、業務内容が変わったという新情報を得たLIAは、04行目で「Cはどう思っているの」という質問をしたが、05行目の、Cはまだ正式に仕事をしていない、という補足情報（事実陳述）はこの質問の答えではなく、「Cは支店の新しい仕事をし始め、それについてなんらかの感想があるのでは」という質問の前提への否定である。

（5）

01　WAS　我们-他们今年那个（0.4）你还有-你还记得C吗．
（今年……あなた、Cさんのことをまだ覚えてる？）
02　LIA　C啊我知道［C］
（知ってるよ。）
03　WAS　　　　　　［去］网点儿了（0.4）［东直门-东直门支行］
（支店に出向したのよ、東直門〈地名〉支店へ。）
04　LIA　　　　　　　　　　　　　　　　［那她觉得怎么样啊］去（　）网点儿
（どう思ってるのかしら？　支店に行って。）
05　WAS　→她这礼拜刚去的，刚开始培训．
（今週行ったばかりだし、研修も始まったばかりよ。）

▼未知なことの含意へのメタ言語否定

（6）はＬＩＡとＷＡＳの学生時代、旅行で泊まったホテルについての会話である。ＬＩＡはその時に泊まったホテルが「黄河假日」であるかどうかの確認を求めたが、02 行目のＷＡＳの反応によって示されたのは「黄河假日」だった可能性もあり、「黄河假日」ではなかった可能性もある。つまり、答えは未知のまま、ＬＩＡの確認要求は満たされていない状況に陥った。そこでＬＩＡは自分の記憶に従い、01 行目の発話より確信度の高い発話文を組み立て、未知なことの含意へのメタ言語否定によって、ＷＡＳの確認を導こうとした（03 行目）。しかし、ＷＡＳは 04 行目で「覚えていない」の理由は「遠い昔のことだから」だと連鎖の中に挿入した。この挿入連鎖は 07 行目のＬＩＡの話でブロックされ、会話は「ホテルの名前」という本来の話題に戻った。07 行目の発話の組み立て方を詳しく観察すれば、その前半部分は 03 行目とまったく同じ構造を用いて作られた文法的に完全な文書であり、02 行目の発話に含まれた未知なことについての含意に対するメタ言語否定でもある。一方、その後半は話題のホテルに関連するＬＩＡの最近の体験談の始まりになった。こうして、ＬＩＡは会話のトピックをスムーズに変えた。

（6）

01　ＬＩＡ　.hhh 好酒店（.）我记得那年咱俩去那个最早去三亚是不是住的黄河假日？
〈良いホテル、私たちが初めて三亜〈地名〉に行った時、黄河假日〈ホテル〉に泊まったかしら？〉

02　ＷＡＳ　记不住了＝

（覚えてない。）
03　LIA↓＝好像是
（たぶんそう。）
04　WAS　那都多少年了＝咱去三亚［得有快十年了
（何年前の話？　三亜に行ったのはほぼ十年前だよね。）
05　LIA　　　　　　　　　　　　　［刚在（0.5）那会儿咱在工行的时候吧＝
（工行〈会社名〉にいた頃でしょう。）
06　WAS　＝嗯（.）所以我就觉得得有十年了去那趟三亚
（うん、だから行ったのはほぼ十年前だと思う。）
07　LIA↓好像是黄河假日（.）你看我这次去西安我又住黄河假日去了，体验一把好酒店．
（たぶん黄河假日だった、私、今回西安に行った時もそこに泊まって、良いホテルを体験したよ。）

▼制限的な含意へのメタ言語否定

（7）はLIAのこれからの日程についての会話である。WASはLIAからもらった情報に基づいて、01行目で自分の予測を述べ、LIAに答えを求めた。ただ、その発話の組み立ての特徴は、二つの統語的に完全な文によって構成されることと、二つの文はそれぞれ異なるトピックを持っているということである。したがって、「来週おばさんが帰ってくる」と「外食する」という二つの文の間に「順番構成単位」（Turn-constructional unit, TCU）の完了可能点があると考えられる。実際、ＬＩＡもそう判断し、ＷＡＳの発話順番は「来る」で完了すると予測し、発話権を取ろうとして、発話のオーバーラップを引き起こした。このような返答の遅延があったので、03行目と04行目でも発話の重なりが生じたのである。

最初から整理すれば、「来週おばさんが帰ってくる?」と「そう。」および「外食する?」と「精進料理だ。」の二セットの問答に分けることができる。ここで第二セットに注目すると、「食事」の通常な含意は「精進料理」などを含むものだと理解できるが、「精進料理」のような特別な料理ではなく「普通の食事」という含意もあることが分かる。このような解釈の曖昧性があるので、ＬＩＡは04行目で「食事」の限定的な含意を取り消して「精進料理を予約した」と明示的に示した。

（7）

01　ＷＡＳ　等于下礼拜你姨 - 你老姨回来，[然后 - 然后外面吃饭去啊

（来週あなたのおばさん、一番下のおばさんが帰ってくるから、外で食事会をするの?）

02　ＬＩＡ　　　　　　　　　　　　　　　　[啊::

（そう）

03　ＷＡＳ　　　[中秋的时候

（中秋の時?）

04　ＬＩＡ ↓[真订的素

（（家族の誰かが）なんと精進料理を予約したのよ。）

◉考察

上述分析で得られた結果をまとめると、次のとおりである。本研究で利用したデータの中に出現した「否定」は、言語形式から分類した結果、「不是」、「不+形容詞」、「不知道」、「不一样」のような明示的否定と否定辞や否定の意を表わす談話標識を伴わない否定に分けることができる【表1】。これらの否定の役割は「記述否定」か「メタ言語否定」かについて、明確な境界線が見えず、一つの単語でも、会話連鎖中の位置が変わると異なる役割を果たす可能性がある。

否定辞や否定の意を表わす談話標識を伴わない否定をメタ言語否定として用いる際、発話者は言語行為を遂行するために「前置き+否定的評価」のような発話の組み立て方、ジェスチャー、韻律特徴、付加情報を含む事実陳述文、自分の主張の念押しなどの言語・非言語的資源を利用していることが明らかである。なお、否定に関わる例文の中でも、否定辞や否定の意を表わす談話標識を伴わない否定の形の方が多いということは、中国語の自由会話におけるメタ言語否定のストラテジーの一つだと言えるだろう。

本稿では、否定辞や否定の意を表わす談話標識を伴わないメタ言語否定の分類について、具体例を挙げて「評価の含意へのメタ言語否定」、「発話の前提へのメタ言語否定」、「未知なことの含意へのメタ言語否定」、「制限的な含意へのメタ言語否定」の特徴を論じたが、「発音・統語の適宜条件への否定」については、紙幅の都合上、別稿で詳しく論じたい。

おわりに

本研究では、約一時間の中国語の日常会話の録音と録画をデータとして用い、中国語の自由会話の中にある否定辞を伴わない否定的な意味を持つ発話の組み立て方について詳細にわたる観察と分析を行なった。その結果、データの中に現われたメタ言語否定のストラテジー・資源は何かを明らかにした。加えて、語用論の観点からメタ言語否定の分類を考察する際、自然会話データを詳しく記述し分析することの重要性を示したという点に本研究の意味があると考えられる。

◉データ転記記号

→ ターゲット・ライン
- 言葉の途切れ
[音声重なりの開始部分
] 音声重なりの終了部分
.h 吸気音
: 発音の引き延ばし
(.) 0.2秒以下の短いポーズ

,	発話末の音が下がるイントネーション
.	発話末の音が下がるイントネーション[7]
?	発話末の音が上がるイントネーション
(0.4)	約 0.4 秒の短いポーズ
( )	括弧の中は聞き取れなかった内容
(( ))	ジェスチャーなどのメタ情報を記録用の注釈
=	二つの発話が密着している場所
↑↓	イントネーションの極端な上昇と下降

(Jefferson 2004)

◉謝辞　本研究は、令和元年度岐阜聖徳学園大学研究助成金を受けた。

◉注

（1）各項目は主に英語に関する研究によって得られた結果である（加藤　二〇〇九、二六五頁）。

（2）What I am claiming for negation, then, is a use distinction: it can be a descriptive truth-functional operator, taking a proposition *p* into a proposition *not-p*, or a metalinguistic operator which can be glossed ‘I object to *u*’ , where *u* is crucially a linguistic utterance rather than an abstract proposition. (Horn 1985: 136)

（3）…the distinction drawn above recalls a distinction made elsewhere, the import of which has been insufficiently appreciated: that of the truth of a proposition vs. the assertability of a statement or sentence. (Horn 1985: 137)

（4）…Metalinguistic Negation—a device for objecting to a previous utterance on any grounds whatever, including the conventional or conversational implicata it potentially induces, its morphology, its style or register, or its phonetic realization. (Horn 1989/2001: 363)

（5）各分類の具体例については、Davis (2016) p.5 を参照。

（6）翻訳は『小学館 中日辞典 第3版』を参照。

（7）本稿では統語構造が比較的に完全な文の発話末の音が下がるイントネーションを表わすために「.」を用いる。

◉引用文献

Davis, Wayne. (2016). *Irregular negatives, implicatures, and idioms*. Springer, Dordrecht.

Davison, D. S. (1991). An acoustic study of so-called creaky voice in Tianjin Mandarin. *UCLA Working Papers in Phonetics* 78: 50–57.

Horn, Laurence R. (1985). “Metalinguistic negation and pragmatic ambiguity.” *Language* 61: 121–74.

Horn, Laurence R. (1989/2001). *A Natural History of Negation*. University of Chicago Press, Chicago.

Jefferson, G. (2004). Glossary of transcript symbols with an introduction. In G. H. Lerner (Ed.), *Conversation Analysis: Studies from the First Generation* (pp.13–31). Philadelphia, PA: John Benjamins.

Kuang, J. (2017). Covariation between voice quality and pitch: Revisiting the case of Mandarin creaky voice. *The*

Journal of the Acoustical Society of America 142 (3): 1693–1706.

Van der Sandt, Rob A. (2003). Denial and presupposition. In Kühnlein, H. R. P., Zeevat, H. (Eds.), *Perspectives on Dialogue in the New Millenium*. John Benjamins, Amsterdam.

加藤泰彦（二〇〇九）「ホーン『否定の博物誌』覚え書（3）メタ言語否定」『上智大学外国語学部紀要』44、二六一―八二頁

商務印書館・小学館（編）（二〇一六）『小学館 中日辞典 第3版』小学館

李先銀（二〇一七）『現代漢語話語否定標記研究』北京：世界図書出版公司

劉麗艶（二〇〇五）「作為話語標記語的〝不是〟」『語言教学与研究』6、pp. 23–32.

沈家煊（一九九三）「『語用否定』考察」『中国語文』5、pp. 321–331.

王志英（二〇一九）『現代漢語語用否定研究』中国社会科学出版社

あとがき

新型コロナウイルス感染への対応に追われるなか、こうして『アカデミック・ダイバーシティの創造』を出版することができたことを、まずは喜びたい。執筆者の募集、テーマの選定、執筆、ピア・レビュー、校正作業を経て、一冊の書物を世に送り出すことができた。一連の作業は、外国語学部教員のアカデミック・ダイバーシティを再認識するよい機会でもあった。リベラル・アーツは、その重要性が目に見える形ではわかりにくく、残念ながら社会から軽視されがちである。しかし、決してそうではないことを本書の論文が示すことができたなら、今回の企画は大成功である。

本書の出版にあたっては、前四作と同様、彩流社のお世話になった。編集者の真鍋知子さんには多様な分野の論文を丁寧に読み、適切なコメントをいただいた。また、岐阜聖徳学園大学からは、令和三年度事業予算として出版助成金を交付していただいた。心から感謝申し上げる。

令和四年三月二日

執筆者一同

宮原 淳（みやはら・あつし）
同志社大学大学院文学研究科新聞学専攻博士後期課程単位取得満期退学
専門：メディア英語学
著書：小塩和人・岸上伸啓編『朝倉世界地理講座　アメリカ・カナダ』（共著, 朝倉書店, 2006年）, 日本カナダ学会編『はじめて出会うカナダ』（共著, 有斐閣, 2009年）,『地方私大流 TOEIC』（編著, パブフル, 2020年）

蔵 研也（くら・けんや）
カリフォルニア大学サンディエゴ校経済学博士課程修了
専門：社会哲学
著書：『無政府社会と法の進化——アナルコキャピタリズムの是非』（木鐸社, 2007年）,『リバタリアン宣言』（朝日新聞社〈朝日新書〉, 2007年）,『18歳から考える経済と社会の見方』（春秋社, 2016年）

丹羽 都美（にわ・さとみ）
名古屋大学大学院文学研究科博士前期課程修了
専門：英語学（統語論）
論文："Temporal Denotation and Semantic Properties of Verbs"（『岐阜聖徳学園大学紀要 教育学部編』第54集, 2015年）, "Negation Marker *Not* with Infinitival Clauses in Contemporary American English"（『岐阜聖徳学園大学紀要　外国語学部編』第58集, 2019年）,「現代アメリカ英語における different than の位置づけ」（『立命館経営学』第59巻第5号, 林正人教授退任記念論文集, 2021年）

李 嘉（り・か）
名古屋大学大学院国際開発研究科国際コミュニケーション専攻博士後期課程単位取得満期退学
専門：言語学, 語用論
論文：「中国人日本語学習者のカタカナ認知に関する調査研究」（『日本語／日本語教育研究』第11号, 2020年）

テイラー・クレア（Taylor, Clair）
カンタベリー・クライストチャーチ大学英語教育（TESOL）修士課程修了
専門：TESOL（英語を母国語としない人のための教授法）
著 書：*Whose Autonomy? Voices and Agency in Language Learning. Selected Papers from the 2018 Independent Learning Association Conference*（共著, Candlin & Mynard ePublishing Limited, 2020 年）, *Language Center Handbook 2021*（共著, International Association for Language Learning Technology, 2021 年）
論文：“The Transformation of a Foreign Language Conversation Lounge: An Action Research Project”（『岐阜聖徳学園大学紀要　外国語学部編』第 53 集, 2014 年）

長尾 純（ながお・じゅん）
ボール州立大学大学院英語学科応用言語学専攻博士課程修了
専門：応用言語学
著書：岐阜聖徳学園大学外国語学部編『ことばのプリズム――文学・言語・教育』（共著, 彩流社, 2014年）, 岐阜聖徳学園大学外国語学部編『リベラル・アーツの挑戦』（共著, 彩流社, 2018年）,『英語教師がおさえておきたい音声・文法の基本――現代英語学入門』（共著, くろしお出版, 2021 年）

長谷川 信（はせがわ・まこと）
名古屋市立大学大学院システム自然科学研究科生体情報専攻博士後期課程単位取得満期退学
専門：教育工学, 情報応用システム
論文：「生理学と食文化に基づく料理の調味料と味覚の定量的関係――ニューラルネットワーク・モデルによる定量化」（『Review of Economics and Information Studies』Vol.8, No.1・2, 2007 年）,「コンピュータ活用時の知的資質分析評価方法」（『電子情報通信学会技術研究報告（ET）』Vol.110, No.453, 2011 年）

伊佐地 恒久（いさじ・つねひさ）
筑波大学大学院修士課程教育研究科教科教育専攻修了
専門：英語教育学
著書：田中武夫・島田勝正・紺渡弘幸編著『推論発問を取り入れた英語リーディング指導——深い読みを促す英語授業』（共著，三省堂，2011年），三浦孝・亘理陽一・山本孝次・柳田綾編著『高校英語授業を知的にしたい——内容理解・表面的会話中心の授業を超えて』（共著，研究社，2016年），『英語教師がおさえておきたい音声・文法の基本——現代英語学入門』（監修，くろしお出版，2021 年）

大塚 容子（おおつか・ようこ）
金城学院大学大学院文学研究科英文学専攻修士課程修了
専門：談話分析
著書：『ポライトネスと英語教育——言語使用における対人関係の機能』（共著，ひつじ書房，2006年），『日・英語談話スタイルの対照研究——英語コミュニケーション教育への応用』（共著，ひつじ書房，2015年），宇佐美まゆみ編『日本語の自然会話分析——BTSJ コーパスから見たコミュニケーションの解明』（共著，くろしお出版，2020 年）

冨田 福代（とみた・ふくよ）
英国ロンドン大学 Institute of Education カリキュラム・スタディーズ大学院博士課程修了（Ph.D in Education），東京大学大学院教育学研究科博士課程単位取得後満期退学
専門：教育学，教師教育，比較教育
著書：冨田福代・寺﨑昌男編著／稲垣忠彦・牛山榮世『続 教師教育の創造——専門職としての教職を問う』（共著，評論社，2013 年）
報告書：日本教育大学協会『教職大学院認証評価機関設立特別委員会調査研究』（共著，日本教育大学協会，2008 年 3 月），文部科学省委託研究平成 19 年度「先導的大学改革推進委託事業」『学生の大学卒業程度の学力を認定する仕組みに関する調査研究』（共著，文部科学省，2008 年 4 月）

◉執筆者紹介（論文掲載順）◉

河原﨑 やす子（かわらさき・やすこ）
カリフォルニア大学ロサンゼルス校大学院アジア系アメリカ研究専攻修士課程修了
専門：アジア系アメリカ文学・文化
著書：小林富久子監修『憑依する過去——アジア系アメリカ文学におけるトラウマ・記憶・再生』（共著，金星堂，2014年），岐阜聖徳学園大学外国語学部編『リベラル・アーツの挑戦』（共著，彩流社，2018年）
論文：「記憶される日本の東南アジア侵略——『ブラック島』にみる抑圧と抵抗」（多民族研究学会『多民族研究第9号』2016年）

熊沢 秀哉（くまざわ・ひでや）
名古屋大学大学院文学研究科ドイツ文学専攻博士課程後期課程単位取得満期退学
専門：ドイツ文学
著書：岐阜聖徳学園大学外国語学部編『異文化のクロスロード——文学・文化・言語』（共著，彩流社，2007年），岐阜聖徳学園大学外国語学部編『ポスト／コロニアルの諸相』（共著，彩流社，2010年），岐阜聖徳学園大学外国語学部編『ことばのプリズム——文学・言語・教育』（共著，彩流社，2014年）

四戸 慶介（しのへ・けいすけ）
青山学院大学大学院文学研究科英米文学専攻修了
専門：英文学
論文："Aesthetics of "Being Ill" in Virginia Woolf's *The Years*"（日本ヴァージニア・ウルフ協会『ヴァージニア・ウルフ研究』第33号，2016年），"Toward an Aesthetics of Being Ill: Diseased Body in Virginia Woolf's *The Voyage Out*"（新英米文学会『New Perspective』第204号，2017年）

アカデミック・ダイバーシティの創造

2022年3月31日 初版第1刷発行　　定価はカバーに表示してあります

編　者　**岐阜聖徳学園大学外国語学部**

発行者　**河野和憲**

発行所　株式会社　**彩流社**

〒101-0051　東京都千代田区神田神保町3-10　大行ビル6階

電話　03-3234-5931　FAX　03-3234-5932

http://www.sairyusha.co.jp

sairyusha@sairyusha.co.jp

印刷　モリモト印刷㈱

製本　㈱難波製本

装幀　桐沢 裕美

落丁本・乱丁本はお取り替えいたします

ISBN978-4-7791-2811-0 C0080

子どもの第二言語習得プロセス

978-4-7791-2165-4 C0082(15.10)

プレハブ言語から創造言語へ　　ペレラ柴田 奈津子著

子どもはどのように第二言語を話せるようになるのか。子どもが言語を習得するまでの過程を観察し、細かに分析した研究書。プレハブを組み立てるようにセンテンスを学んでいく学習法は、従来の英語教育に新しい可能性を与える。　A5 判上製　2800 円＋税

言語多様性の継承は可能か

978-4-7791-2219-4 C0080(17.08)

[新版] 欧州周縁の言語マイノリティと東アジア　　寺尾智史著

イベリア半島の言語・ミランダ語、王室のことばのアラゴン語など、欧州の少数言語、そして新華僑の温州語や加古川流域の「播磨ことば」などを横断する知的冒険。存亡の危機瀕する言語はいかに保全されるべきか可能性をさぐる。　A5 判上製　3200 円＋税

グローバル・スタディーズの挑戦

978-4-7791-2751-9 C0036(21.04)

クリティカルに、ラディカルに　　足羽與志子／ジョナサン・ルイス編著

1997 年、既存学問分野を横断網羅するグローバル・スタディーズの大学院を創設した、一橋大学社会学研究科地球社会研究専攻を中心に、グローバル・スタディーズの思想と実践、教育と現状、独自の研究領野を提示する必読書。　四六判並製　2500 円＋税

新たな和解の創出

978-4-7791-2693-2 C0020(20.08)

グローバル化時代の歴史教育学への挑戦　　馬 暁華編

近代日本の戦争と植民地支配をめぐる諸問題をいかに歴史教育学の課題とし、その「歴史的事実」を礎石として歴史和解を実現し得るかを、「戦争と和解」「歴史教育と和解」「戦争の記憶と和解」を中心に国際比較の視点で考える。　A5 判並製　3500 円＋税

移民・難民・マイノリティ

978-4-7791-2727-4 C0031(21.03)

欧州ポピュリズムの根源　　羽場久美子編著

今世紀最大の社会対立を引き起こしている移民・難民問題の本質を問う。欧州各国での多人種・多民族共生の実態、ポピュリズムとゼノフォビア（外国人嫌い）に揺れる各国、マイノリティ包摂の困難等を検証する多角的論集。　四六判並製　3600 円＋税

周縁に目を凝らす

978-4-7791-2738-0 C0036(21.04)

マイノリティの言語・記憶・生の実践　広島市立大学国際学部 多文化共生プログラム編

文化人類学、ジェンダー、美術史等の研究分野から、いわゆる少数民族に限定されない社会的、文化的な少数派、辺境・周縁性といった概念を推し進め、少数派概念の生成のされ方から問い、個別と普遍の対話・議論を喚起する。　四六判並製　3500 円＋税

リベラル・アーツの挑戦

978-4-7791-2425-9 C0080(18.01)

岐阜聖徳学園大学外国語学部編

外国語学部で学ぶべきことは、言語について、言語が紡ぎ出す世界について分析し、考察する能力を培うこと。外国語を操るスキルが偏重される風潮に、文系の学問の存在意義を主張する「外国語学部」からのメッセージ。 四六判上製 3200円＋税

ことばのプリズム

978-4-7791-1984-2 C0080(14.02)

文学・言語・教育 岐阜聖徳学園大学外国語学部編

「文学」「言語学」「外国語教育学」の分野による、「言語」をキーワードにした論考8本を収載。アメリカ、ドイツ、イギリス文学から英語の文法・意味・音声、日本語会話、日本語母語話者の読解のメカニズムまで。 四六判上製 3000円＋税

ポスト／コロニアルの諸相

978-4-7791-1515-8 C0093(10.04)

岐阜聖徳学園大学外国語学部編

植民地化という〈異文化との接触〉は何を生み出したのか……。文学・文化・言語という異なった切り口で、文化変容や人々の意識のあり方などを多角的に考察する論集第二弾。「忘れられた『戦争協力詩』」など刺激的な9本の論考を収載。 四六判上製 2800円＋税

異文化のクロスロード

978-4-7791-1234-8 C0098(07.01)

文学・文化・言語 岐阜聖徳学園大学外国語学部編

〈異文化理解〉なくして〈国際的コミュニケーション能力〉の育成はありえない——英米文学・ドイツ文学・フランス文学・中国文学・日本語の研究者10名が、〈異文化との出会い〉をテーマにさまざまな角度から〈異文化理解〉を論じる論考集。 四六判上製 2800円＋税

母語干渉とうまくつきあおう

978-4-7791-2569-0 C0082(19.04)

英語を教える人に 英語を学ぶ人に 丹羽牧代編著／丹羽 卓・地蔵繁範著

英語学習において陥りがちな、母語の特性の自然さを第二言語の自然さと取り違えて母語どおりに学習してしまう危険性を指摘。どのようなときにその危険に陥り、どのような学習方法ならば母語干渉の障害を避けられるかを丁寧に示す。 A5判並製 2800円＋税

松本亨と「英語で考える」

978-4-7791-2144-9 C0080(15.08)

ラジオ英語会話と戦後民主主義 武市一成著

NHKラジオ英語会話の講師を20年以上つとめ、英語教育者として知られる松本亨。キリスト教者としての生き方、戦後民主主義に彼の「英語会話」が及ぼした影響など、これまで見落とされてきた側面を、波乱の人生をたどりながら論じる。 A5判上製 3500円＋税